Begegnungen 8

Geschichte Sozialkunde Erdkunde

Ausgabe B

Herausgegeben von
Ambros Brucker und Karl Filser

Autoren
Ambros Brucker, Karl Filser,
Reinhard Wanka

Oldenbourg

Inhaltsverzeichnis

Kennzeichnung eines Kapitels
■ Methoden-Werkstatt
■ Wiederholen, Üben, Vertiefen ...
Ⓜ Seiten für M-Klassen
□ Erläuterung
Kurze Zusammenfassung innerhalb des Kapitels

Europa – unser Erdteil

Mutter Europa und ihre Kinder

Satellitenbild Europas.
Vergleiche das Satellitenbild mit einer Karte Europas. Benenne die Meere, Inseln und Halbinseln, Gebirge und Flüsse.

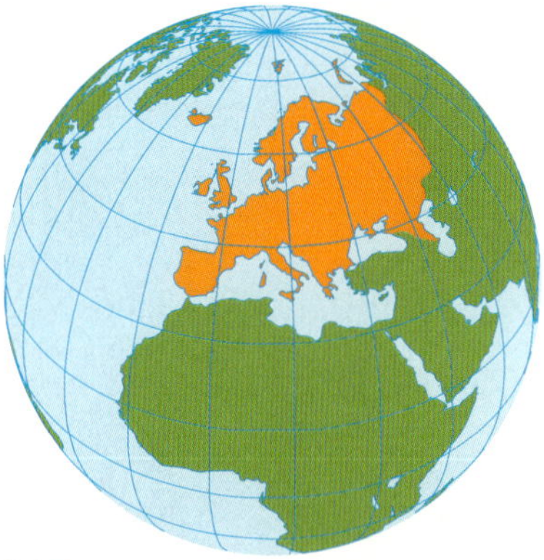

M 1 Lage Europas im Gradnetz

A 1 Beschreibe den Verlauf der Grenze zwischen Europa und Asien (M 2 und Atlas).

Was ist Europa?

Ist Europa ein eigenständiger Kontinent? ▸ Betrachte Europa auf einem Globus oder einer Weltkarte. Unser Kontinent sieht nicht wie andere Erdteile aus, sondern wie die nach Westen vorgeschobene Halbinsel der riesigen Landmasse Eurasien. Trotzdem wird Europa als eigener Kontinent angesehen, weil es durch seine Gestalt, sein Klima, seine Menschen, seine Geschichte und Kultur eigenständig ist – anders als Asien.

Wie wird Europa begrenzt? ▸ Auf drei Seiten ist Europa von Meeren umgeben. Nur im Osten gibt es keine natürliche Abgrenzung gegenüber Asien. Hier haben Wissenschaftler eine Grenze zwischen beiden Kontinenten festgelegt.

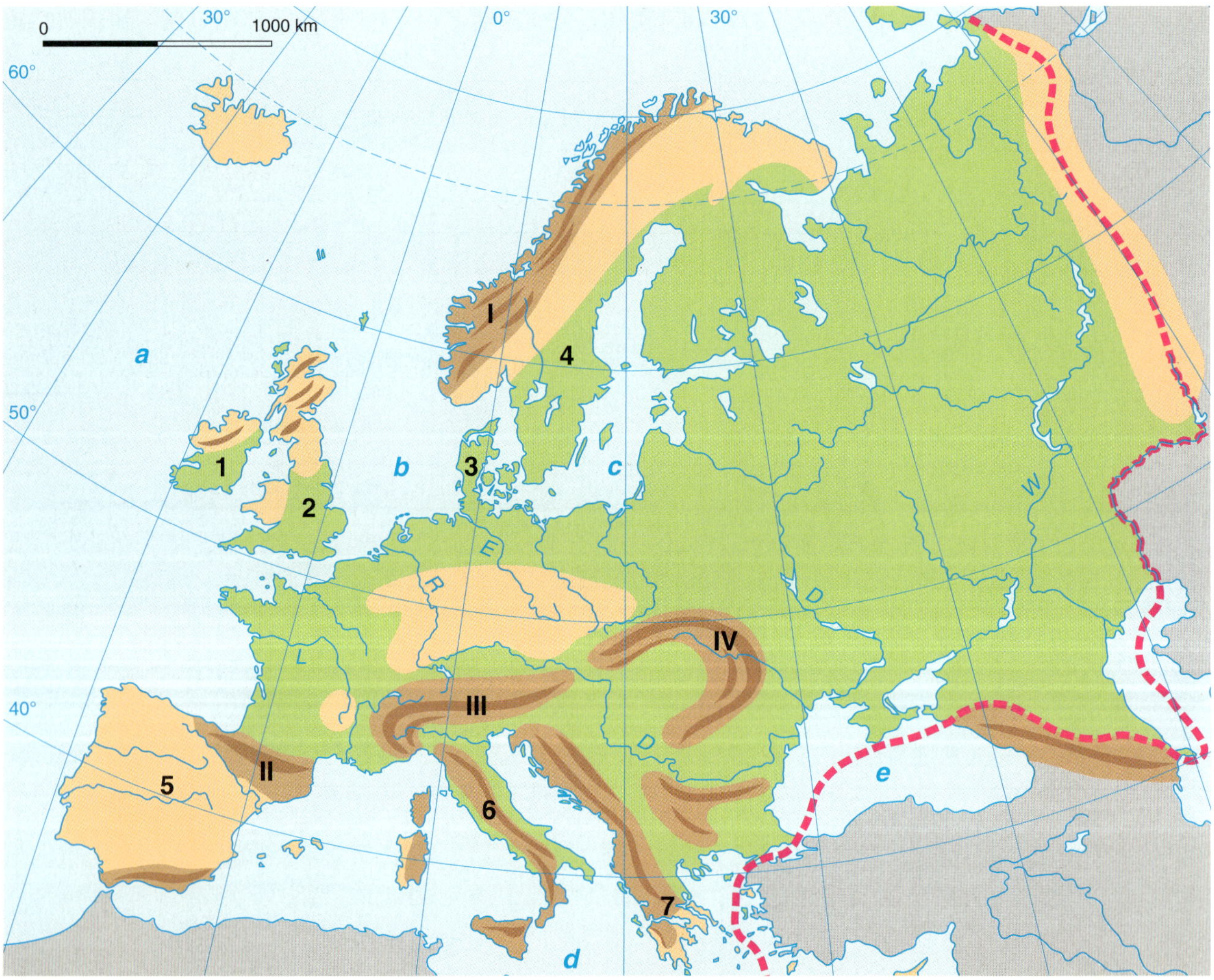

M 2 Stumme Karte Europas

Wusstest du schon, dass

- Europa der Name eines Mondes ist, der den Planeten Jupiter umkreist?
- Europa der Name einer kleinen Koralleninsel ist, die zwischen Afrika und Madagaskar liegt?
- Europa der Name einer Gebirgskette im Norden Spaniens ist?
- Euro, die Bezeichnung unseres Geldes, von dem Namen unseres Kontinents herrührt?
- Europastraßen Fernstraßen des internationalen Verkehrs sind?
- im Zugnamen EC der Deutschen Bahn und in der ec-Karte der Banken der Name Europa steckt?
- Europameisterschaften in vielen Sportarten, nicht nur im Fußball, ausgetragen werden?
- in Europaschulen Schülerinnen und Schüler aus verschiedenen Nationen zusammen lernen?

A 2 Miss die größte West-Ost- und die größte Nord-Süd-Erstreckung (M 2 und M 3).

A 3 Bringe die stumme Karte Europas (M 2) zum Sprechen, indem du die mit Ziffern und Buchstaben gekennzeichneten Halbinseln und Inseln (1 – 7), Gebirge (I – IV), Flüsse (Anfangsbuchstaben) und umgebenden Meere (a – e) benennst (Atlas).

A 4 Lege eine Tabelle an, in der du die Staaten den verschiedenen Teilen Europas zuordnest (M 3). Beachte: Drei Staaten liegen nicht nur in Europa.

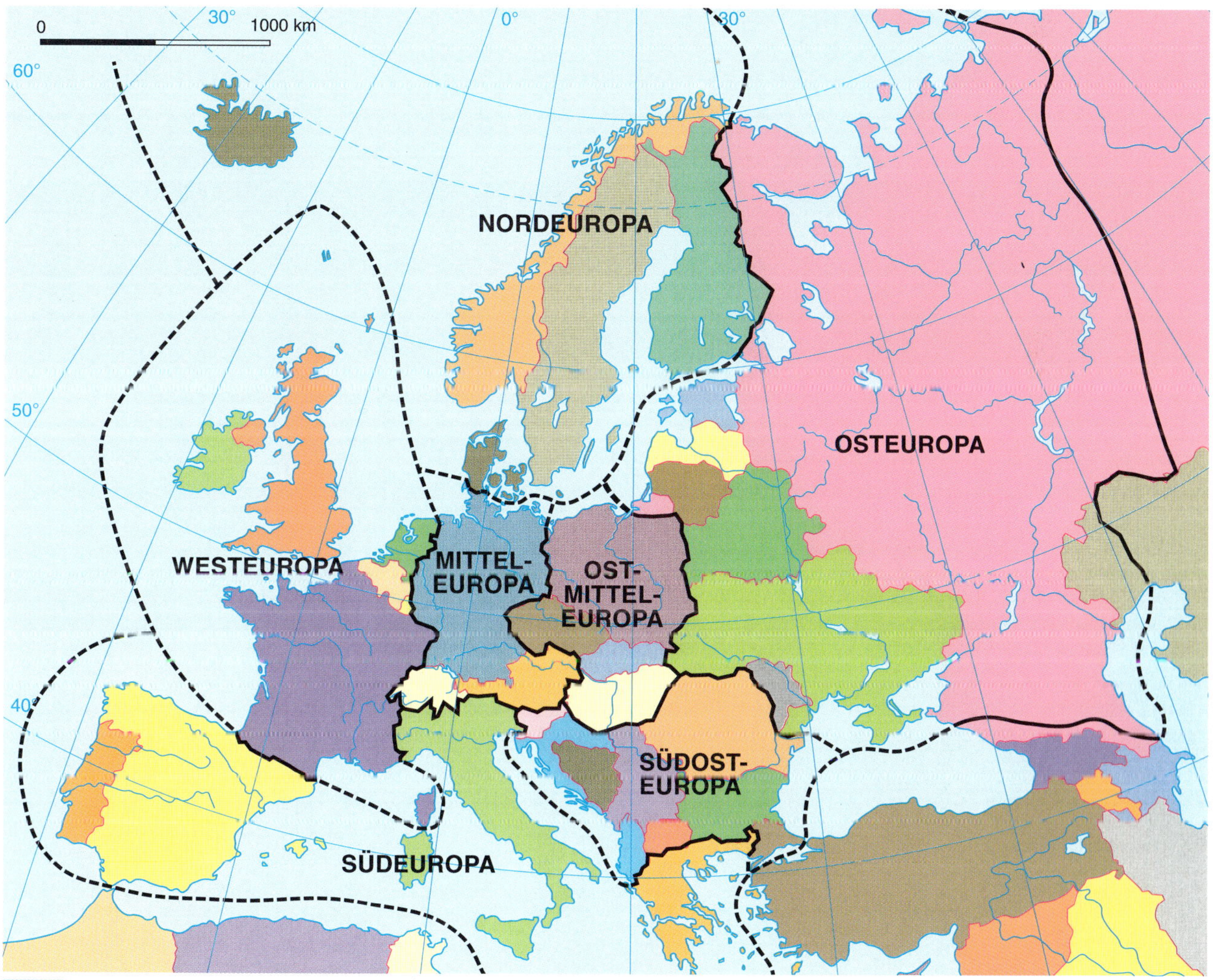

M 3 So wird Europa entsprechend den Himmelsrichtungen gegliedert.

Europas vielfältige Pflanzenwelt

Die ursprüngliche natürliche Pflanzenwelt ist in Europa fast vollständig vom Menschen verändert oder gar vernichtet worden.
Der größte Teil Europas liegt in der gemäßigten Klimazone. Trotzdem gibt es hier große Unterschiede in der Pflanzenwelt. Nahe der kalten Zone im Norden scheint viel weniger Sonne als nahe der heißen Zone im Süden. Die Lage zu den Meeren ist für die Pflanzen von größter Bedeutung, denn mit der Entfernung vom Meer nehmen die Niederschläge ab.

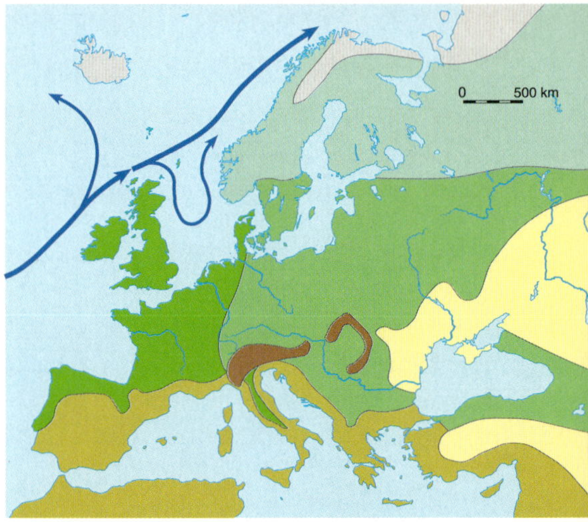

Laubwälder der gemäßigten Zone
In diesem Pflanzengürtel wachsen fast nur Laubbäume und Sträucher, kaum Nadelgehölze. Hier ist das Klima ausgeglichen: Die Sommer sind relativ kühl, die Winter verhältnismäßig warm und es regnet zu jeder Jahreszeit. Eiche, Linde, Ahorn, Esche und Buche wachsen hier. Manche Laubbäume und Sträucher sind sogar immergrün.

Pflanzenwelt der Hochgebirge
Hier nehmen mit der Höhe die Temperaturen ab und die Niederschläge zu. Deshalb kommen – von unten nach oben – Mischwälder, Nadelwälder, Zwergsträucher sowie Gräser und Kräuter vor.

Hartlaubgewächse des Mittelmeerklimas
Im Mittelmeerraum regnet es fast nur im Winter. Deshalb müssen die Pflanzen sich vor der trockenen Hitze und der hohen Verdunstung im Sommer schützen. Sie tun dies durch lederartige, harte Blätter, einen Wachsüberzug, durch Dornen und Behaarung. Zu diesen Pflanzen gehören immergrüne Bäume und Sträucher, zum Beispiel der Ölbaum. Die meisten Anbaupflanzen des Mittelmeerraumes müssen jedoch bewässert werden. Sie wachsen hier nicht von Natur aus!

Nördliche Nadelwälder

Hier kommen nur wenige Pflanzenarten vor: in erster Linie Fichten, Lärchen und Kiefern. Diese Bäume müssen Frost vertragen und lange, kalte, dunkle Winter überstehen können. Nur die Lärchen werfen ihre Nadeln im Winter ab. In Russland heißt diese Pflanzenzone Taiga.

Mischwälder der gemäßigten Zone

Nadel- und Laubbäume bilden den Mischwald. Er kommt in Gebieten mit mäßig warmen Sommern und mäßig kalten Wintern und Niederschlägen zu allen Jahreszeiten vor. Im Winter schneit es. Die Laubbäume – hauptsächlich Eichen, Buchen und Birken – werfen im Winter ihr Laub ab.

Steppen Osteuropas

Steppen sind Grasländer, auf denen winterharte Gräser wachsen, die monatelangen Frost und sommerliche Hitze aushalten können. In diese weitläufigen Steppen waren vereinzelt Waldinseln eingestreut. Fast überall sind hier die Böden sehr fruchtbar. Weil auch die Sommertemperaturen für den Ackerbau günstig sind, hat man diese Steppen fast ganz in Ackerland umgewandelt.

A 1 Beschreibe die Pflanzengürtel in Europa und ihre Verbreitung.

Das Klima in Europa

A 1 Beschreibe jeweils das Klima, das die fünf Klimadiagramme vorstellen (M 1, M 2, M 4 – M 6).

A 2 Erläutere die Verbreitung der fünf Klimagebiete in Europa (M 3).

A 3 Lege die Veränderungen des Klimas dar, wie sie die Klimadiagramme von London, Kiew und Berlin zeigen (M 1, M 2 und M 5).

A 4 Stelle die Unterschiede zwischen dem Klima im Norden und im Süden Europas fest. Berücksichtige auch die Bilder auf Seite 8/9.

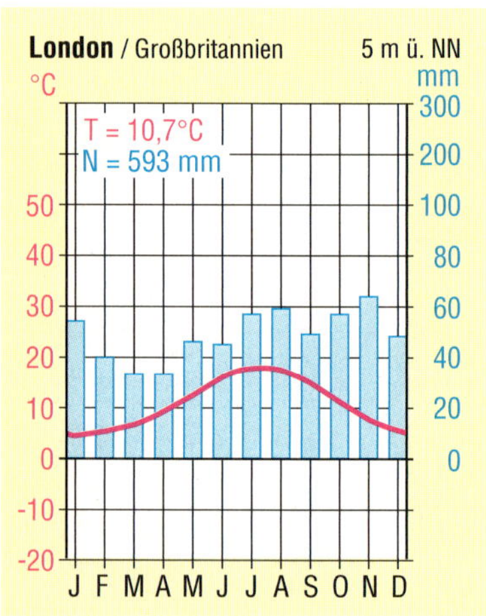

M 1 Klimadiagramm von London

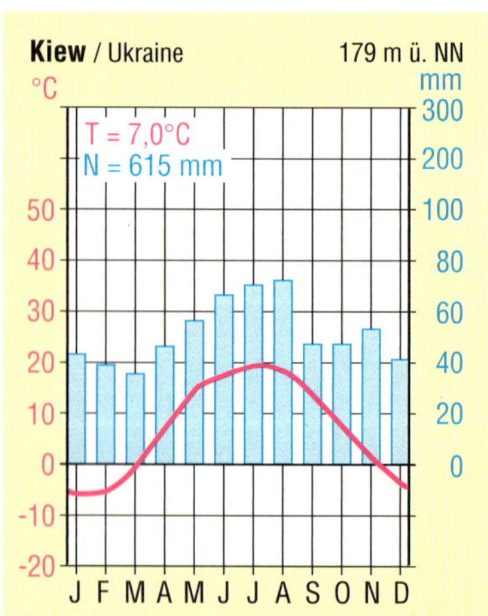

M 2 Klimadiagramm von Kiew

M 3 Klimagebiete in Europa

A 5 Nenne die wesentlichen Merkmale des Meeres- und des Landklimas sowie des Mittelmeerklimas.

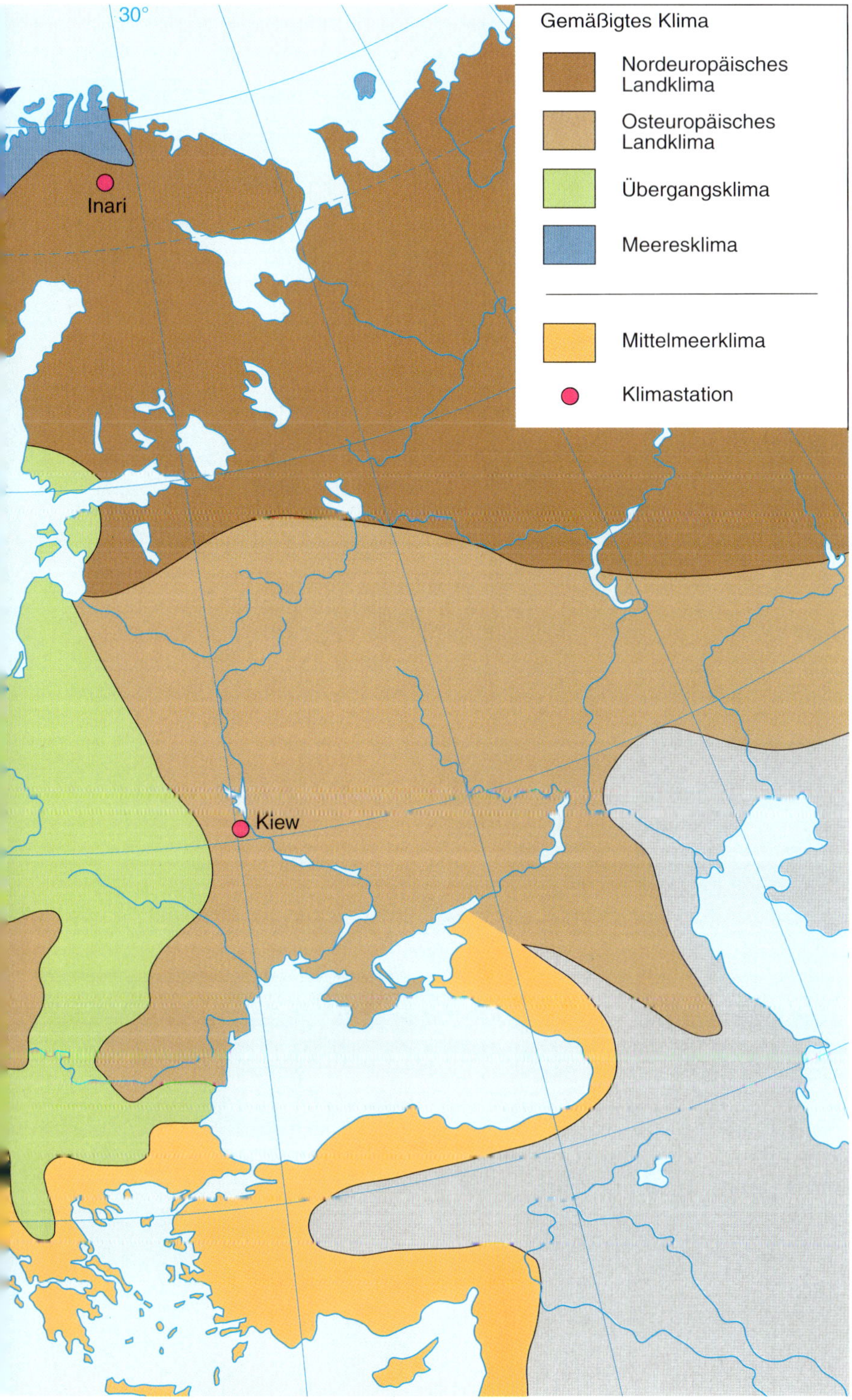

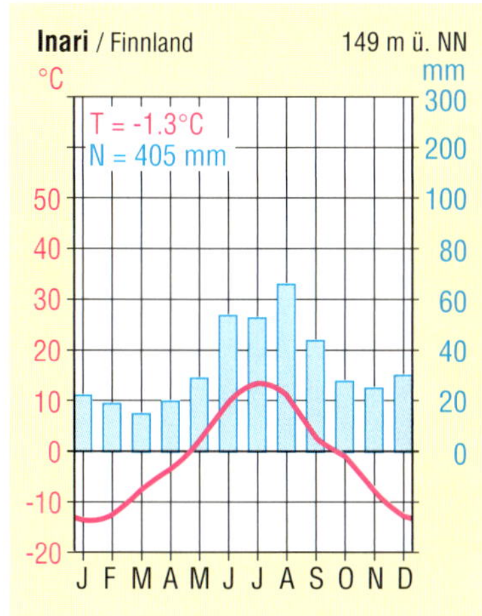

M 4 Klimadiagramm von Inari

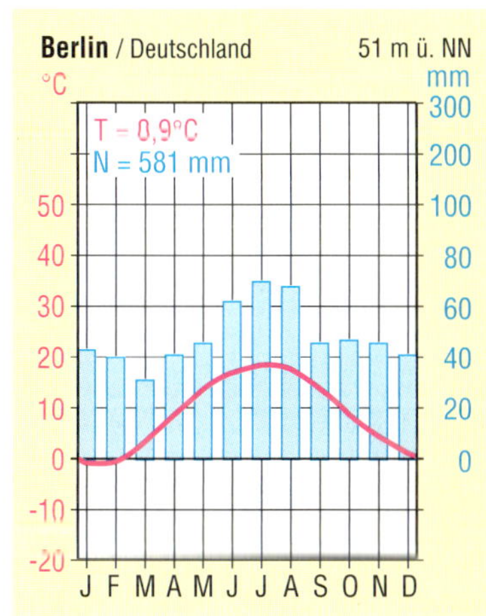

M 5 Klimadiagramm von Berlin

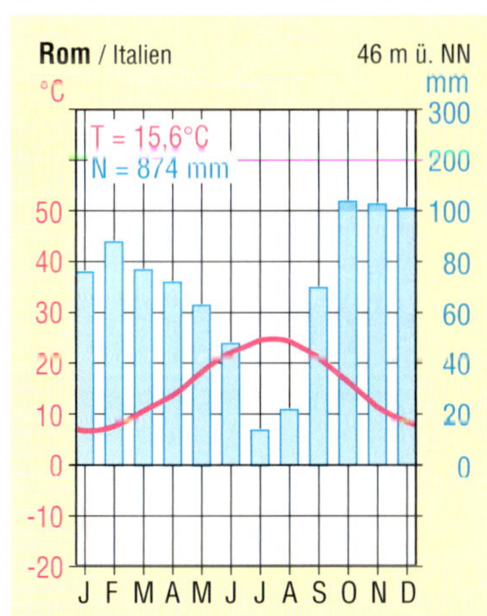

M 6 Klimadiagramm von Rom

Ein Rätsel für Klimaexperten

Finde heraus, welches Klimadiagramm zu welchem Bild und zu welchem Text passt. Wenn du die Trios in der Reihenfolge Klimadiagramm – Bild – Text und in der Reihenfolge der aufgeführten Klimate Europas (rechts) aneinanderreihst, ergeben die Buchstaben einen Lösungsspruch. Viel Erfolg!

Nordeuropäisches Landklima
Osteuropäisches Landklima
Übergangsklima
Meeresklima
Mittelmeerklima

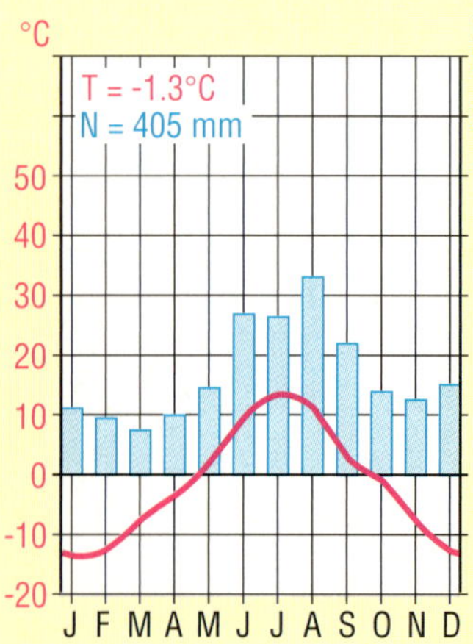

N

T

In diesem Klimagebiet wachsen Nadelbäume und Laubbäume. Die Laubbäume werfen im Winter ihr Laub ab. Hier sind zwar die Winter kalt und die Sommer heiß, aber ganz selten einmal werden extreme Höchstwerte erzielt. Es regnet zu jeder Jahreszeit. Kein einziger Monat ist trocken, alle sind feucht.

C

Kennzeichnend für dieses Klimagebiet sind die starken Regenfälle im Herbst und Winter und die große Trockenheit während der Sommermonate. Dieser Gegensatz bestimmt hier den Wechsel der Jahreszeiten. Von Natur aus wachsen Pflanzen, die sich gegen die Dürre und Austrocknung durch die Sommerhitze schützen können.

E

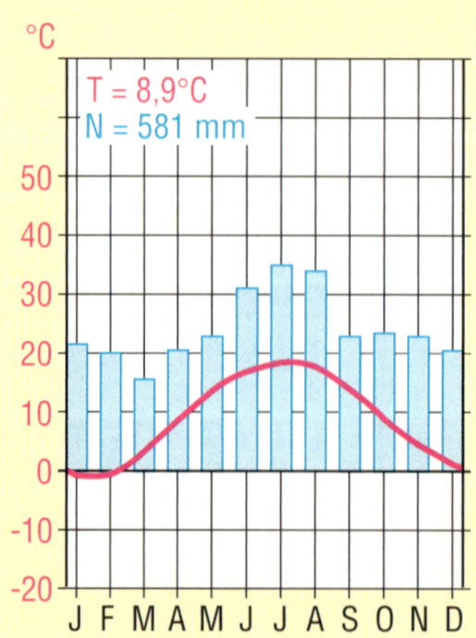

F

U

Das Merkmal dieses Klimagebietes ist, dass die Sommer verhältnismäßig kühl und die Winter ziemlich mild sind. Nur selten gefriert es hier. Es regnet zu allen Jahreszeiten. Die Pflanzen müssen nie mit großer Trockenheit oder großer Kälte rechnen. Deshalb brauchen sie auch im Winter ihr Laub nicht abzuwerfen.

E

In diesem Klimagebiet Europas wird es im Sommer recht heiß und im Winter ziemlich kalt. Die Niederschläge fallen als Schnee im Winter und als Regen im Sommer. Sie sind in dem meerfernen Gebiet nicht sehr hoch, jedoch ausreichend für den Ackerbau. Zwar kommen vereinzelt Wälder vor, aber es überwiegt die Steppe mit ihren winterharten Gräsern.

R

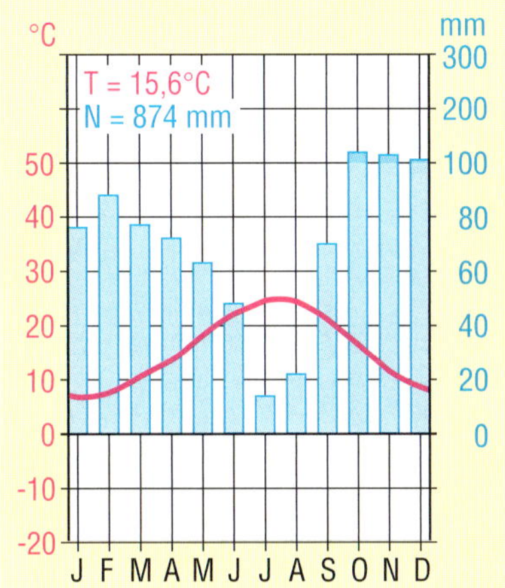

U

Ü

Weithin ist das Land in diesem Klimagebiet durch Wälder bedeckt. Hier erreichen die Temperaturen im Winter tiefe Minusgrade, aber im Sommer steigen sie ziemlich hoch. Dieser große Gegensatz prägt das Klima der Region. Es fällt nicht sehr viel Niederschlag, aber er reicht für das Wachstum der Nadelbäume.

R

L

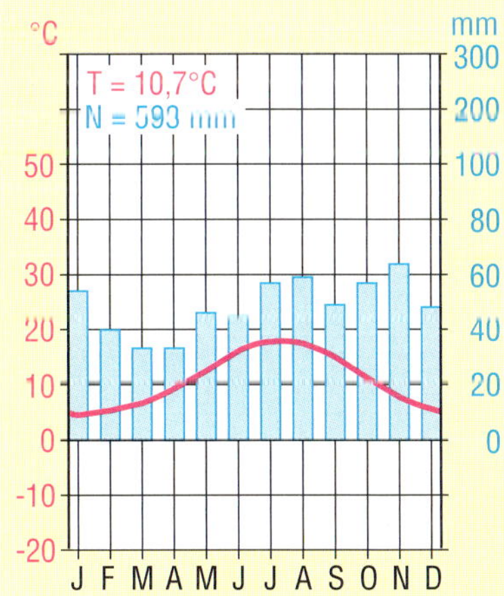

H

A

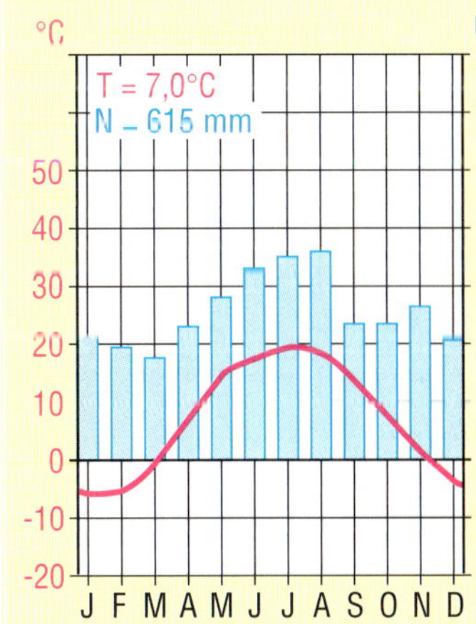

F

Europa und seine Staaten

Viele Staaten liegen auf dem Kontinent Europa ▸ Während der langen Geschichte Europas hat die Anzahl der Staaten vielfach geschwankt. Die meisten der heutigen Staatsgrenzen sind erst im Laufe der letzten 100 Jahre festgelegt worden.

Grenzen fallen ▸ Um die Zersplitterung Europas zu überwinden, arbeiten viele Staaten eng zusammen. Sie verzichten zum Beispiel darauf, an ihren Grenzen Personen zu kontrollieren oder Zölle zu erheben, was früher üblich war. Beim Grenzübertritt gibt es keine Personenkontrollen mehr. Am erfolgreichsten ist in dieser Hinsicht die Europäische Union (EU). Ihr Ziel sind die „Vereinigten Staaten von Europa".

Neue Grenzen entstehen ▸ In den letzten Jahrzehnten verlief in Europa die Entwicklung aber auch in die entgegengesetzte Richtung. Vor 1989 gab es zwei Vielvölkerstaaten, in denen mehrere Völker zusammenleben mussten. Weil diese Völker eigenständig und unabhängig in eigenen Staatsgebieten leben wollten, kam es vereinzelt zu kriegerischen Auseinandersetzungen. In den meisten Fällen aber zerfielen diese Vielvölkerstaaten auf friedliche Weise. Es bildeten sich mehrere neue Staaten.

A 1 Nenne die Staaten, die der EU angehören (M 1).

A 2 Vergleiche die politischen Karten Europas von 1989 und 1997. Nenne die Staaten, die in diesem Zeitraum zerfallen und solche Staaten, die neu entstanden sind (M 2 und M 3).

M 1 Die Staaten der EU und die beitrittswilligen Staaten

M 2 Europa 1989

M 3 Europa 1997

Wir gestalten eine aktuelle Europakarte

Jeden Tag bringen das Fernsehen, der Rundfunk und die Zeitungen neueste Meldungen über Ereignisse aus Europa:

- über Sportveranstaltungen,
- über Stürme oder Überschwemmungen oder Erdbeben,
- über Wahlen, Unruhen oder gar kriegerische Konflikte,
- über kulturelle Ereignisse, wie zum Beispiel die Europatour einer Rockband.

Damit ihr euch ein genaues Bild darüber machen könnt, wo die verschiedenen Ereignisse stattfinden, könnt ihr im Laufe von mehreren Wochen oder gar Monaten eine aktuelle Europakarte entwickeln. Dabei könnt ihr so vorgehen:

- Besorgt euch eine Europakarte und heftet sie an die Pinnwand. Ihr könnt auch selbst eine solche Karte zeichnen.
- Achtet auf Ereignisse, die im Fernsehen, im Rundfunk oder in der Zeitung besonders hervorgehoben werden.
- Schneidet aus der Zeitung die Überschriften zu diesen Ereignissen aus.
- Befestigt diese Überschriften (manchmal auch den Artikel) neben der Europakarte auf der Pinnwand.
- Markiert auf der Europakarte den Ort, von dem in dem Artikel die Rede ist, zum Beispiel mit einem farbigen Reißnagel.
- Verbindet diese Stelle mit der zugehörigen Zeitungsüberschrift durch einen farbigen Wollfaden oder durch eine kräftige Linie (Textmarker).

Diese Aufträge könnt ihr abwechselnd ausführen: Jede Woche sind zwei andere Schülerinnen oder Schüler dran.

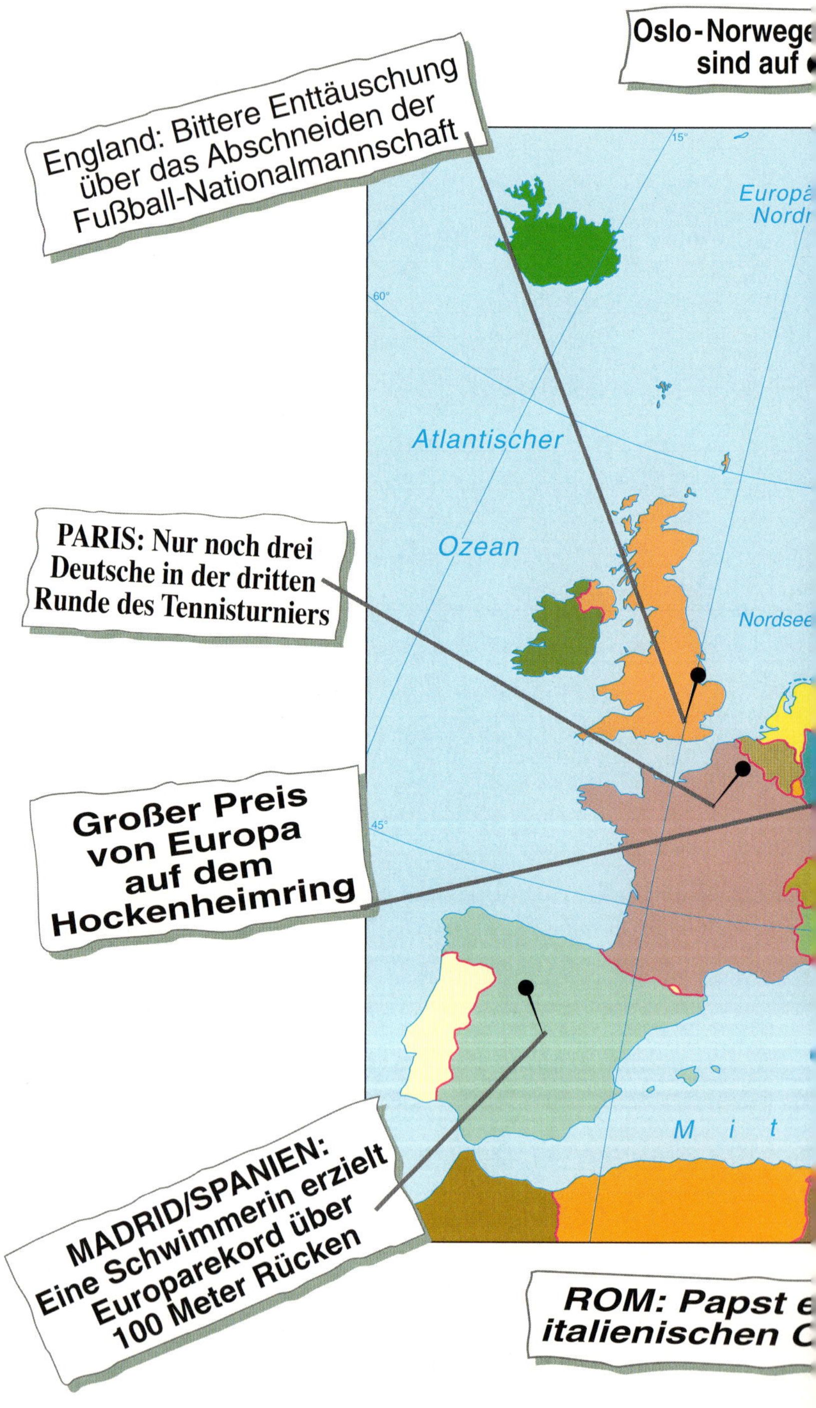

Was ihr beachten solltet:

- Lasst die Fäden oder Linien sich nicht überschneiden, damit die Karte übersichtlich bleibt.
- Nehmt euch nur eine Art von Ereignissen vor, zum Beispiel Sportereignisse oder politische Geschehnisse.
- Ihr könnt aber auch für verschiedene Ereignisse mehrere Europakarten entwickeln.

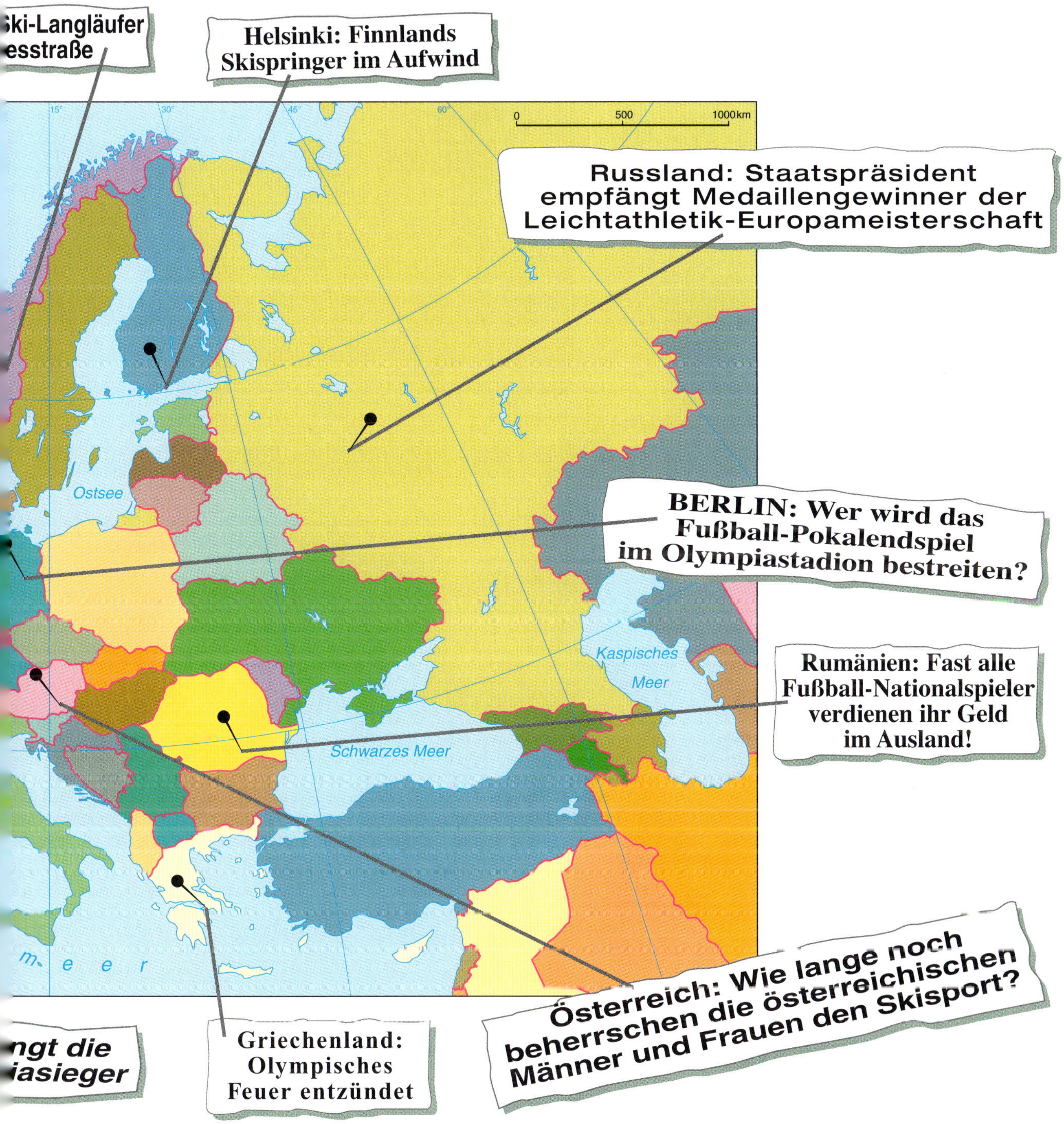

Welche Informationen brauchen wir für eine Landeskunde?

- Lage des Landes innerhalb Europas
- Lage des Landes zu den Meeren; Küsten
- Klima
- Flüsse und Seen, Gebirge und Ebenen (Oberflächenformen)
- Bevölkerung: Anzahl, Entwicklung, Sprache, Religion
- Geschichte
- Politische Verhältnisse: Verfassung, Regierung
- Wirtschaft: Erwerbstätigkeit, Arbeitslosigkeit, Höhe des Bruttoinlandsprodukts
- Städte: Hauptstadt, größte Städte und deren Lage
- Aus wirtschaftlichen, historischen oder touristischen Gründen besonders herausragende Landschaften

Welche Informationsquellen können wir nutzen?

- Atlas, sonstige Karten
- Jahrbücher mit aktuellen Zahlenangaben, zum Beispiel Der Fischer Weltalmanach, dtv Jahrbuch, Harenberg Aktuell u. a.
- Länderlexika
- Reisekataloge, Reiseprospekte
- Zeitungsartikel
- Internet, CD-ROMs/DVDs

Wie können wir das Land charakterisieren?

- Nach seiner Lage, Flächengröße und Oberflächenformen (zum Beispiel Kleinstaat, Gebirgsstaat)
- Nach seinen Klimabedingungen (zum Beispiel Sonnenstaat der Alpen)
- Nach der Bevölkerung (zum Beispiel Ein Staat – eine Nation dominiert)
- Nach der wirtschaftlichen Bedeutung (zum Beispiel klein – aber fein)
- Unter touristischen Gesichtspunkten (zum Beispiel Auf der Sonnenseite der Alpen)

Wir stellen landeskundliche Informationen zusammen – Beispiel Slowenien

Slowenien Republik Slowenien	SLO		
Landesfläche	20 256 km² (WR 150)		
Einwohner	2 Mio (WR 142)		
Hauptstadt	Ljubljana (323 000 Einwohner)		
Sprachen	Slowenisch		
Währung	1 Tolar (SLT) = 100 Stotin		
Zeit	Mitteleuropäische Zeit		
Gliederung	148 Gemeinden		
Politik			
Staatsform	Republik (seit 1991)		
Regierungschef	Anton Rop (seit 2002) *27.12.1960		
Staatspräsident	Janez Drnovsek (seit 2002) *17.5.1950		
Parlament	Nationalrat mit 90 für vier Jahre gewählten Abgeordneten; 34 Sitze für Liberaldemokrat. Partei (LDS), 14 für Sozialdemokrat. Partei (SDS), 11 für Vereinigte Liste (ZLSD), 29 für Andere, 2 für Minoritäten (Wahl von 2000)		
Internet	www.gov.si		
Bevölkerung			
Religion	Katholiken (70,8%); Atheisten (4,3%); Lutheraner (1%); Muslime (1%); Sonstige (22,9%)		
Nationalitäten	Slowen. (87,8%); Kroat. (2,8%); Serb. (2,4%); Sonst. (7,0%)		
Wirtschaft und Soziales			
Dienstleistung	57%	Urbanisierung	49%
Industrie	39%	Einwohner/km²	99
Landwirtschaft	4%	Bev.-Wachstum/Jahr	–0,1%
BSP/Kopf	10 370 $ (2002)	Kindersterblichkeit	0,5%
Inflation	5,6% (2003)	Alphabetisierung	99%
Arbeitslosigkeit	11,2% (2003)	Einwohner pro Arzt	496

M 1 Aus Harenberg Aktuell 2005, S. 616

M 2 Aus Der Fischer Weltalmanach 2005, S. 401

M 3 Landschaftsformen Sloweniens

Aus einem Länderlexikon:

Slowenien liegt zwischen den Ostalpen, dem Dinarischen Gebirge und dem Ungarischen Tiefland. Es weist deshalb eine große landschaftliche Vielfalt auf. Da ist zum einen die Alpenregion mit den Julischen Alpen, den Karawanken und dem Bachergebirge, zum anderen der mediterrane Küstenstreifen, schließlich die verkarsteten Gebirge im Südwesten, das Hügelland beiderseits der Drau und das ausgedehnte Becken der Hauptstadt Ljubljana.

M 4 Slowenien – auf der Sonnenseite der Alpen

Aus einem Reiseprospekt:

Die slowenische Riviera ist das bekannteste Fremdenverkehrsgebiet Sloweniens: eine Perle der Natur, der Kreuzungspunkt einer interessanten Vergangenheit mit einer reichen Gegenwart. Zahlreiche Sonnentage, angenehm milde Nächte, die mediterranen Einflüsse der Adria: das alles wird Ihren Urlaub noch schöner machen.
Von der Küste aus sind Sie in wenigen Stunden bei den großartigen Karsthöhlen von Postojna (Adelsberg).
Wenn Sie die Ruhe der Bergwelt lieben, empfehlen wir Ihnen den Nationalpark im Gebiet des Triglav. Der Luftkurort Bled liegt in einem engen Tal zwischen den Julischen Alpen und den Karawanken.
Unsere Hauptstadt Ljubljana (Laibach) ist wegen ihrer Burg und der interessanten Museen immer einen Besuch wert.

M 5 Piran

M 6 Tropfsteinhöhle in Postojna

M 7 Strand von Portoroz

M 8 Ljubljana (Burg)

Wie können wir die Landeskunde gestalten?

- Vortrag mit Unterstützung von Folien (Tageslichtprojektor)
- Schautafel mit Texten, Bildern, Zahlen, Kartenskizzen
- Ordner mit Informationstafeln
- PowerPoint-Präsentation

Im nach wie vor ungelösten **Streit mit Kroatien über die Grenzziehung** in der Piran-Bucht bekräftigte das Parlament in Ljubljana am 19. 12. 2003 die slowenischen Forderungen auf territorialen Zugang zur Adria (→ Karte). In einer Neufassung der Seerechtsbestimmungen erklärte sich Slowenien unter Berufung auf historische Rechte zum gleichberechtigten Küstenstaat mit Anspruch auf eine exklusive Wirtschaftszone außerhalb der Territorialgewässer. Die Abgeordneten reagierten damit auf einen Vorstoß des kroatischen Parlaments vom Oktober 2003, das die östliche Hälfte einseitig zur kroatischen Umwelt- und Fischereischutzzone erklärt hatte. Ljubljana sah darin eine Verletzung seiner Hoheitsrechte und warf Zagreb vor, die ungelöste Frage des Grenzverlaufs vorentscheiden zu wollen. Auch Italien als Anrainerstaat und die EU kritisierten das Vorgehen Kroatiens.

M 9 Aus Der Fischer Weltalmanach 2005, S. 401

Großbritannien – eine Wirtschaftsmacht

M 1 Die Britischen Inseln

	Großbritannien	Deutschland
Fläche in km²	242910	357027
Bevölkerung	59867000	82516000
Bruttosozialprodukt pro Ew.	33620 $	30690 $
Anteil der Sektoren am BIP*		
– Landwirtschaft	1 %	1 %
– Industrie	26 %	29 %
– Dienstleistungen	73 %	70 %
Beschäftigte in den Sektoren		
– Landwirtschaft	1,2 %	2,2 %
– Industrie	23,5 %	25,8 %
– Dienstleistungen	75,3 %	72,0 %
Arbeitslosigkeit	4,7 %	11,7 %

* = Bruttoinlandsprodukt

M 2 Vergleich ausgewählter Strukturdaten (2004)

A 1 Erkläre, was man unter England, Großbritannien und Vereinigtem Königreich versteht (M 1).

A 2 Berichte über die Bedingungen, unter denen sich Großbritannien im 19. Jahrhundert zum „Ersten Industriestaat der Welt" entwickelte (M 3).

A 3 Was bedeutet „Made in UK"?

A 4 Beschreibe die Verteilung der Industriezweige in Großbritannien (M 4 und Atlas).

Von der „Werkstatt der Welt" zum „kranken Mann Europas" ▸ Im 19. Jahrhundert waren Manchester und Leeds die führenden Textilstädte, Liverpool der wichtigste Hafen, Birmingham das Zentrum der Eisenindustrie. Die Midlands, das industrielle Kernland Großbritanniens, wurden durch den Rauch und Ruß aus unzähligen Fabrikschloten zum Black Country. Die Industrie boomte.

Seit der Mitte des 20. Jahrhunderts erfasste Großbritannien die „englische Krankheit": Fabriken schlossen ihre Tore, Arbeitslosigkeit breitete sich aus, Städte verwahrlosten. Was war geschehen? Das Land hatte seine Kolonien verloren, also seine Rohstoffbasis und einen riesigen Absatzmarkt für seine Industrieprodukte. Die Kohle war durch Erdöl ersetzt worden; Kohlezechen waren geschlossen worden. In allen traditionellen Industriezweigen waren Arbeitsplätze verloren gegangen.

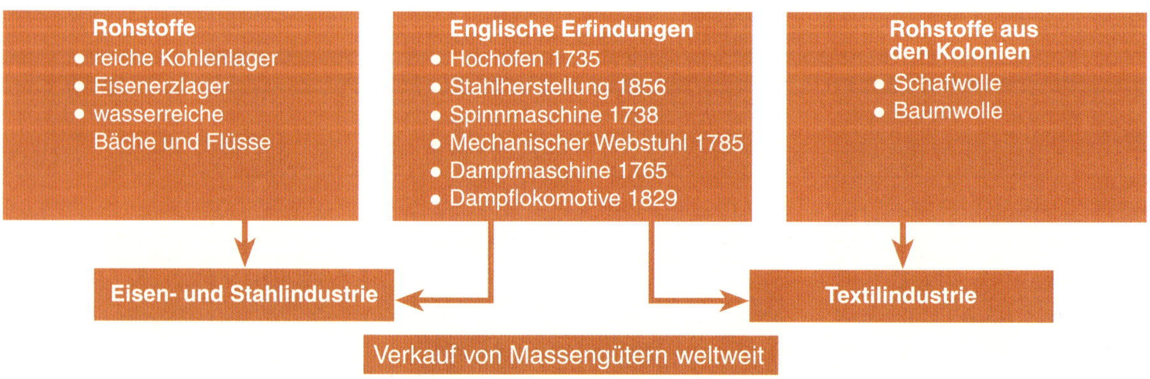

M 3 Großbritannien – Grundlagen für den ältesten Industriestaat der Erde

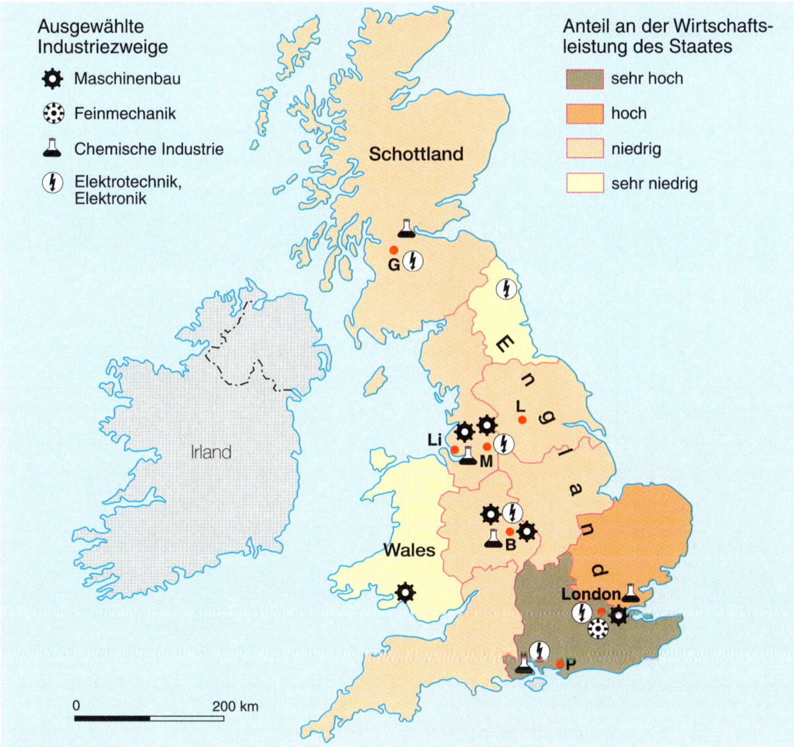

M 4 Das Süd-Nord-Gefälle in der Wirtschaft Großbritanniens

M 5 Alte Industrieanlagen und Arbeiterwohnungen in Wales

„Struggling Britain" und „Booming Britain" ▸ Großbritannien musste sich einer Radikalkur unterziehen. Die meisten Staatsbetriebe, die den Beschäftigten ein sicheres Einkommen garantierten, wurden privatisiert. Die Unterstützung des Staates für Altindustrien (Kohlebergbau, Eisenindustrie u. a.) wurde gestrichen. Die Rechte der Arbeitnehmer wurden eingeschränkt. Zwei Millionen Industriearbeitsplätze gingen in den 1980er und 1990er Jahren verloren.

Ab Mitte der 1990er Jahre siedelten sich neue Industriebetriebe an. Vier Millionen Arbeitsplätze entstanden im Dienstleistungsbereich, die meisten davon im Südosten. Der Norden und der Nordwesten blieben gegenüber dieser Entwicklung zurück – von einzelnen Wachstumsinseln (Manchester) abgesehen. So entstand ein starkes Wirtschaftsgefälle in Großbritannien.

Von den vielen neuen Arbeitsplätzen gehört allerdings nur der kleinere Teil zu den „work-rich" mit überdurchschnittlicher Bezahlung: Bankangestellte, Steuerberater, Wirtschaftsanwälte, Buchhalter oder Werbemanager. Zu den „work-poor" rechnet man die Arbeitskräfte im Gaststättengewerbe und im Einzelhandel, die nur ein Fünftel von dem verdienen, was die „work-rich" einnehmen. Bei ihnen reicht der Lohn kaum, eine Familie zu ernähren. Viele müssen noch einen zusätzlichen Teilzeitjob annehmen.

A 5 Erläutere den Unterschied von „Struggling Britain" und „Booming Britain" (M 4 und Atlas).

A 6 Nenne Unterschiede in den Strukturdaten zwischen Großbritannien und Deutschland (M 2).

Kurz und klar

- Großbritannien entwickelte sich aufgrund der Erfindungen, seiner eigenen und der Rohstoffe aus den Kolonien zur ältesten Industriemacht der Erde.
- Nachdem es sein Kolonialreich verloren hatte, machte der Industriestaat einen Wandel durch.
- Heute herrscht ein starkes Gefälle zwischen dem darbenden Norden und dem boomenden Südosten.

Urlaub in Südeuropa

A 1 Berichte über Reiseziele der Deutschen. Welche der genannten Länder liegen am Mittelmeer (M 1)?

A 2 Nenne südeuropäische Staaten mit starkem Tourismus. Ordne ihnen einzelne bekannte Abschnitte der Küsten des Mittelmeeres zu (M 2 und M 3).

Millionen Europäer haben in den Sommermonaten nur ein Ziel: die Länder am Mittelmeer. Auf den Autobahnen bilden sich kilometerlange Blechlawinen, vor den Tunneln und den Mautstellen kommt es zu Staus. Die Flughäfen bewältigen nur mit großem Aufwand den Andrang der Touristen.

Von 100 Deutschen fuhren
17 nach Spanien
7 nach Italien
5 nach Österreich
4 nach Griechenland
3 in die Türkei
3 nach Skandinavien
2 nach Portugal
2 in die Karibik
2 nach Nordamerika

M 1 Ausgewählte Reiseziele der Deutschen

	Touristen aus dem Ausland in Mio.	Einnahmen aus dem Tourismus in Mrd. US-$
Frankreich	75	32
Spanien	54	51
Italien	37	38
Griechenland	14	13
Portugal	12	9
Zum Vergleich:		
USA	46	113
Deutschland	18	36

M 2 Touristenströme (2004)

M 3 Badeküsten und Ferienorte am Mittelmeer

M 4 Badewanne Mittelmeer: Strand auf Mallorca

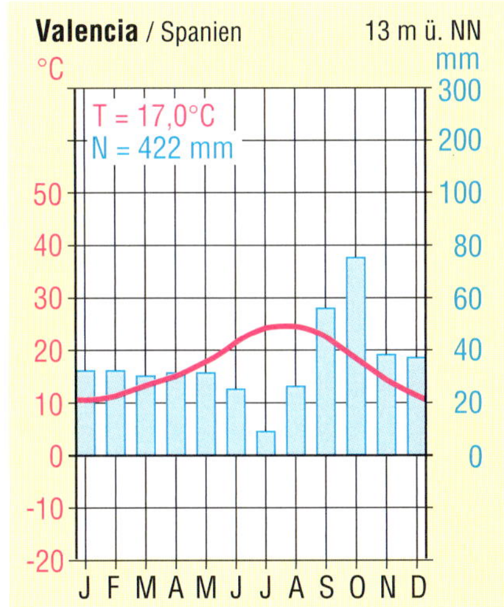

M 5 Klimadiagramm

Was suchen die Massen in Südeuropa? ▸ Sind es Sonne, Strand und Meer? Ist es der Reiz der mediterranen Landschaft mit ihren Zypressen, Pinien und Olivenhainen? Sind es die erlesenen Gerichte und Weine? Haben sie die verregneten Sommer in Mittel- und Nordeuropa satt? Wollen sie schwimmen, surfen, Ball spielen, tanzen oder die Ruhe genießen, lesen und schlafen?

Welche wirtschaftliche Bedeutung hat der Tourismus? ▸ Er ist für sehr viele Menschen zum wichtigsten Arbeitgeber geworden. Weltweit leben zwölf Prozent aller Erwerbstätigen vom Tourismus. Etwas mehr als zwölf Prozent des weltweiten Bruttosozialprodukts werden im Tourismus erwirtschaftet. Er ist damit eine der bedeutendsten wirtschaftlichen Aktivitäten.

A 3 Begründe, warum man das Mittelmeer als Badewanne für Millionen bezeichnet (M 3 und M 4).

A 4 Miss die Entfernung von München nach Venedig und von München nach Málaga (M 3).

A 5 Beschreibe das Klima in Südeuropa (M 5).

A 6 Aus welchen Gründen hat sich der Massentourismus in Südeuropa entwickelt (M 3 – M 5)?

A 7 Nenne mögliche Folgen des Massentourismus (M 4 und M 6).

M 6 Verschmutzter Strand

Kurz und klar

- Für die Wirtschaft in den Staaten Südeuropas spielt der Tourismus eine überaus wichtige Rolle.
- Es ist vor allem das Mittelmeerklima mit regenarmen Sommern, das Millionen Touristen an die Strände des Mittelmeeres lockt.
- Überfüllte Strände, riesige Bettenburgen, Berge von Abfall sind negative Folgen des Massentourismus.

Kultur im Urlaub?

Was ist das „UNESCO-Welterbe"? ▸ Die UNESCO (= United Nations Educational, Scientific and Cultural Organization) verzeichnet in einer Liste besonders herausragende und schüzenswerte Stätten, und zwar sowohl Kulturbauten (Weltkulturerbe) wie auch Landschaftsregionen und Naturdenkmäler (Weltnaturerbe).
Die Liste enthält rund 800 Stätten in 134 Staaten, davon über 600 Kulturdenkmäler. Die Aufnahme in die Liste ist die Voraussetzung dafür, dass die Erhaltung des Denkmals finanziell unterstützt wird.

M 1 Stätten des Weltkulturerbes in Italien (Auszug aus Fischer Weltalmanach 2005)

A 1 Stelle eine Tour durch Italien zusammen, auf der du einige Stätten des Weltkulturerbes besichtigst (M 1).

A 2 Vergleiche Massentourismus und sanften Tourismus.

M 2 Venedig: Canal Grande und Santa Maria della Salute

Massentourismus, Bildungstourismus oder sanfter Tourismus? ▸ Wo Millionen Touristen auftreten, schießen Hotels und Restaurants aus dem Boden, breiten sich Campingplätze aus, entstehen Müllberge und Abwässer, nimmt der Lärm zu, werden Siedlungen und die Landschaft verändert ... Massentourismus dieser Art ereignet sich in erster Linie an den Küsten und in den Skigebieten.
Weit geringer ist die Zahl der Bildungstouristen, die die reichen Kunstschätze in Kirchen und Palästen sehen oder Museen besuchen wollen. Diese sind fast immer in bedeutenden Städten zu finden.
Im Gegensatz zum Massentourismus nimmt der sogenannte sanfte Tourismus Rücksicht auf die Natur, die Umwelt und die Menschen in dem besuchten Gebiet.

Reisen in der Europäischen Union

Vor 1993 gab es an fast allen Grenzen in Europa Grenzzäune, Sperrgitter, Schlagbäume, Anlagen für die Zöllner und Einrichtungen für den Grenzschutz. Der Reisende musste an der Grenze seinen Ausweis vorzeigen. Wer über das erlaubte Maß hinaus im Ausland Waren eingekauft hatte, musste für diese an der Grenze Zoll bezahlen. Dadurch stauten sich häufig an den Grenzen die Autos der Reisenden zu kilometerlangen Schlangen. Hier ging viel Zeit verloren.
Jedes Land hatte seine eigene Währung. Deshalb musste sich der Reisende mit ausländischen Zahlungsmitteln versorgen. Da die Banken und die Wechselstuben hierfür Gebühren verlangen, war jeder Grenzübertritt mit kleinen finanziellen Verlusten verbunden.

1993 trat ein Vertrag in Kraft, durch den sich viele europäische Staaten politisch und wirtschaftlich zur Europäischen Union (EU) zusammenschlossen (Seite 14, M 1).
Die Grenzen zwischen diesen Staaten sind durchlässig geworden. Wer mit dem Auto reist, kann die Grenzen zwischen den Mitgliedstaaten der EU ohne Kontrollen passieren.

Am 1. Januar 2002 kam es zu einer weiteren Vereinfachung für den Auslandsreisenden innerhalb Europas. Ab diesem Zeitpunkt wurde in zwölf Staaten der EU der Euro (€) als einheitliches Zahlungsmittel im Euro-Währungsgebiet eingeführt (Seite 14, M 1). Wer in diesen Staaten reist, für den entfällt heutzutage der Währungstausch.

M 1 Im Flughafen

A 1 Nenne einzelne Maßnahmen, durch die das Reisen heute erleichtert wird (M 1 und M 2).

A 2 Zähle die europäischen Staaten auf, die zum Euro-Währungsgebiet gehören (Seite 14, M 1).

M 2 Grenze zwischen Österreich und Slowenien – heute Mautstelle

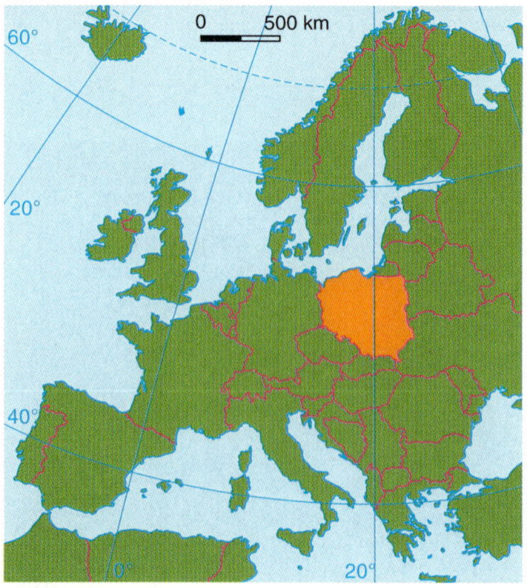

M 1 Lage Polens in Europa

Fläche in km²	312 685
Bevölkerung	38 182 000
Bruttosozialprodukt pro Ew.	6100 $
Anteil der Sektoren am BIP	
– Landwirtschaft	3 %
– Industrie	33 %
– Dienstleistungen	64 %

M 2 Ausgewählte Strukturdaten zu Polen (2004)

Was bedeutet „kommunistischer Staat"?

- Nach dem Zweiten Weltkrieg übernahm die kommunistische Partei in den meisten Staaten Ostmitteleuropas die politische Macht, so auch in Polen.
- Diese Staaten gehörten zum sogenannten Ostblock, der von Moskau aus gelenkt wurde.
- Europa war in den kommunistischen Ostblock und in die demokratisch regierten Staaten im Westen gespalten.
- Die Menschen in den kommunistischen Staaten hatten kaum persönliche Freiheiten. Sie durften zum Beispiel nicht ohne Erlaubnis der staatlichen Behörden ins Ausland reisen.

Polen – einst ein kommunistischer Staat, heute Mitglied der EU

Vor 1989 war Polen – wie Ungarn, die Tschechoslowakei und viele andere Staaten – eine „Volksrepublik", in der allein die kommunistische Partei das Sagen hatte. Fast alle Fabriken und sonstigen Unternehmen waren verstaatlicht. Das bedeutet, dass der Staat bestimmte, wie viel produziert werden musste. Dafür stellte er Jahrespläne auf. Der Staat legte auch die Löhne für die Arbeitskräfte und die Preise für die Waren fest. Diese Wirtschaftsform bezeichnet man als **Planwirtschaft**.
Die Regierung steckte das erwirtschaftete Geld in den Aufbau der Schwerindustrie und vernachlässigte die Erzeugung von Verbrauchsgütern, wie zum Beispiel Kleidung oder Kühlschränke. Auch die Verkehrswege wurden nicht ausgebaut und die Landwirtschaft nicht modernisiert.

1989/1990 lehnten sich die Menschen gegen diese Staatsform auf. Sie streikten und erzwangen die ersten freien Wahlen in den früheren Volksrepubliken. Sie setzten durch, dass

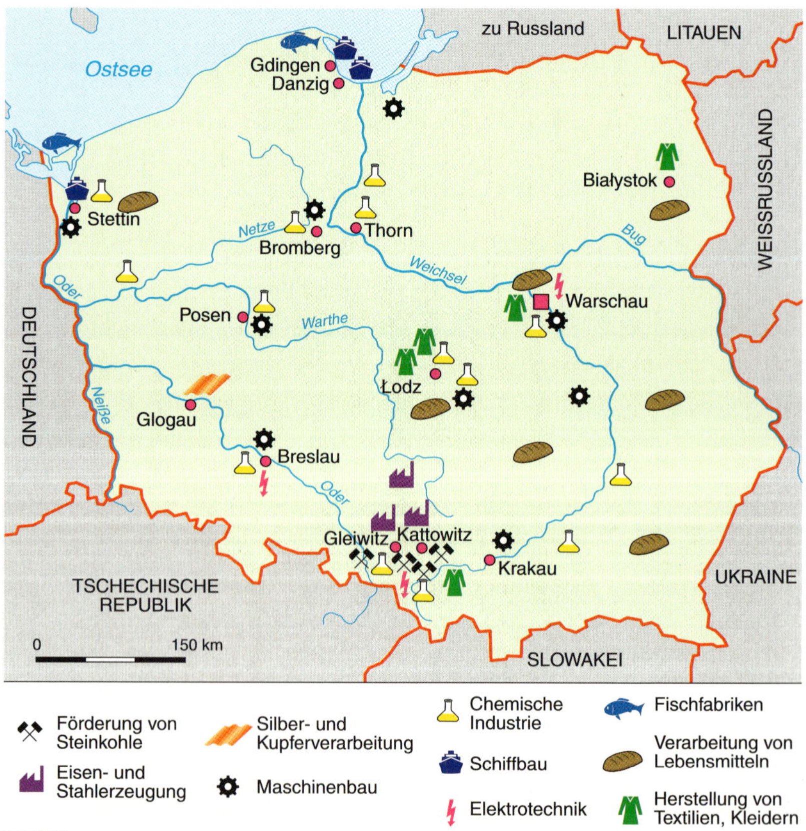

M 3 Wirtschaftsräume Polens

in Polen die **Marktwirtschaft** nach westlichem Vorbild eingeführt wurde. Darunter versteht man eine Wirtschaftsform, bei der das produziert wird, was die Menschen verlangen. Angebot und Nachfrage regeln den Preis für die Güter und für die Dienstleistungen.
Die Folge war, dass viele Unternehmen nicht mehr vom Staat unterstützt wurden und aufgeben mussten, weil sie auf dem Weltmarkt nicht konkurrenzfähig waren. Die Staatsbetriebe wurden privatisiert. Die Preise stiegen. Folge: Die Produktion ging zurück und die Zahl der Arbeitslosen stieg. Die Wirtschaft Polens musste sich gesundschrumpfen.

Am 01. Mai 2004 wurde Polen Mitglied der EU. Seitdem ist die Wirtschaft des Landes der Konkurrenz aus dem EU-Ausland ausgesetzt. Aber nunmehr können auch polnische Produkte problemlos in die anderen EU-Staaten ausgeführt werden.
Heute treten die großen wirtschaftlichen Probleme Polens deutlich hervor:
- die hohe Arbeitslosigkeit,
- der hohe Anteil der Erwerbstätigen in der Landwirtschaft,
- die vielen kleinen Bauernhöfe, die den Beitritt Polens in die EU nicht überleben können.

M 6 Im Oberschlesischen Industrierevier

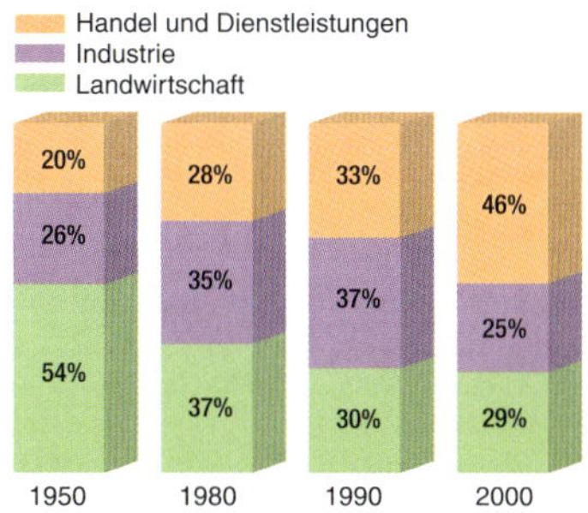

M 4 Entwicklung der Beschäftigten in Polen

A 1 Beschreibe die Lage der wichtigsten Industriegebiete Polens (M 3, Atlas und M 6)?

A 2 Berichte über die Entwicklung der Beschäftigten und der Arbeitslosen in Polen (M 4 und M 5). Vergleiche mit den entsprechenden Angaben zu Großbritannien und Deutschland (Seite 20, M 2).

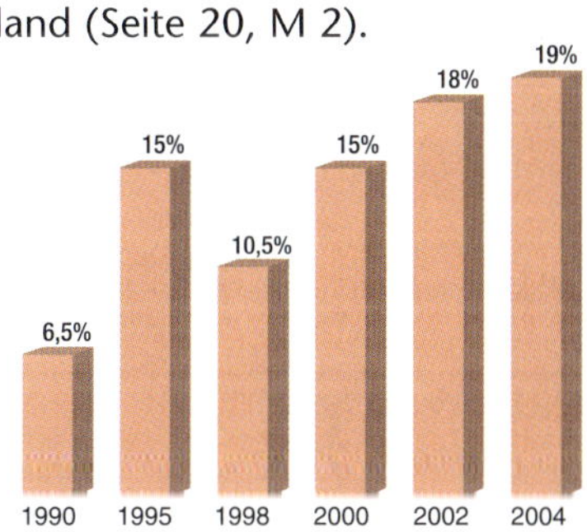

M 5 Anteil der Arbeitslosen an den Erwerbsfähigen in Polen

Kurz und klar

- Polen war bis 1989 ein kommunistischer Staat.
- Fast alle Wirtschaftszweige waren verstaatlicht.
- Die meisten Betriebe der Schwerindustrie lagen im Oberschlesischen Industriegebiet.
- Seit die Unternehmen privatisiert worden sind, haben sie mit vielen Schwierigkeiten zu kämpfen. Die Zahl der Arbeitslosen stieg.
- Der Beitritt Polens zur EU bedeutet eine große Chance für die Wirtschaft Polens.

Die Landwirtschaft in Polen

Der Name „Polen" leitet sich von dem slawischen Wort „pole" = Feld ab. Immer schon war die Landwirtschaft in diesem Raum von größter Bedeutung. Roggen- und Kartoffelfelder bestimmen bis heute weithin das Landschaftsbild.

A 1 Beschreibe das wirtschaftliche Gefälle zwischen den Städten und dem Land sowie zwischen den westlichen und den östlichen Landesteilen in Polen (M 1 – M 4).

A 2 Berichte über die Situation der Landwirtschaft in Polen anhand folgender Zahlen:
Anteil an den Erwerbstätigen 29 % / Anteil am BIP 3 %.

A 3 Nenne Chancen der Landwirtschaft in Polen durch den Beitritt zur EU (M 1 – M 4).

A 4 Vergleiche die Verteilung der in der Landwirtschaft Tätigen in Polen mit der der Arbeitslosen. Begründe (M 2 und M 3).

So war es in der kommunistischen Zeit ▸ 80 Prozent aller Bauernhöfe waren Kleinbetriebe mit einer Fläche von weniger als zehn Hektar. Sie bewirtschafteten 70 Prozent der landwirtschaftlich genutzten Fläche in Polen. Ihnen fehlte das Kapital für eine Renovierung der Gebäude und Wege, für moderne Traktoren und Maschinen. Die Grundstücke lagen oft weit vom Hof entfernt. So war gerade in Ostpolen das Pferd ein unersetzliches Haustier. Die Bauern arbeiteten von früh bis spät und verdienten kaum so viel, dass sie ihre Familien ernähren konnten.

Das brachten die Jahre nach 1989/90 ▸ Die Zahl der Kleinstbetriebe mit oftmals weniger als zwei Hektar Fläche nahm zu! Etwa eine Million Menschen war nach der Privatisierung der Wirtschaft arbeitslos geworden. Sie zogen aufs Land und bewirtschafteten die Felder zur Selbstversorgung. Sie kamen zwar in der Statistik nicht mehr als Arbeitslose vor, aber die Fachleute sprachen hier von einer verdeckten Arbeitslosigkeit. Weite Landstriche waren von Verarmung bedroht. Wer als Landwirt überleben wollte, brauchte außer Kapital vor allem größere Flächen. Aber es gab kein Agrarland zu kaufen, weil die Kleinstbauern ihren Hof nicht aufgaben. Sie brauchten ihn zum Überleben.

Die Staatsgüter ▸ Vor allem die Staatsgüter im Westen und Norden Polens wurden nach 1989/90 privatisiert. In diese Großbetriebe floss Geld zum Kauf neuer Maschinen und zur Modernisierung des Anbaus. Hier wird mit geringen Kosten produziert. Deshalb sind diese Großbetriebe auch in der EU konkurrenzfähig.

M 1 Das Pferd – bis vor kurzem wichtigstes Haustier der Bauern in Ostpolen

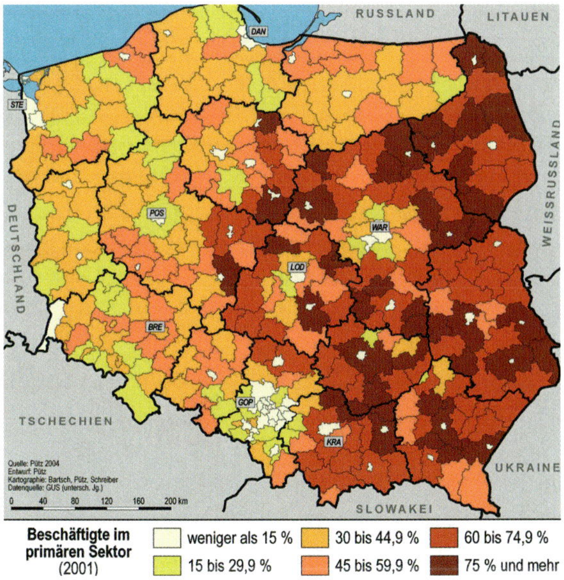

M 2 Beschäftigte in der Landwirtschaft

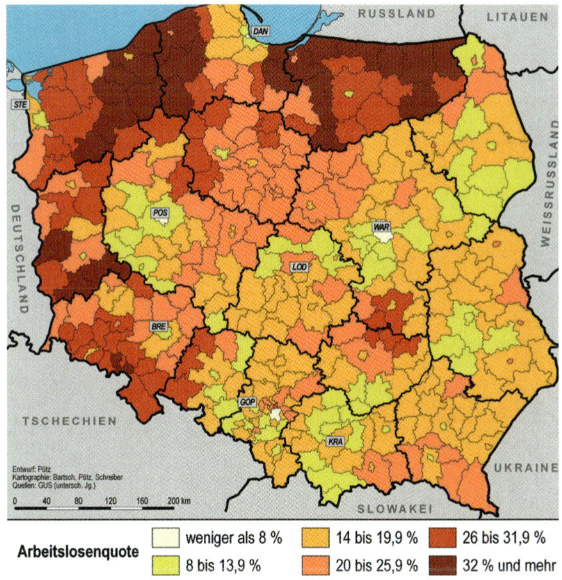

M 3 Arbeitslosigkeit in Polen

Seit 2004 ist Polen EU-Mitglied ▸ Viele Bauern in Polen fürchteten um ihre Existenz. Hatten sie eine Chance zum Überleben? Müssen sie aufgeben? Es kam anders: Die EU stellt den Bauern in Polen Kredite für die Modernisierung ihrer Betriebe zur Verfügung. Die Bauern schließen sich zu Genossenschaften zusammen, um gemeinsam und rentabel den Boden bewirtschaften zu können. Entgegen den ursprünglichen Befürchtungen kaufen internationale Handelsketten die polnischen Agrarprodukte auf: Milch, Geflügel, Fleisch, Obst. Dadurch steigen die Einnahmen der Landwirte. Sie bestellen Traktoren, modernisieren die Scheunen und Ställe, renovieren die Wohnhäuser. Sie hatten Angst davor, Verlierer zu werden. Die meisten von ihnen sind aber Gewinner.

M 4 Viele Bauern – kleine Felder

Kern- und Randräume in der EU

Was ist eine Region?
▸ Eine Region ist ein größeres Gebiet, das gemeinsame Merkmale aufweist. Es lässt sich von den anschließenden Regionen abgrenzen. Innerhalb der EU werden auch Verwaltungseinheiten (z. B. Oberpfalz) als Regionen bezeichnet.

Was bedeutet Infrastruktur?
▸ Dazu gehören Einrichtungen des Verkehrs- und Nachrichtenwesens, der Energie- und Wasserversorgung sowie der Entsorgung von Abfallstoffen, aber auch Kindergärten, Schulen, Altenheime, Krankenhäuser und Sportstätten.

Was ist das Bruttoinlandsprodukt (BIP)?
▸ Das BIP ist die Messgröße, mit der der Wert aller in einem Jahr erzeugten Waren und Dienstleistungen in einem Land angegeben wird. Unbezahlte Arbeiten zum Beispiel im Haushalt und Schwarzarbeit werden nicht berücksichtigt.

Innerhalb der EU bestehen große Unterschiede ▸ Einerseits gibt es hoch entwickelte, reiche Regionen mit relativ geringer Arbeitslosigkeit, hohen Einkommen, gut ausgebauter Infrastruktur. Andererseits sind viele Regionen der EU durch hohe Arbeitslosigkeit, Armut und eine mangelhafte Infrastruktur gekennzeichnet. Insbesondere in den Staaten Ostmitteleuropas und im Süden Südeuropas liegt das Bruttoinlandsprodukt (BIP) pro Person weit unter dem Durchschnitt der EU-Staaten. So erwirtschaftet zum Beispiel ein Erwerbstätiger in Schweden durchschnittlich fast 26 000 US-$ pro Jahr, ein Erwerbstätiger in Griechenland aber nur 11 660 US-$; in Polen waren es 2002 sogar nur 4570 US-$.

Artikel 130a des EG-Vertrages ▸ „Die Gemeinschaft setzt sich insbesondere zum Ziel, die Unterschiede im Entwicklungsstand der verschiedenen Regionen und den Rückstand der am stärksten benachteiligten Gebiete, einschließlich der ländlichen Gebiete, zu verringern."

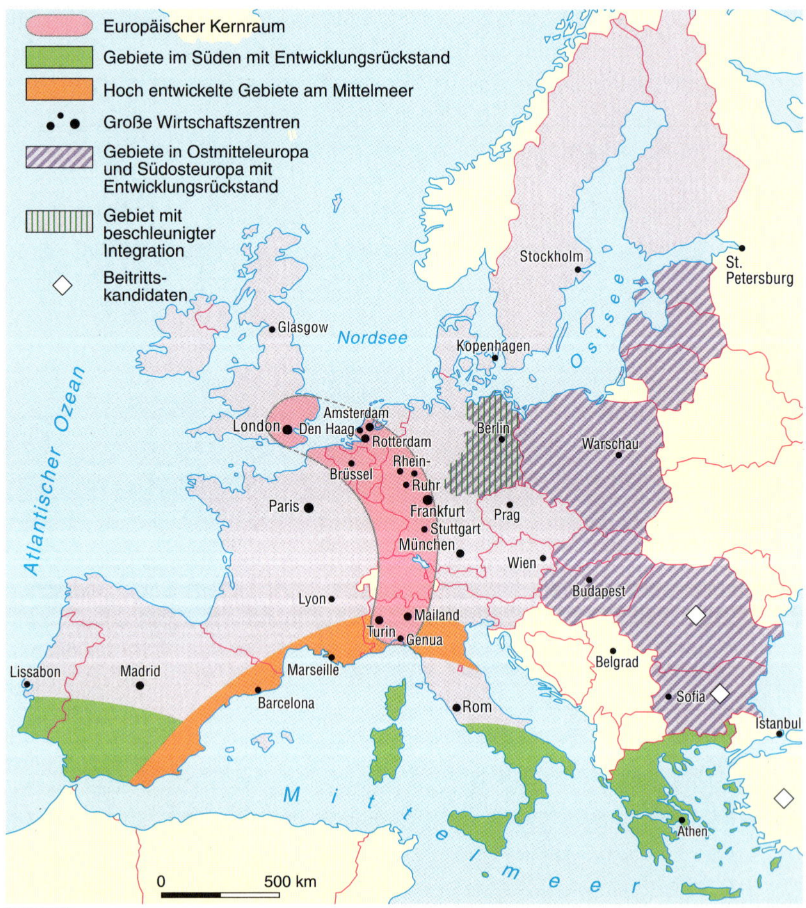

M 1 Kern- und Randräume in der EU

A 1 Unterscheide zwischen Kernräumen und Randräumen der EU (M 1 und Seite 31, M 1).

A 2 Nenne Staaten der EU, die zu den reichen Kernräumen gerechnet werden. Wo liegen die armen Staaten (Seite 31, M 1)?

A 3 Welche Gebiete innerhalb Deutschlands gehören zu den reichen, welche zu den armen Regionen der EU (Seite 31, M 2)?

Wir werten ein Kartogramm aus

Was ist ein Kartogramm? ▸ Das Kartogramm ist – wie schon der Name sagt – zunächst eine Karte. In diese Karte sind aber zusätzliche Inhalte aufgenommen, die durch ihre Gestaltung als Figuren/Diagramme oder durch ihre Farben etwas über Größen (Zahlen) in dem betreffenden Raum aussagen.

Welche Arten von Kartogrammen unterscheiden wir?

- In einem Flächenkartogramm werden Durchschnittswerte – bezogen auf ein Gebiet – durch Farben dargestellt. (Siehe M 1 zum BIP sowie Seite 30, M 1 und Seite 29, M 2 und M 3)
- In einem Kartodiagramm werden zur Darstellung eines Sachverhalts Diagramme benutzt, die auf die betreffende Fläche gesetzt werden. (Siehe Beispiele im Atlas.)
- In einem Figurenkartogramm werden zum Beispiel geometrische Symbole (Punkte, Quadrate, Kreise) dazu verwendet, Zahlen innerhalb einer Karte zu veranschaulichen. (Siehe Beispiele im Atlas.)

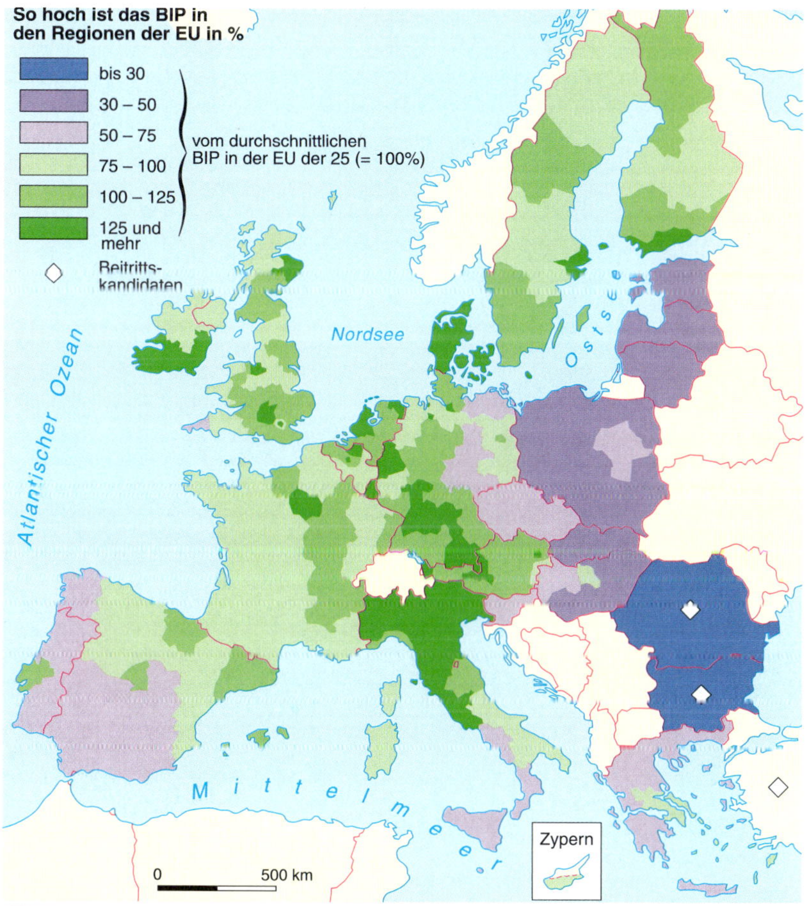

M 1 Das BIP pro Kopf in den Regionen der EU 25 (2004)

Wie geht man bei der Auswertung eines Kartogramms vor?

Wir lesen den Titel des Kartogramms

Was ist BIP? Was ist EU 25? Was sind die Regionen im Unterschied zu den Staaten?

Wir lesen die Legende (Zeichenerklärung) des Kartogramms

Flächenfarben: grün = durchschnittlich oder darüber; violett bis dunkelblau = unter dem Durchschnitt

Wir beschreiben die Unterschiede in der Verteilung der Farben

- Dunkelgrün in einem breiten Streifen von Norditalien über Süd- und Westdeutschland bis London und den Süden Irlands
- Blau bis dunkles Violett in den Regionen der neuen Beitrittsländer in Ostmitteleuropa und der Beitrittskandidaten
- Helles Violett in Südeuropa, Ostdeutschland und Teilen Ostmitteleuropas
- Helles und mittleres Grün vorwiegend in West- und Nordeuropa

Wir erklären die Unterschiede in der Verteilung der Höhe des BIP in den Regionen der EU

- Zu den Kernräumen der EU gehören die Wirtschaftsräume Südfinnland und Südschweden, Dänemark, Südirland, Südengland, Benelux und Ile de France, Ruhrgebiet, die südlichen Länder der Bundesrepublik Deutschland, weite Teile der Alpenländer, Ober- und Mittelitalien.
- Randräume der EU sind Estland, Lettland, Litauen, Polen, Slowakei; zusätzlich der Süden Südeuropas und die meisten der sogenannten neuen Bundesländer.

Wir vergleichen das Kartogramm mit anderen Darstellungen

z. B. Seite 30, M 1 und Atlaskarten.

Verkehrsströme in Europa – der Alpentransit

Was ist „just in time"?
Genau zur rechten Zeit wird die richtige Ware am richtigen Ort bereitgestellt. Dadurch wird in den Fabriken die Lagerhaltung auf ein Minimum beschränkt.

Was ist eine Alpentransversale?
„Transversal" bedeutet „quer zu einer Richtung". Eine Alpentransversale ist somit eine Hauptverkehrsachse, die die Alpen quer zu ihrem West-Ost-Verlauf durchschneidet.

Was ist der Alpentransit?
Italienisch „transito" bedeutet Übergang, also die Beförderung von Waren oder die Durchreise von Personen.

Durch den gemeinsamen Markt sind innerhalb Europas viele Grenzen gefallen Deshalb werden immer mehr Güter auf Straßen und Schienen befördert. Rohstoffe und Einzelteile werden „just in time" an die Betriebe geliefert. Dadurch entfallen für viele Unternehmen die teuren Warenlager; die Lagerhaltung findet auf den Straßen statt – und daran verdienen auch noch die Spediteure. Die Allgemeinheit kommt zum größten Teil für die Kosten auf.
Auch der Personenverkehr ist sprunghaft gewachsen. Daran sind nicht allein die Pendler schuld, sondern insbesondere die Touristenströme.

Der Verkehr über die Alpen erfolgt über Pässe und durch Tunnel Er konzentriert sich im Wesentlichen auf drei Strecken, über die allein 80 Prozent des schweren Güterverkehrs rollen. Dabei geht der Anteil der auf der Schiene beförderten Güter gegenüber dem Lkw-Verkehr ständig zurück. Die Talräume in den Alpen sind den Belastungen durch den Güter- und Personenverkehr kaum noch gewachsen. Immer mehr Landschaft wird durch Straßen verbaut und dem Verkehr geopfert. Die Berge werden durchlöchert. Trotzdem droht der Verkehrsinfarkt.
Die Menschen klagen über den Lärm und die Luftverschmutzung. Sie setzen sich durch Demonstrationen und Straßensperren zur Wehr.

A 1 Begründe die stetige Zunahme des Güter- und Personenverkehrs in Europa.

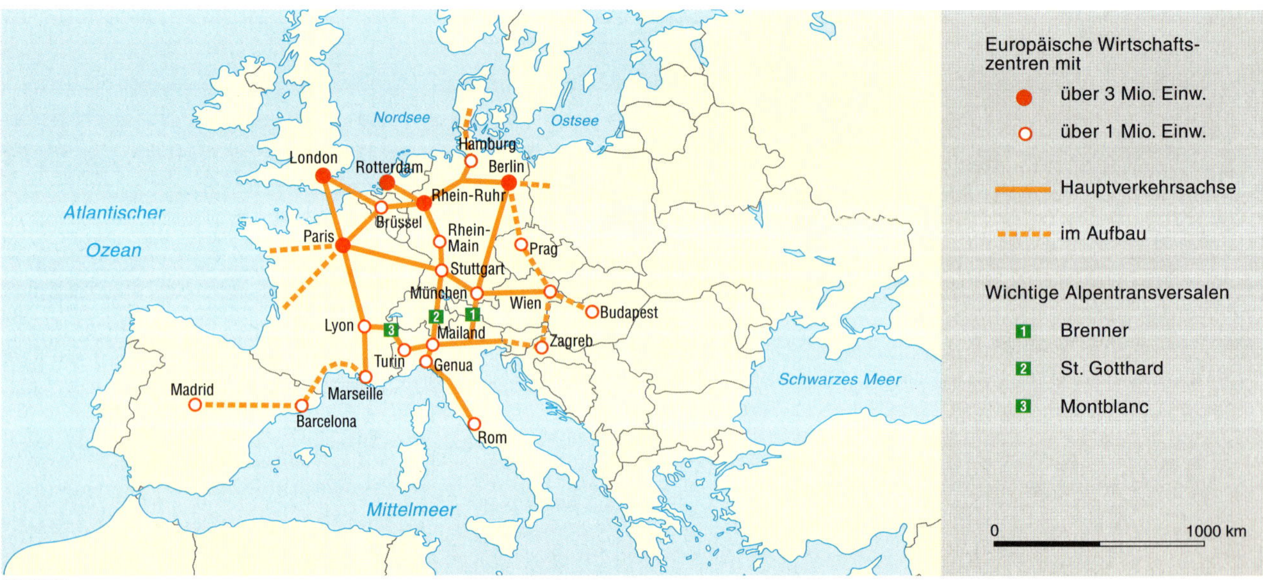

M 1 Hauptverkehrsachsen in Europa und Alpentransversalen

M 2 Verschiedene Arten des Huckepackverkehrs

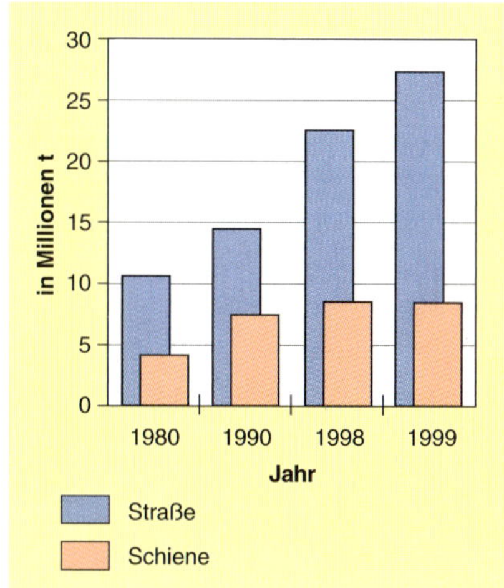

M 3 Entwicklung des Güterverkehrs über den Brenner

M 4 *Ein Bürger aus Matrei am Brenner*

„Was wir hier jeden Tag erleben, ist kaum mehr auszuhalten. Ununterbrochen fließt der Verkehr durch unser Tal – Tag und Nacht, von Nord nach Süd und von Süd nach Nord. Kilometer lange Staus sind die Folge. Was uns die Massen von Lkws und Pkws hinterlassen, sind Wolken von Abgasen und die ständige Lärmkulisse. Unsere Natur wird dadurch zerstört, nicht allein durch die Straßenbauten. Wir haben von all dem Verkehr keine Vorzüge! Im Gegenteil: Touristen bleiben aus, weil sie Entspannung und gesunde Bergluft suchen, nicht Unruhe und Stress, Lärm und Schadstoffe.

Müssen wirklich die dröhnenden Schwerlaster italienisches Tafelwasser für die Schickeria nach Köln oder München transportieren?

Wir haben uns an die Politiker gewandt, aber von denen werden wir nur auf die besseren Zeiten in der Zukunft vertröstet."

A 2 Beschreibe die europäischen Hauptverkehrsachsen (M 1). Nenne die drei wichtigsten Alpentransversalen.

A 3 Führe Produkte auf, die über die Alpen nach Deutschland transportiert werden.

A 4 Erkläre: „Der Verkehr ist für die moderne Gesellschaft so wichtig wie der Blutkreislauf für den Körper."

A 5 Diskutiert über die Möglichkeiten, den Alpentransit zu bewältigen (M 2 und M 3).

Wie kann der Alpentransit in Zukunft bewältigt werden?

Nimm zu folgenden Aussagen Stellung.

- Ist allein durch die Verlagerung des Schwerverkehrs von der Straße auf die Schiene das Problem zu lösen und der Alpenraum zu schützen?
- Kosten der Ausbau der Schienenstrecken und die Modernisierung der Bahn zu viel Geld? Ist der billigere Ausbau der Passstraßen besser?
- Sollte ein rund 60 Kilometer langer Brenner-Basistunnel zwischen Innsbruck und Brixen ausgebaut werden? Ist dieses sinnvolle Vorhaben zu teuer und zu schwierig?
- Liegt die Zukunft in der Ausweitung des kombinierten Verkehrs, bei dem die Lkws auf Bahnwaggons verladen werden? Trägt der Kunde die Mehrkosten?

Kurz und klar

- Die meisten Staaten Europas haben sich zu einer Wirtschaftsunion zusammengeschlossen.
- Die einstigen Zollschranken sind gefallen.
- Dadurch werden die Wirtschaftsbeziehungen immer enger und die Verkehrsströme auf den Straßen größer.
- Ein bisher ungelöstes Problem stellt der Verkehr über das natürliche Hindernis der Alpen dar.

Europa, Europa

Das Europa-Puzzle ▸ Die Staaten Europas sind im gleichen Maßstab und in der richtigen Lage nach den Himmelsrichtungen wiedergegeben. Benenne die Staaten und ihre Hauptstädte. ▾

Das Europa-Flaggen-Rätsel ▸ Schreibe in dein Heft die Namen der europäischen Staaten in der Reihenfolge, in der die Flaggen angeordnet sind (jede Zeile von links nach rechts). Jeder Stern steht für einen Buchstaben. Bei jedem Staatennamen ist der erste oder zweite Buchstabe vorgegeben. (Ä und Ö = ein Buchstabe, ß = ss)
Die Buchstaben in den Kästchen ergeben einen Lösungsspruch. ▸

B□*****

□N****

□U******

□L******

□P*****

□T*****

P**□*

□I*********

□R**********

□U******

□S********

□L*******

□L******

□S********

W□***********

I□****

□R******

M□*******

□O******

G*******□******

□S****

F*□*****

M*******□*

U****□*

P**□****

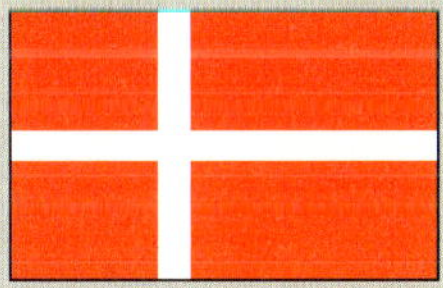
□Ä******

L**□*****

B****□***

S***□**

F□********

□E*********

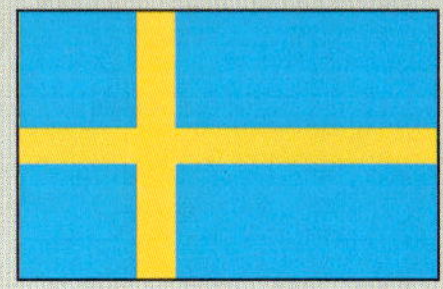
S***□***

Eröffnung der Eisenbahnlinie München – Augsburg mit der Dampflokomotive „Jupiter“ am 1. September 1839

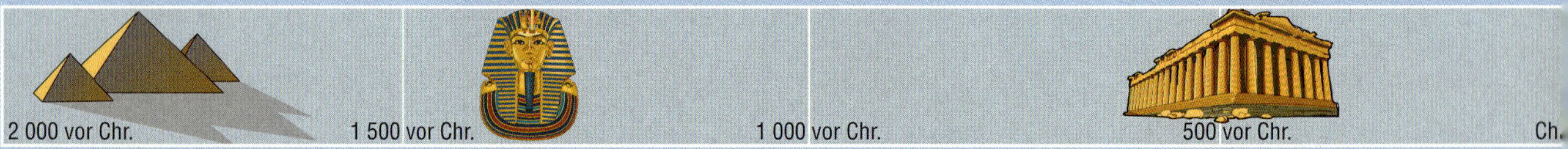

Nationale Einheit und industrielle Revolution

1848
Deutsche Revolution

1871
Deutsches Reich

„Einigkeit für das deutsche Vaterland“

M 1 Deutsche Nationalhymne

Dritte Strophe des „Liedes der Deutschen“ von Hoffmann von Fallersleben (1841):

Einigkeit und Recht und Freiheit
für das deutsche Vaterland!
Danach lasst uns alle streben
brüderlich mit Herz und Hand!
Einigkeit und Recht und Freiheit
sind des Glückes Unterpfand.
Blüh' im Glanze dieses Glückes,
blühe, deutsches Vaterland.

M 3 Wunschtraum vieler Deutscher zwischen 1815 und 1848: Germania hat die Ketten abgeworfen. Sie trägt eine schwarz-rot-goldene Flagge, das Symbol der nationalen und liberalen Bewegung im Deutschen Bund.

M 2 Wir brauchen ein vereintes Deutschland!

Auszug aus einem Artikel in der „Düsseldorfer Zeitung“ aus dem Jahr 1843, der beträchtliches Aufsehen erregte. Die Regierung rüffelte den Zensor [staatlicher Pressekontrolleur], weil er das Erscheinen des Artikels nicht verhindert hatte. Der anonyme Autor forderte, die Einheit Deutschlands endlich zu verwirklichen:

Und worin könnte diese Einheit anders liegen, als in inniger er politischer Vereinigung? ▸ Alles andere, was man zur Vereinigung Deutschlands benutzen will: gemeinschaftliche Monumente [Denkmäler], gleiche Münzen, Maße, Gewichte und Wagenspur, selbst ein allgemeiner Zollverein würde als natürliche Folge der politischen Einheit Deutschlands von selbst ins Leben treten, wenn diese erst erreicht wäre.

Aber die natürliche Schwäche liegt darin, dass wir einen Staatenbund statt eines Bundesstaates haben ▸ So haben wir denn statt eines einzigen Deutschlands 38 deutsche Länder, ebenso viele Regierungen, fast ebenso viele Höfe [fürstliche Residenzen], so und so viele Ständeversammlungen, 38 verschiedene Gesetze und Verwaltungen, Gesandtschaften und Konsulate. Welche enorme Einsparung würde es sein, wenn das alles bei einer Zentralregierung besorgt würde. Welche Einsparung an Geld und an Mannschaft würde erwachsen, wenn Deutschland eine einzige Armee erhielte! Aber weit schlimmer als die jetzige Kostenverschwendung ist, dass bei den 38 verschiedenen Staaten ebenso viele Sonderinteressen obwalten, die sich bis in das kleinste Detail tagtäglichen Verkehrs hinein benachteiligen und aufheben. Da kann keine Post beschleunigt, kein Porto erleichtert werden, da kommt keine Eisenbahn in Vorschlag, die nicht jeder möglichst lange in seinem Lande zu behalten wünschte. Was hilft es, dass es gestattet ist, aus einem deutschen Staate in den andern zu ziehen, wenn dieser andere Staat den armen Auswanderer strenge zurückweist. Und wie ein Staat gegen den andern, so sperrt sich dann eine Gemeinde gegen die andere ab.

Blicken wir auf die Gewerbegesetze! ▸ Der geschickteste Handwerker wird von der Zunft zurückgewiesen, bloß weil er unter einem andern Systeme sein Gewerbe erlernt hat. Und der zünftige Geselle, der wandern soll, ist verlegen wohin, weil jeder deutsche Staat die Einwohner der anderen 37 Staaten als Auswärtige mit Misstrauen behandelt.

M 4 Das Lichten eines Hochwaldes. Illustration aus einer Zeitschrift 1848. Der liberale Zeichner stellt dar, was geschehen muss, damit die deutsche Einheit entstehen kann. Im Hintergrund steht eine Flagge mit der Jakobinermütze und dem Doppeladler aus dem Wappen des 1806 untergegangenen Deutschen Reiches (M 3). Sie und andere Symbole im Bild geben einen Hinweis, welches Deutschland der Zeichner haben möchte.

M 5 Der Deutsche Bund wurde nach dem Sieg über Napoleon 1815 auf dem Wiener Kongress geschaffen. Zu diesem losen Staatenbund gehörten 38 souveräne Fürsten mit ihren Territorien und vier freie Städte (Bremen, Frankfurt am Main, Hamburg, Lübeck). Der Deutsche Bund hatte kein Staatsoberhaupt und auch keine Regierung. Ein ständiger „Bundestag", der aus Gesandten der Länder bestand und in Frankfurt am Main tagte, war die einzige gesamtdeutsche Einrichtung. Zu beachten ist, dass große Teile Preußens und Österreich-Ungarns nicht zum Deutschen Bund gehörten.

Nation ▸ Der Begriff, in dem das lateinische Wort natio = Geburt steckt, wird in Verbindung mit Staat oder mit Kultur benutzt. Eine Kulturnation ist eine Gemeinschaft, die dieselbe Sprache spricht, dieselben Dichter und Musiker verehrt usw. Eine Staatsnation ist eine Gemeinschaft, die in einem gemeinsamen Staat zusammen leben will. Man spricht dann auch von einem Nationalstaat.

A 1 Der 1815 geschaffene Deutsche Bund (M 5) ist ein Staatenbund. Was ist demgegenüber ein Bundesstaat, wie er in M 2 gefordert wird?

A 2 Nenne Einrichtungen, die nach Ansicht des Autors des Zeitungsartikels (M 2) dafür verantwortlich sind, dass es in Deutschland noch keinen Bundesstaat (Nationalstaat) gibt.

„Recht und Freiheit für das deutsche Vaterland!"

M 1 Die Freiheit führt das Volk – der 28. Juli 1830. Gemälde des französischen Malers Eugène Delacroix aus demselben Jahr.
1830 brach in Paris eine Revolution aus. König Karl X. musste nach England fliehen. Die Partei der Bürgerlichen setzte den Herzog von Orleans, Ludwig Philipp I., als „Bürgerkönig" ein.

Liberale Opposition ▸ Bei der Gründung des Deutschen Bundes versprachen die Fürsten, in ihren Staaten Verfassungen zu erlassen, die dem Volk die politische Mitsprache ermöglichten. In Bayern wurde 1818 eine solche Verfassung eingeführt. In den meisten Staaten betrachteten sich die regierenden Fürsten als von Gott eingesetzte Monarchen. Auf nationale und liberale Forderungen reagierten sie mit Verboten und Strafandrohungen, vor allem nach der Revolution 1830 in Frankreich (M 1).

Das Hambacher Fest ▸ Ungeachtet eines Versammlungsverbotes kamen 1832 an die 30 000 liberal gesinnte Bürger zum Hambacher Fest (M 3). Sie führten die verbotene schwarz-rot-goldene Flagge mit sich, verbrannten Bilder regierender Fürsten und hörten begeistert den Rednern zu, die „Einigkeit und Recht und Freiheit" für alle Deutschen forderten. Nach dem Fest verschärften die Regierungen die Unterdrückung der liberalen Bewegung. Bis 1836 wurden gegen zirka 1800 Personen polizeiliche Untersuchungen und Prozesse geführt. Viele wurden Jahre lang eingekerkert, andere flüchteten in die Schweiz und nach Frankreich oder wanderten nach Nordamerika aus.

M 2 Der Denkerklub. Karikatur (1828). An der Wand hängen die Gesetze des Denkerklubs: „Schweigen ist das erste Gebot dieser gelehrten Gesellschaft – Auf dass kein Mitglied in Versuchung geraten möchte, seiner Zunge freien Lauf zu lassen, so werden beim Eintritt Maulkörbe ausgeteilt. – Der Gegenstand, welcher in der jeweiligen Sitzung durch ein reifes Nachdenken gründlich erörtert werden soll, befindet sich auf der Tafel mit großen Buchstaben deutlich geschrieben."

A 1 Erkläre den Unterschied zwischen nationalen und liberalen Ideen.

A 2 Verfasse als Mitglied des „Denkerklubs" (M 2) einen Bericht über die letzte Sitzung deines Klubs.

A 3 Warum sahen die Fürsten des Deutschen Bundes in den Forderungen der Liberalen eine Gefährdung ihrer Herrschaft?

A 4 Suche im Grundgesetz oder in der bayerischen Verfassung nach Beispielen, die zeigen, wie liberale Forderungen des 19. Jahrhunderts (M 4) heute formuliert werden.

M 3 Das Hambacher Fest im Mai 1832. Zeitgenössisches Bild. Teilnehmer aus vielen Staaten des Deutschen Bundes zogen zum Hambacher Schloss in der bayerischen Pfalz. Der Anlass des Festes war der Jahrestag der bayerischen Verfassung von 1818. Die Anwesenden forderten einen deutschen Nationalstaat und die Einschränkung der monarchischen Gewalt. Zum ersten Mal waren auch viele Frauen an einer politischen Versammlung beteiligt. Mit großer Anteilnahme wurden polnische Emigranten aufgenommen, deren Freiheitskampf gegen den russischen Zaren gescheitert war.

M 4 Liberale Forderungen (1847)

- Es ist das unveräußerliche Recht eines jeden, seine Gedanken ohne Kontrolle mitzuteilen – *Pressefreiheit.*
- Jedes Glaubensbekenntnis hat Anspruch auf gleiche Berechtigung im Staat – *Religionsfreiheit.*
- Die Polizei muss aufhören, den Bürger zu bevormunden und zu quälen. Jeder muss sich ungehindert im deutschen Vaterland bewegen dürfen – *Persönliche Freiheit.*
- Die Mittel für den Unterricht müssen von allen aufgebracht werden – *Bildung für alle.*
- Der bewaffnete Bürger kann selbst den Staat schützen *bürgerliches Militär.*
- Das Volk muss bei allen Angelegenheiten der Nation mitbestimmen können – *Vertretung des Volkes beim Deutschen Bund.*
- Jeder muss zu den Lasten des Staates beisteuern, die Reicheren mehr, die Ärmeren weniger – *gerechte Besteuerung.*
- Der Bürger soll vom Bürger gerichtet werden – *Geschworenengerichte.*
- Alle freien Bürger haben dieselben Rechte – *Abschaffung aller Vorrechte.*

Liberalismus ▸ Am Beginn des 19. Jahrhunderts entstand diese politische und wirtschaftliche Bewegung. In dem Begriff steckt das lateinische Wort „liber" (frei). Liberal denkende Menschen forderten von den deutschen Fürsten die Verwirklichung der Menschenrechte und die Mitbeteiligung an der Regierung. Gemäßigte Liberale wollten die konstitutionelle Monarchie. Radikale Liberale, die Demokraten, forderten die Republik, in der alle Staatsgewalt vom Volk ausgeht.
Auf wirtschaftlichem Gebiet verlangten die Liberalen die freie Marktwirtschaft, möglichst ohne Eingriffe des Staates.

Kurz und klar

- Nach der Auflösung des alten Deutschen Reiches 1806 und der Befreiung von der Herrschaft Napoleons wurde 1815 ein lockerer Bund aus 38 Einzelstaaten und vier Städten gegründet.
- Dieser Deutsche Bund war kein Nationalstaat wie Frankreich. Er war ein Bund von überwiegend absoluten Fürsten, die jede politische Mitsprache der Bürger ablehnten. So blieb nicht aus, dass national und liberal eingestellte Bürger die staatliche Einheit (Nationalstaat) und Verfassungen forderten, die die Beteiligung des Volkes an der Gesetzgebung sicherstellten.
- Welche Regierungsform (Monarchie oder Republik) der deutsche Nationalstaat haben sollte, darüber gingen die Meinungen auseinander.
- Mit Verboten und Verfolgungen verhinderten die Fürsten lange Zeit die Verwirklichung der nationalen und liberalen Ideen.

1848 – Aufbruch zur Freiheit

M 1 Anstecker (Kokarde) aus dem Jahre 1848/1849

Schwarz – Rot – Gold ▸ Die drei Farben waren die Farben der deutschen Einheits- und Freiheitsbewegung. Sie gehen auf die Uniform der Befreiungskämpfer (vor 1815) zurück: schwarzer Rock, roter Saum, goldene Knöpfe.

- Deutsche Einheit
- Nationalversammlung
- Pressefreiheit
- Versammlungsfreiheit
- Religionsfreiheit
- Schutz vor willkürlicher Verhaftung
- Öffentliche Gerichtsverfahren
- Gerechte Besteuerung
- Deutsches Staatsbürgerrecht
- Abschaffung aller Vorrechte
- Einschränkung des Herrschers durch ein Parlament (konstitutionelle Monarchie)
- Demokratische Republik
- Lohnerhöhung und bessere Arbeitsbedingungen
- Sicherheit des Arbeitsplatzes
- Abschaffung der Grundherrschaft

M 2 „Märzforderungen" aus dem Jahr 1848

Friedlicher Widerstand ▸ Nach dem Zerfall des alten deutschen Reiches gab es in Deutschland nur noch Einzelstaaten. Sie schlossen sich 1815 zu einem lockeren Staatenbund zusammen. (Karte M 5 Seite 39). Die Regenten dieses Deutschen Bundes betrachteten sich – mit wenigen Ausnahmen – wie zu Zeiten des Absolutismus als von Gott eingesetzte Herrscher. Von den Untertanen erwarteten sie unbedingten Gehorsam. Dagegen protestierten zuerst ehemalige Freiwillige, die vor 1815 ihr Leben eingesetzt hatten, um Deutschland von der Herrschaft Napoleons zu befreien. Im Laufe der Jahre wurden es immer mehr Menschen, die keine bloßen Untertanen sein wollten, sondern selbst politische Verantwortung zu übernehmen gewillt waren. Wer es nach 1830 wagte, öffentlich mehr Rechte und Freiheiten oder gar einen einheitlichen deutschen Staat zu fordern, wurde von der Polizei verfolgt und bestraft. 1848 war die Zeit des friedlichen Widerstands vorbei, die Revolution brach aus.

Die Märzrevolution ▸ Am 24. Februar 1848 wurde in Paris der König gestürzt und die Republik ausgerufen. Es dauerte nur wenige Tage, bis der revolutionäre Funke nach Deutschland übersprang.

- **In Mannheim** im Großherzogtum Baden forderte bereits am 27. Februar eine große Volksversammlung die Presse- und Versammlungsfreiheit sowie die Wahl einer deutschen Nationalversammlung. Erstaunlich schnell gab die Regierung nach und erfüllte die wichtigsten Forderungen.

- **In München**, der Hauptstadt des bayerischen Königreichs, wurden am 3. März sogenannte „Märzforderungen" laut. Bereits drei Tage später hob König Ludwig I. die Zensur der Presse auf und kündigte umfassende Reformmaßnahmen an.

- **Im Königreich Württemberg** erstürmten Bauern in der Nacht zum 8. März das Schloss ihres adeligen Grundherren. Sie verbrannten die Akten, in denen die Abgaben und Dienstleistungen verzeichnet waren, die der Grundherr verlangte. Dieser verzichtete ab sofort auf alle Abgaben.

- **In Wien**, der Hauptstadt des Kaiserreichs Österreich, demonstrierten am 13. März Arbeiter und Studenten. Als der Kaiser Militär einsetzte, kam es zu ersten Straßenkämpfen. Fabrikgebäude wurden erstürmt. Der Kaiser versprach eine Verfassung. Auf dem kaiserlichen Schloss wehte die schwarz-rot-goldene Flagge.

In Berlin, der Hauptstadt des Königreichs Preußen, strömten neben den Bürgern auch viele beschäftigungslose Arbeiter zu den Massenversammlungen. Kein Wunder, dass unter den Forderungen an König Friedrich Wilhelm IV. (1840–1861) auch Maßnahmen gegen die Arbeitslosigkeit waren. Am 18. März schlug eine friedliche Demonstration vor dem Berliner Schloss in einen offenen Aufstand um, den der König mithilfe des Militärs beendete.

A 1 Nenne Gründe für den Ausbruch der Revolution von 1848.

A 2 Welche Widerstandsformen werden von den Revolutionären benutzt, um ihre Ziele zu erreichen?

M 3 Barrikadenkampf am Alexanderplatz in Berlin in der Nacht zum 19. März 1848. Zeitgenössischer Stich. Bei den Kämpfen in Berlin starben 254 Menschen, darunter acht Frauen und drei Kinder.

Die Erfolge der Revolution Die Revolution erreichte sehr schnell ihr erstes Ziel, die Einberufung einer Nationalversammlung. Bereits am 18. Mai 1848 zogen Abgeordnete aus allen deutschen Staaten unter dem Jubel der Bevölkerung in die Frankfurter Paulskirche ein. Zum ersten Mal in ihrer Geschichte hatten die Deutschen selbst ein Parlament gewählt, das ihre politischen Wünsche erfüllen konnte.

Unter den Abgeordneten in der Paulskirche befanden sich hauptsächlich Akademiker (Professoren, Lehrer, Rechtsanwälte, Richter, höhere Beamte), nur wenige Landwirte, Kaufleute und Handwerker, aber keine Arbeiter. Frauen hatten 1848 weder das Recht zu wählen noch konnten sie gewählt werden.

A 3 Welche Bevölkerungsgruppen waren im Frankfurter Parlament vertreten, welche nicht?

A 4 Manche Geschichtsschreiber sagen: Die Revolution hat vor den Thronen Halt gemacht. Was bedeutet dieser Satz?

1849 – War die Revolution umsonst?

A 1 Nenne mindestens zwei Probleme, über die in der Nationalversammlung 1848 entschieden werden musste.

A 2 Warum wurde dem Kaiserreich Österreich der Eintritt in den deutschen Nationalstaat verweigert?

A 3 Suche im Grundrechtskatalog des Grundgesetzes der Bundesrepublik die Artikel 2, 3, 5, 8 und 11. Vergleiche sie mit den Grundrechten von 1848. Was fällt dir auf? Einer der Artikel von 1848 ist nicht mehr zeitgemäß.

Was soll aus Deutschland werden? Lange diskutierten die Abgeordneten in der Frankfurter Nationalversammlung über das Fundament jeder freiheitlichen Verfassung, die Grundrechte. Sie sollten den Einzelnen vor der Willkür des Staates schützen und die Menschenrechte sichern.

Große Schwierigkeiten bereitete ihnen die Entscheidung, welche „Gestalt" das vereinigte Deutschland erhalten solle:

- Ein Teil der Abgeordneten wünschte eine starke Reichsgewalt, andere setzten sich für einen „föderativen" Aufbau Deutschlands ein.
- Die einen wollten die Fürstenherrschaft abschaffen und eine Republik errichten. Andere traten für eine konstitutionelle Monarchie ein.
- Gespalten war das Parlament auch in der Frage, ob ein deutscher Nationalstaat mit oder ohne Österreich geschaffen werden solle. Als das Kaiserreich die Aufnahme aller seiner Völker, zum Beispiel der Ungarn, in das vereinte Deutschland verlangte, stimmte die Mehrheit der Nationalversammlung gegen die Aufnahme Österreichs.

M 1 Zu den Errungenschaften der Revolution von 1848/1849 gehört die Formulierung der Grundrechte (Auszug).

- § 3 Jeder Deutsche hat das Recht, an jedem Ort des Reichsgebietes seinen Aufenthalt und Wohnsitz zu nehmen.
- § 7 Vor dem Gesetz gilt kein Unterschied der Stände. Der Adel als Stand ist aufgehoben.
- § 8 Die Freiheit der Person ist unverletzlich.
- § 13 Jeder Deutsche hat das Recht, durch Wort, Schrift, Druck und bildliche Darstellung seine Meinung frei zu äußern.
- § 29 Die Deutschen haben das Recht sich friedlich und ohne Waffen zu versammeln.

M 2 Die Paulskirche in Frankfurt bot der Nationalversammlung Platz für ihre Sitzungen. Sie ist bis heute ein Symbol für die Revolution von 1848 geblieben. Abbildung aus dem Jahr 1848.

Die Verfassung wird verkündet ▸ Am 27. März 1849 verabschiedete die Nationalversammlung in Frankfurt die Verfassung: Das neue Deutschland sollte eine konstitutionelle Monarchie mit einem Kaiser an der Spitze werden. Die gesetzgebende Gewalt sollte der Reichstag ausüben, der aus frei gewählten Abgeordneten des deutschen Volkes und aus Vertretern der einzelnen Länder bestehen sollte. Tags darauf wurde der preußische König Wilhelm IV. zum deutschen Kaiser gewählt.

Eine Abordnung der Nationalversammlung teilte dem König das Abstimmungsergebnis mit. Doch Friedrich Wilhelm, der sich einen „rechtmäßigen König von Gottes Gnaden" nannte, demütigte die Abgesandten: „Ihr habt gar nichts zu bieten. Das mache ich mit meinesgleichen ab. Gegen Demokraten helfen nur Soldaten." Die Abgeordneten waren entsetzt, denn mit der Ablehnung des Königs scheiterte das Verfassungswerk der Paulskirche.

„Gegen Demokraten helfen nur Soldaten" ▸ Schon im Herbst 1848 erlahmte die Revolution und die Gegenkräfte gewannen an Gewicht.

- **In Wien** rebellierten im Oktober 1848 aufgebrachte Bürger, als der Kaiser Truppen gegen die Ungarn einsetzen wollte, die die Unabhängigkeit von Österreich anstrebten. Kaiserliche Truppen eroberten Wien zurück. Es gab mehrere tausend Tote. Der Kaiser zog alle im März gewährten Zugeständnisse zurück und stellte die absolute Monarchie wieder her.
- **In Berlin** setzte sich die preußische Nationalversammlung, die für das Königreich eine Verfassung ausarbeiten sollte, gegen die Einsetzung einer „konterrevolutionären" Regierung zur Wehr. Daraufhin ließ sie der König auflösen und die Stadt mit Militär besetzen.
- **Im Königreich Bayern** fanden Protestkundgebungen statt, nachdem die Regierung die Frankfurter Verfassung ablehnte. König Max II., der Nachfolger des zurückgetretenen Ludwig I., reagierte mit Härte gegen die Volksbewegung. Er schickte Truppen in die aufsässigen Orte, ließ „schwarze Listen" mit den Namen verdächtiger „Revolutionäre" anlegen und ordnete Verhaftungen an.
- **In Frankfurt am Main** löste sich die Nationalversammlung auf. Die Republikaner unter den Abgeordneten wollten in Stuttgart weiter tagen. Württembergisches Militär trieb sie jedoch auseinander. Bewaffnete Aufstände in Sachsen, Baden und in der Pfalz wurden von preußischen Truppen niedergeschlagen.

M 3 Der preußische König Friedrich Wilhelm IV. säubert 1849 den Südwesten Deutschlands von den Revolutionären, die das Scheitern der Nationalversammlung nicht hinnehmen wollen. Sie fliehen in die Schweiz oder wandern in die USA aus. Im Schatten des Königs kommen die Fürsten, dargestellt als Kinder, auf ihre Throne zurück. Karikatur aus dem Jahr 1849.

Kurz und klar

- 1848 brach in Deutschland die Revolution aus. Überall fanden sich Menschen, die den Zusammenschluss der deutschen Einzelstaaten zu einem Nationalstaat forderten.
- Außerdem wollten sie die Grundrechte und die Mitwirkung des Volkes an der Gesetzgebung gesichert sehen.
- Die Forderungen konnten nicht erfüllt werden, weil die Revolution scheiterte. Trotzdem bleibt sie ein wichtiger Meilenstein auf dem Weg zur Demokratie in unserem Land.

Durch Kriege zur deutschen Einheit

M 1 Otto von Bismarck, geboren 1815 als Sohn eines Gutsbesitzers in Brandenburg: Er begann seine politische Laufbahn als Abgeordneter im preußischen Landtag sowie als Gesandter in Frankreich und Russland. 1862 wurde er Ministerpräsident im Königreich Preußen. Von 1871 bis 1890 war er Kanzler im 1871 gegründeten Deutschen Reich.

1866: Deutsche gegen Deutsche ▸ Nach dem Scheitern der Revolution von 1848/1849 löste der preußische Ministerpräsident Otto von Bismarck die deutsche Frage auf seine Art und Weise. Das Hauptproblem war nach wie vor: Sollte ein deutscher Nationalstaat mit Österreich oder ohne Österreich geschaffen werden? Bismarcks Politik war darauf gerichtet, Österreich aus dem Deutschen Bund zu verdrängen. Preußen sollte stärkste Macht im Deutschen Bund werden. Österreich, das der größte Staat im Deutschen Bund und ein Kaiserreich war, erhob ebenfalls Ansprüche auf die Führungsrolle. Die ständig wachsenden Spannungen zwischen beiden Mächten führten 1866 zum deutschen Bruderkrieg.

Der Norddeutsche Bund ▸ Österreich und seine Verbündeten, darunter das Königreich Bayern, verloren den Krieg. Die Österreicher wurden bei Königgrätz (heute Tschechien), die Bayern bei Kissingen (heute Bad Kissingen) von preußischen Truppen besiegt. Die Folgen dieses Krieges waren: Der Deutsche Bund wurde aufgelöst. Preußen verleibte sich Gebiete der besiegten Fürsten in West- und Norddeutschland ein und gründete den Norddeutschen Bund (Seite 48, M 2). Bayern, Württemberg und Baden blieben selbstständig, mussten aber mit Preußen einen Bündnisvertrag abschließen. Darin verpflichteten sie sich, im Kriegsfall an der Seite Preußens zu kämpfen. Dieser Fall trat schon vier Jahre später ein.

Hohenzollern ▸ Fürstengeschlecht, das sich nach der Stammburg Zollern im heutigen Baden-Württemberg benennt. Unter der Herrschaft der Hohenzollern stieg Preußen zur Großmacht auf. 1701 wurde Preußen Königreich. Von 1871 bis 1918 kamen die deutschen Kaiser aus diesem Geschlecht.

Napoleon III. ▸ Er war der Neffe Napoleons I. und wurde 1848 zum Präsidenten der Republik Frankreich gewählt. 1852 ließ er sich vom Volk zum Kaiser wählen. Nach der Niederlage Frankreichs im Krieg gegen Deutschland (1870) wurde er gestürzt.

1870/1871: Frankreich gegen Deutschland ▸ Die nächste Gelegenheit, die Einheit Deutschlands voranzutreiben, lieferte Frankreich. Mit Argwohn hatte man dort beobachtet, wie Preußen 1866 seine Vormacht in Deutschland ausbaute. Als 1870 einem Verwandten des preußischen Königs Wilhelm I. die Königskrone in Spanien angeboten wurde, löste dies in Frankreich große Empörung aus. Man wollte nicht zwischen zwei preußisch regierten Staaten eingeklemmt werden. Obwohl der Prinz die spanische Krone ablehnte, verlangte der französische Kaiser Napoleon III., die Hohenzollern müssten für immer darauf verzichten. Dies wiederum erregte in Deutschland die Gemüter. Bismarck schürte den Konflikt, bis Napoleon 1870 den Krieg erklärte. Nach vielen Gefechten wurden die französischen Truppen in der Schlacht bei Sedan besiegt. Napoleon III., der in deutsche Gefangenschaft geriet, wurde abgesetzt. Frankreich wurde eine Republik.

M 2 Da liegen sie im Blut

Aus der Schilderung des Pfarrers Karl Klein, der als Augenzeuge die ersten deutschen Angriffe in dem Dorf Fröschweiler im Elsass erlebte:

Von allen Seiten rollt der Kanonendonner unter Mark und Bein erschütternden Schlägen zu unserm Dorfe herüber. Von allen Richtungen fliegen unter grässlichem Pfeifen und Zischen die Feuer speienden Granaten. Ein unaufhörliches, immer heftiger werdendes Gewehrfeuer prasselt und knattert wie fallende Schlossen [Hagelkörner]. Weh! Weh! Elsaßhausen steht in Flammen. Süßjockels Haus lodert 'gen Himmel! Es blitzt und kracht zum Entsetzen. Allmächtiger Gott, was wird aus uns werden? Wohin fliehen in dieser Schreckensstunde? Noch steh' ich hier in der Kirche bei den vielen verwundeten Kriegern. Wir können sie nicht mehr zählen. Die Räume sind überfüllt. Da liegen sie im Blut, mit verstümmelten Leibern. Todesblässe, Fieberglut spielt auf ihren Gesichtern. Wut und Verzweiflung stiert aus ihren großen, brechenden Augen. Ich stehe hier, betäubt, gefesselt, gebannt von unbewusstem Pflichtgefühl und kann nicht weichen – kann nicht von der Stelle.

A 1 Krieg war damals ein fast selbstverständliches Mittel der Politiker, Konflikte zu lösen. Um welche Konflikte ging es 1866 und 1870?

A 2 Berichte, welche Rolle das Königreich Bayern 1866 und 1870 spielte.

A 3 M 2 und M 3 geben das Kriegsgeschehen aus unterschiedlichen Perspektiven wieder. Beschreibe diese Perspektiven.

M 3 Angriff der französischen Kavallerie [Reiterei] in einer Schlacht im Elsass (1870). Französisches Gemälde.

1871: Vereinigung Deutschlands

M 1 Die Flagge des Deutschen Reiches, kombiniert aus den Farben Preußens (schwarz und weiß) und den Farben der Stadtstaaten Bremen, Hamburg und Lübeck (rot und weiß).

Das zweite Deutsche Reich ▸ Nachdem die deutschen Armeen in wenigen Wochen die französischen besiegt hatten, brach in Deutschland eine nationale Begeisterung aus. Bismarck nutzte dies, um die vier süddeutschen Fürsten dafür zu gewinnen, sich mit dem Norddeutschen Bund zu vereinigen und einen Kaiser aus dem Hause Hohenzollern zu akzeptieren. So konnte das Deutsche Reich am 1. Januar 1871 gegründet werden. Am 18. Januar wurde der preußische König Wilhelm I. mitten in Frankreich (M 3) zum Deutschen Kaiser ausgerufen. Dieses Ereignis und die Annexion [gewaltsame Aneignung] der französischen Gebiete Elsass und Lothringen vergifteten die deutsch-französischen Beziehungen auf lange Zeit.

Die Verfassung ▸ Das Deutsche Reich war ein Bundesstaat aus 25 Einzelstaaten, die im Bundesrat vertreten waren. Das Amt des Bundespräsidenten stand immer einem Kaiser aus dem Hause Hohenzollern zu. Das deutsche Volk war im Reichstag durch gewählte Abgeordnete vertreten. Er hatte aber nicht dieselben Rechte wie der Bundestag heute. Zum Beispiel wählten nicht die Abgeordneten den Kanzler, sondern der Kaiser ernannte ihn. Der erste Reichskanzler wurde Otto von Bismarck, der das Amt bis 1890 innehatte.

A 1 Berichte über die politischen Machtverhältnisse in Deutschland (M 2).

A 2 Suche Elsass und Lothringen auf der Karte M 2. Was bedeutet der Begriff „Reichsland“?

A 3 Vergleiche die Karte M 2 mit der Karte M 5 auf Seite 39. Beschreibe auffällige Unterschiede. Wie sind sie zu erklären?

A 4 Die Reichsgründung im Jahre 1871 wird als „Einigung von oben“ bezeichnet. Erläutere die Aussage mithilfe von M 3.

A 5 Warum ist der bayerische Prinz Otto so enttäuscht, während doch die meisten jubeln, wie M 3 zeigt?

M 2 Das zweite Deutsche Reich, das 1871 gegründet wurde und bis zum Ende des Ersten Weltkriegs Bestand hatte: Es war ein Zusammenschluss des Norddeutschen Bundes und von je zwei süddeutschen Königreichen und Großherzogtümern. Zum Reich gehörten auch die im deutsch-französischen Krieg 1870/1871 annektierten französischen Gebiete Elsass und Lothringen sowie große Teile Polens, das zwischen Russland, Österreich und Preußen aufgeteilt war.

M 3 Proklamation [Ausrufung] des Deutschen Kaisers im Spiegelsaal des Schlosses von Versailles bei Paris am 18. Januar 1871. Gemälde von Anton von Werner, der als Augenzeuge dabei war.

Der Künstler hat festgehalten, wie der Großherzog von Baden ein Hoch auf den Kaiser ausbringt. Auf dem Podium stehen neben dem Kaiser deutsche Fürsten oder ihre Vertreter. Unten an den Stufen ist der eigentliche Reichsgründer, Otto von Bismarck, in weißer Uniform zu sehen.

Der bayerische Prinz Otto, der seinen Bruder, König Ludwig II., in Versailles vertrat, schrieb an ihn: „Ich kann dir gar nicht beschreiben, wie unendlich weh und schmerzlich es mir während jener Szene zu Mute war. […]. Alles so kalt, so stolz, so glänzend, so prunkend und großtuerisch und herzlos und leer."

Kurz und klar

- 1871 wurde der von vielen Deutschen lang ersehnte Nationalstaat in Form eines Bundesstaates mit einem Kaiser an der Spitze errichtet. Die Reichsgründung war eine „Einigung Deutschlands von oben", das heißt durch die Entscheidung der Fürsten. Weil Otto von Bismarck die entscheidenden Impulse dazu gab, wird das Reich auch „Bismarckreich" genannt.

Noch eine Revolution!

Im 19. Jahrhundert vollzogen sich überall in Europa tief greifende soziale und wirtschaftliche Veränderungen, die mit dem Begriff der „Industriellen Revolution" zusammengefasst werden. Was war so revolutionär an dieser Entwicklung?

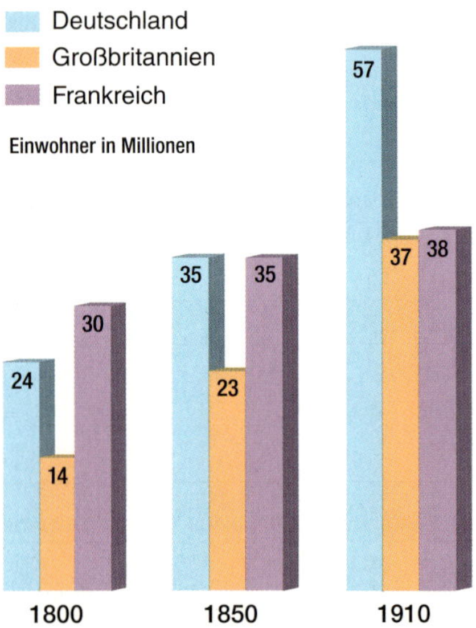

M 1 Bevölkerungsrevolution im 19. Jahrhundert in Deutschland. Zum Vergleich: Frankreich und Großbritannien

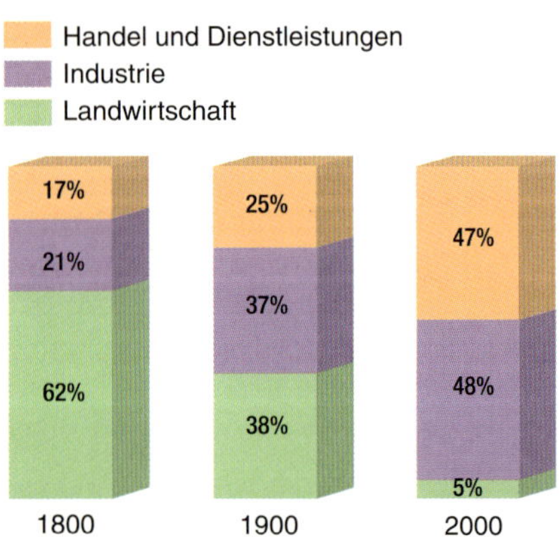

M 2 Veränderungen in der Erwerbstätigkeit nach 1800 in Prozenten

Agrargesellschaft ▸ So nennt man eine Gesellschaft, in der die Mehrheit der Bevölkerung in der Landwirtschaft tätig ist. Im Begriff steckt das lateinische „ager" (Acker, Feld). Um 1800 waren alle Gesellschaften in Europa Agrargesellschaften. Im Laufe des 19. Jahrhunderts ging die Zahl der in der Landwirtschaft beschäftigten Menschen überall zurück (M 2). In Deutschland gab es ab 1890 mehr Beschäftigte in der Industrie als in der Landwirtschaft. Dabei waren zu diesem Zeitpunkt fast dreimal so viele Menschen zu ernähren wie um 1800. Heute sind nur mehr 1,5 Prozent der Erwerbstätigen in der Landwirtschaft beschäftigt.

Industriegesellschaft ▸ So nennt man eine Gesellschaft, in der die überwiegende Mehrheit der Erwerbstätigen in Betrieben der Industrie (Beispiele: Bergbau-, Metall-, Textil- und Elektroindustrie) beschäftigt ist. Im Begriff steckt das lateinische „industria" (Fleiß, Unternehmergeist). Der Prozess der Industrialisierung begann am Ende des 18. Jahrhunderts in Großbritannien und erfasste im 19. Jahrhundert das übrige Europa, Deutschland vor allem in der Zeit nach der Reichsgründung von 1871. Wichtige Kennzeichen der Industrialisierung sind die Benutzung neuer Energiequellen (Kohle, Erdöl, Elektrizität), der Einsatz von Maschinen zur Massenanfertigung von Gütern, das Arbeiten in der Fabrik, die Entstehung einer neuen Gesellschaftsschicht, des Arbeiterstandes.

Der Motor der Industrialisierung ▸ In Großbritannien wurde um 1700 eine revolutionäre Erfindung gemacht: die Dampfmaschine. Sie konnte zunächst nur Auf- und Abwärtsbewegungen machen. Deshalb wurde sie hauptsächlich zum Pumpen in Bergwerken eingesetzt. Der Schotte James Watt konstruierte 1769 die Dampfmaschine so um, dass sie Drehbewegungen ausführen konnte. Damit wurde sie zur wichtigsten Kraftmaschine des 19. Jahrhunderts.
Zunächst fand die Dampfmaschine in der Textilindustrie Verwendung, wo sie unzählige Spinnmaschinen und Webstühle gleichzeitig bewegen konnte (M 5). Das Lokomobil war eine Dampfmaschine, die auf einem fahrbaren Unterbau montiert wurde und so überall eingesetzt werden konnte (M 4). Die Dampflokomotive bewegte sich selbst auf Schienen fort. Sie brachte die Rohstoffe in die Fabrikorte und ermöglichte die Mobilität der Menschen.
Eine Eisenbahn, die Personen beförderte, verkehrte zum ersten Mal 1830 zwischen Liverpool und Manchester. Angetrieben von der Lokomotive „Rocket", erreichte sie die Höchstgeschwindigkeit von 48 Stundenkilometern.

M 3 Raddampfer und Eisenbahn, die beiden wichtigsten Verkehrsmittel des industriellen Zeitalters. Rechts neben dem Dampfer ist zu sehen, wie die Schiffe früher flussaufwärts befördert wurden.
Das erste mit Dampf getriebene Schiff fuhr 1807 in Nordamerika. 1819 überquerte das erste Dampfschiff in 29 Tagen den Atlantik.
Die erste Eisenbahn in Deutschland verkehrte 1835 zwischen Nürnberg und Fürth. Die Strecke betrug 6 Kilometer, um 1900 waren 50 000 Kilometer Schienen verlegt.

M 4 Lokomobil, das über einen Transmissionsriemen eine Dreschmaschine antreibt. Die Dampfmaschine revolutionierte auch die Arbeit in der Landwirtschaft. Sie ersetzte viele Menschen, die früher zur Verarbeitung der Ernte nötig waren.

A 1 Warum kann man von einer Bevölkerungsrevolution im 19. Jahrhundert sprechen (M 1)?

A 2 Erläutere die Veränderungen in der Statistik der Erwerbstätigen (M 2).

M 5 Die ersten Fabriken waren Textilfabriken. Woher die Energie zum Antrieb der vielen Maschinen im Bild kommt, ist nicht zu sehen. Textilfabriken entstanden oftmals an Flüssen, die Wasserturbinen antreiben konnten.

A 3 Zähle auf, welche revolutionären Veränderungen die Verwendung der Dampfmaschine mit sich brachte.

A 4 Was versteht man unter der Industriellen Revolution?

Erfinder – Unternehmer – Arbeitgeber

A 1 Berichte, welche Erfindungen die Unternehmer Alfred Krupp, Gottlieb Daimler, Carl Benz und Werner Siemens gemacht haben.

A 2 Beschaffe dir Information (Internet, Bücher) über einen der folgenden Erfinder bzw. Unternehmer und berichte über seine Leistungen.
August Borsig (1804–1854)
Henry Bessemer (1813–1898)
Rudolf Diesel (1858–1913)
Lothar Faber (1817–1896)
Friedrich Fischer (1849–1899)
Otto Lilienthal (1848–1896)
Joseph Anton Maffei (1790–1870)

Alfred Krupp (1812–1887) ▸ Im Revolutionsjahr 1848 wurde Alfred Krupp Alleinbesitzer einer kleinen Stahlgussfabrik in Essen, die hauptsächlich Bestecke herstellte. Als Krupp Zubehör für die Eisenbahn (Schienen, Achsen, Federn) liefern konnte, wurde die Firma größer. Gefragt war vor allem der von Krupp entwickelte ungeschweißte Stahlreifen für Eisenbahnräder (M 3). Dafür kamen die Aufträge bald aus ganz Europa.
Lange musste Alfred Krupp um Aufträge im Rüstungsgeschäft ringen. Die beste „Werbung“ für das Unternehmen machte der deutsch-französische Krieg, der von Deutschland auch mit Krupp-Kanonen und Krupp-Gewehren gewonnen wurde. Nach dem Krieg wurde die Firma mit Rüstungsaufträgen aus der ganzen Welt überhäuft. Für den Schiffsbau produzierte Krupp Achsen, Kurbelwellen, Panzerplatten und Geschütze.

M 1 Der Unternehmer Alfred Krupp (1812–1887), den man auch „Kanonenkönig“ nannte.

M 2 Das Firmengelände der Gussstahlfabrik Krupp in Essen im Jahr 1912

M 3 Produktionshalle der Firma Krupp in Essen um 1900. Hergestellt werden Lokomotivräder mit den von der Firma entwickelten Gussstahlreifen. Jahresproduktion: 32 000 Stück. 1848 beschäftigte die Firma Krupp 71 Arbeiter, 1872 16 600. 15 Jahre später arbeiteten 21 000 Menschen bei Krupp, 1902 über 40 000, 1913 70 000.

M 4 Die Motorkutsche von Gottlieb Daimler. Foto aus dem Jahr 1886. Auf dem Rücksitz der Erfinder, am Steuer sein Sohn Adolf.

A 3 Für Schüler in Orten mit Industrieanlagen: Besorgt euch Material zur Geschichte einer ausgewählten Firma. Organisiert – wenn möglich – eine Betriebsbesichtigung. Erzählt, was ihr über das Unternehmen herausgefunden habt.

Gottlieb Daimler (1834–1900) und Carl Benz (1844–1929) ▸ Den beiden Ingenieuren gelang es, unabhängig voneinander im Jahre 1886 Pferdekutschen zu motorisieren, das heißt: sie erfanden das Automobil (= „Das sich selbst Bewegende"). Voraussetzung dafür war der von Nicolaus Otto erfundene und von beiden weiter entwickelte Benzinmotor. Ottomotoren und die etwas später entwickelten Dieselmotoren benutzten eine neue Energiequelle, das Erdöl. Gottlieb Daimler und sein Mitarbeiter Wilhelm Maybach bauten ihren Motor auch in Boote ein. 1888 erhob sich das erste von ihrem Motor angetriebene Luftschiff von ihrem Fabrikgelände in Cannstatt bei Stuttgart. Auf ihr Anliegen, Boden-, Luft- und Wasserfahrzeuge zu motorisieren, weist der berühmte dreizackige Stern hin. Die beiden Motorenfabriken schlossen sich 1926 zur Daimler-Benz AG zusammen.

Werner von Siemens (1816–1892) ▸ In der zweiten Hälfte des 19. Jahrhunderts wurde die Elektrizität als neue Energiequelle erschlossen. Ein großer Erfinder in diesem Bereich war Werner von Siemens. Er verbesserte zum Beispiel den Zeigertelegrafen. Mit ihm konnte man Nachrichten leichter als mit dem Morseapparat über ein von ihm entwickeltes Stromkabel senden. Die 1847 gegründete Firma Siemens und Halske baute Telegrafenleitungen in der ganzen Welt. Die längste Leitung verband London mit Kalkutta in Indien (11 000 Kilometer). Siemens erfand eine Dynamomaschine, mit der menschliche Arbeitskraft oder Wasserkraft in elektrischen Strom umgewandelt werden konnte. Die von ihm gebaute Elektrolok verdrängte allmählich die Dampflok im Eisenbahnverkehr.

M 5 Doppeldecker der Brüder Orville und Wilburg Wright. Nach jahrelangen Versuchen gelang den beiden Amerikanern 1903 der erste motorisierte Flug über 260 Meter.

Kurz und klar

Die Industrielle Revolution kam in Gang, weil es Menschen gab,
- denen etwas Neues einfiel: die Erfinder,
- die das Risiko auf sich nahmen, aus den Erfindungen Produkte zu entwickeln: die Unternehmer,
- die Arbeiter einstellten, damit die Produkte in großer Zahl hergestellt werden konnten: die Arbeitgeber,
- die Geld (Kapital) zur Verfügung stellten, damit dieses Zusammenspiel erfolgreich und gewinnbringend funktionierte: die Banker.

Die Soziale Frage

A 1 Anhand der Bilder und Texte auf der Seite 54 kannst du sagen, was unter der „Sozialen Frage" verstanden wird.

A 2 Wie lang war der Arbeitstag 1865 in den Augsburger Textilfabriken (M 1)?

A 3 Berichte, welche Aufgaben Gewerkschaften heute haben.

A 4 Worin besteht der Unterschied zwischen den Begriffen Sozialismus und Kommunismus?

A 5 Warum ließ Reichskanzler Bismarck die Sozialisten/Sozialdemokraten verfolgen?

Durch die Industrialisierung wurden viele Arbeitsplätze geschaffen. Trotzdem war die Zahl der Menschen groß, die keine Arbeit fanden und deshalb in Armut leben mussten:

- Die Bevölkerung nahm ständig zu.
- Viele Handwerker mussten ihren Beruf aufgeben, weil die Maschinen in der Fabrik billiger produzierten.
- Immer weniger Menschen fanden auf dem Land ihr Auskommen. Sie wanderten in die Industrieorte ab.

Wer Arbeit bekam, musste sich mit einem niederen Lohn abfinden. Deshalb mussten auch Frauen und Kinder zum Lebensunterhalt der Familie beitragen. Die Kinderarbeit unter 12 Jahren wurde erst 1853 gesetzlich verboten. Lange Zeit gab es keine Absicherung bei Krankheit oder Unfall.

M 1 Arbeit von 5 Uhr morgens bis 7 Uhr abends!

Augsburger Fabrikarbeiter baten 1865 den bayerischen König Ludwig II., sich für die Verkürzung der täglichen Arbeitszeit um eine Stunde einzusetzen (Auszug):

An diese Arbeitszeit sind sämtliche Arbeiter, Erwachsenen wie Kinder, gebunden. Nun sind aber hauptsächlich in den Spinnereien und Webereien ein Drittel Kinder beschäftigt. Diese Kinder kommen schon gleich nach vollendetem 13. Lebensjahr in die Fabrik. […] In diesem Alter nun müssen diese Kinder morgens 5 Uhr in der Arbeit sein, da jedes Versäumnis mit Geld bestraft wird. Sie sind daher genötigt, morgens 4 Uhr aufzustehen und kommen nach der Arbeit erst gegen 8 Uhr abends wieder nach Hause. […] Hinzu kommt, dass die Fabriken wochenweise oft bis 8 Uhr abends, an Samstagen sogar bis 11 Uhr nachts arbeiten lassen.

M 2 Fabrikarbeit von Kindern (Spinnerei) und Frauen (Montage von Geräten)

Die Arbeiterbewegung ▸ Um ihre Interessen bei den Unternehmern und im Staat besser vertreten zu können, schlossen sich die Arbeiter zu Gewerkschaften und Parteien zusammen. Die Gewerkschaften kämpften in den Betrieben um Verkürzung der Arbeitszeit, Verbesserung der Arbeitsbedingungen und gerechte Entlohnung. Die Arbeiterparteien wollten politische Mitsprache im Staat erreichen, um so die Lage der Arbeiter zu verbessern.

Die Partei der Arbeiterbewegung: SAPD ▸ Vor der Gründung des Deutschen Reiches bildeten sich zwei Arbeiterparteien. 1875 schlossen sie sich zu einer Partei zusammen, die sich **S**ozialistische **A**rbeiter**p**artei **D**eutschlands (SAPD) nannte.
Das Programm der Sozialisten enthielt revolutionäres Gedankengut von Karl Marx. Es forderte aber auch Reformen innerhalb des bestehenden Kaiserreiches, zum Beispiel das Verbot der Kinderarbeit und den kostenlosen Unterricht in allen Schularten.

Einflüsse von Karl Marx ▸ Marxistisch im Programm der SADP war die Beschreibung der bestehenden Gesellschaft als Klassengesellschaft und das Ziel, sie abzuschaffen: Die Klasse der Kapitalisten (Unternehmer, Banker) beute die Klasse der Arbeiter aus und benutze deren Erzeugnisse, um sich zu bereichern. Die Arbeiter könnten nur befreit werden, wenn die Ungleichheiten in der Gesellschaft beseitigt würden. Die Fabriken sollten allen gehören und die Erträge der Arbeit gerecht verteilt werden.

„Feinde des Reiches" ▸ Im Gegensatz zu Marx wollte die SAPD die bisherige staatliche Ordnung nicht mit Gewalt umstürzen, sondern sie auf gesetzlichem Weg in eine Republik umwandeln. 1877 saßen bereits 12 SAPD-Abgeordnete im Reichstag.
Bismarck nahm zwei Attentatsversuche auf den Kaiser, die er den Sozialisten in die Schuhe schob, zum Anlass, das „Sozialistengesetz" (1878) durch den Reichstag zu bringen. Es verbot zwar nicht die Partei, gab aber die Möglichkeit, parteinahe Gewerkschaften, Vereine und Druckschriften zu verbieten. Tausende wurden des Landes verwiesen oder ins Gefängnis geworfen. 1890 wurde das Gesetz aufgehoben. Die Partei, die sich nun SPD (Sozialdemokratische Partei Deutschlands) nannte, erhielt bei den Reichstagswahlen dieses Jahres die meisten Stimmen (20 Prozent). Sie konnte wegen des geltenden Mehrheitswahlrechts aber nur 35 von 396 Abgeordneten stellen.

M 3 Karl Marx (1818–1883), der große Vordenker der internationalen und der deutschen Arbeiterbewegung. Nachdem seine Zeitung 1849 verboten wurde, siedelte Marx nach London über, wo er mit seinem Freund und Mitarbeiter Friedrich Engels (1820–1895) für die Arbeiterbewegung kämpfte.

Marxismus ▸ Bezeichnung für die Lehre von Karl Marx sowie die späteren Interpretationen seiner Lehre, zum Beispiel durch den Russen Lenin (Seite 127).

Kommunismus ▸ Karl Marx forderte den gewaltsamen Umsturz der bisherigen Gesellschaftsordnung und die Errichtung einer klassenlosen Gesellschaft. In ihr sollen alle Produktionsmittel (Fabriken, Werkstätten, Maschinen) in öffentlicher Hand sein.

Sozialismus ▸ Der demokratische Sozialismus will im Gegensatz zum Kommunismus nicht den gesellschaftlichen Umsturz, sondern soziale Gerechtigkeit für alle in der bestehenden Gesellschaft.

Wer löst die Soziale Frage?

M 1 „Kapitalistische Wohltaten". Karikatur aus dem Jahr 1905.

Die Unternehmer? ▸ Viele Arbeitgeber waren bemüht, die schlechten Arbeits- und Lebensverhältnisse ihrer Arbeiter zu verbessern. Aber sie taten es nicht umsonst.

M 2 Das sei eure Politik

Aus einer Rede Alfred Krupps vor seinen Arbeitern (1877):

▸ Ich habe den Mut gehabt, für die Verbesserung der Lage der Arbeiter Wohnungen zu bauen, worin bereits 20 000 Seelen [Personen] untergebracht sind, ihnen Schulen zu gründen und Einrichtungen zu treffen zur billigeren Beschaffung von allem Bedarf. Ich habe mich dadurch in eine Schuldenlast gesetzt, die abgetragen werden muss. Damit dies geschehen kann, muss jeder seine Schuldigkeit tun in Friede und Eintracht und in Übereinstimmung mit unseren Vorschriften. [...] Genießt, was euch beschieden ist. Nach getaner Arbeit verbleibt im Kreise der eurigen, bei den Eltern, bei der Frau und den Kindern und sinnt über Haushalt und Erziehung nach. Das sei eure Politik, dabei werdet ihr frohe Stunden erleben. Aber für die große Landespolitik erspart euch die Aufregung. Höhere Politik treiben erfordert mehr freie Zeit und Einblick in die Verhältnisse, als dem Arbeiter verliehen ist.
Ihr erreicht aber nichts als Schaden, wenn ihr eingreifen wollt in das Reich der gesetzlichen Ordnung. Das Politisieren in der Kneipe ist nebenbei sehr teuer, dafür kann man im Hause Besseres haben.

Die Kirchen? ▸ In den Kirchen waren es anfangs einzelne Persönlichkeiten, die gegen die Armut der Arbeiter etwas unternahmen. Beispiele sind der Protestant Johann Heinrich Wichern (1808–1881) und der Katholik Adolf Kolping (1813–1865). Wichern errichtete in Hamburg das heute noch existierende „Rauhe Haus", in dem er obdachlose Kinder aufnahm und ihnen eine Berufsausbildung gab. Kolping nahm sich hauptsächlich der Handwerksgesellen an, verschaffte ihnen Unterkünfte und bot ihnen Weiterbildung an. Kolpinghäuser und Kolpingvereine gibt es noch heute fast in jeder Stadt.

Der Staat? ▸ Zwischen 1883 und 1889 erließ die Reichsregierung Gesetze, die die Arbeiterinnen und Arbeiter bei Krankheit, Unfall, Invalidität und im Alter absichern sollten (Seite 67). Vergebens hoffte Bismarck damit auch den Zulauf zu den Sozialdemokraten eindämmen zu können. Aber auch für ihn waren die Leistungen aus den Sozialgesetzen keine Almosen, sondern Rechte, die dem Menschen zustanden, der nicht mehr arbeiten konnte. Die damalige Einführung der Sozialversicherung legte den Grund für den modernen Sozialstaat.

A 1 Beschreibe und deute, was die die Karikatur M 1 darstellt. Was sind „kapitalistische Wohltaten"?

A 2 Welches Verhalten fordert der Arbeitgeber Krupp von seinen Arbeitern für seine sozialen Anstrengungen (M 2)?

A 3 Erkundige dich, wie heute die Versicherungsleistungen zwischen Unternehmer und Arbeiter aufgeteilt sind. Worüber wird in diesem Bereich zur Zeit diskutiert?

A 4 Beschreibe, was im Bild M 3 geschieht. Achte auf die Gesten der Streikenden. Auf dem Bild sind drei Frauen zu sehen. Was tun sie?

A 5 Was versteht man unter einem Streik? Sammelt Nachrichten über Streiks und über die Ziele der Streikenden heute.

M 3 Der Streik. Gemälde aus dem Jahr 1886. Der Mann im schwarzen Zylinder ist der Arbeitgeber. Das Bild dokumentiert nicht ein bestimmtes Ereignis. Es ist auch nicht für ein Arbeiter-Publikum gemalt, sondern möchte allgemein auf ein soziales Problem der Industriegesellschaft aufmerksam machen. Streiken war in Deutschland vor 1919 illegal. Die Arbeiter gingen also ein großes Risiko ein, wenn sie die Arbeit niederlegten. Heute gilt das Streikrecht als ein demokratisches Recht. Es darf aber nur von den Gewerkschaften angewendet werden. Beamte zum Beispiel dürfen nicht streiken.

M 4 Die Arbeiter selbst?

Der SPD-Politiker August Bebel (1840–1913):

▸ Der einzelne Arbeiter ist dem Unternehmer gegenüber machtlos. Die einzige Möglichkeit, seine Arbeits- und Lebensverhältnisse zu verbessern, ist die Vereinigung mit seinesgleichen. Deshalb ist der Beitritt zu einer Gewerkschaft eine Lebensnotwendigkeit für jeden Arbeiter.
Die Gewerkschaft erstrebt: Erhöhung des Lohnes, wenn der Arbeitsmarkt es erlaubt, Verkürzung der Arbeitszeit, menschlichere Zustände im Betrieb, Rechtsschutz, Arbeitslosenunterstützung.
Ferner unterstützt die Gewerkschaft das Gemeinschaftsgefühl, ohne das kein großes Ziel erreicht werden kann. Sie veranlasst Arbeitseinstellungen [Streiks], wenn ihr kein anderes Mittel zur Erreichung ihres Zweckes verbleibt.

Kurz und klar

- Eine Folge der Industriellen Revolution war die Soziale Frage. Damit werden die Probleme zusammengefasst, mit denen sich die Arbeiterschaft auseinandersetzen musste: Wohnungsnot, Kinder- und Frauenarbeit, unmenschliche Arbeitszeiten, Ausbeutung, mangelnder Schutz bei Krankheit und beim Verlust des Arbeitsplatzes …
- Einzelne Arbeitgeber, die Kirchen, Gewerkschaften, Arbeiterparteien und auch der Staat versuchten mit ihren Mitteln, die allergrößte Not zu lindern.

Wir spielen Geschichte

Nikolaus Osterroth ▸ Er lebte von 1875 bis 1933. Nach der siebenjährigen Volksschule sollte Nikolaus die weiterführende Schule besuchen. Weil der Vater sein Geschäft verloren hatte, immer wieder krank war und nur Gelegenheitsarbeiten verrichten konnte, musste Nikolaus in die Fabrik gehen. Da er gut reden und schreiben konnte, machte er später als Mitglied der Gewerkschaft eine glänzende Karriere. 1919 wurde er sogar zum Abgeordneten der Deutschen Nationalversammlung (Seite 144) gewählt. 1920 erschien seine selbst verfasste Lebensbeschreibung (Autobiographie). Aus ihr stammt der Auszug M 1.

M 1 Der Junge war ich

Aus der Lebensbeschreibung des Nikolaus Osterroth:

Meine Eltern hatten große Pläne mit mir ▸ Aber alle ließen sie fallen, als der Tag der Schulentlassung kam. Der Vater kränkelte wieder und oft hatten wir kaum über Nacht das nötige Brot im Haus. Zwei Tage nach meiner Schulentlassung ging mein Vater mit mir zu einer im nächsten Dorf gelegenen großen Ziegelfabrik. Ihr Besitzer, ein Schweizer, hatte zwei Jahrzehnte vorher ein paar bescheidene Schuppen mit Handbetrieb errichtet und jetzt drei riesige, miteinander verbundene Gebäude dastehen, in denen neben 60 Erwachsenen 400 jugendliche Arbeiter und Mädchen beschäftigt waren. Der Fabrikant, Herr von Tretmühl, war ein gerissener Spekulant, der im wahrsten Sinn des Wortes aus Dreck Gold zu machen verstand.

Erwachsene Arbeiter waren entbehrlich ▸ Maschinen holten den Ziegelton heran, Maschinen kneteten ihn, Maschinen nässten ihn, pressten ihn und lieferten in je zwei Sekunden dem „Presser" [Vorarbeiter an der Ziegelpresse] die Ziegel auf eine vorgehaltene Holzleiste. Der Presser saß auf einem Stuhl hinter der Presse und gab die Holzleiste mit Ziegeln an einen dreizehnjährigen Jungen weiter. Der Junge machte in einer Sekunde einen meterlangen Satz [Sprung] und legte die Holzleiste auf einen rotierenden Aufzug. Dann machte er in der nächsten Sekunde den Satz zurück und nahm den neuen Ziegel in Empfang. Der Presser verdiente durchschnittlich 6 Mark in der Woche, wenn keine Störungen in der Presse oder bei der Weiterbeförderung vorkamen. Und mit eiserner Strenge sorgte er dafür, dass alles glatt ablief. Am Abend meldeten er und die anderen acht Presser dem Oberaufseher des Herrn von Tretmühl, dass sie je 18 000 Ziegel abgenommen hätten.

85 Pfennig Tageslohn bei zehnstündiger Arbeitszeit ▸ Der Junge hatte während dieser zehn Stunden zwischen dem Presser und dem rotierenden Aufzug 36 Kilometer zurückzulegen und hatte 1260 Zentner geformten Ziegelton zu transportieren. Da gab's kein Warten und kein Verschnaufen. Er war das Zwischenglied zweier automatischer Maschinen, die das Tempo seiner Sätze regelten. Und dann war zur Aufsicht der riesiggroße, rohe Presser da, der furchtbar schrie, wenn er die Ziegel eine viertel Sekunde länger in der Hand halten musste. Wenn schließlich die Pause da war, hatte der Junge keinen Hunger und keinen Durst mehr, er war so müde.

M 2 Lesen und Feststellen, was geschieht

Am Abend waren die Knochen wie zerschlagen ▸ Er wusste bald nicht mehr heimzukommen. Am Morgen spürte er noch größere Müdigkeit und wünschte, es wäre Sonntag. Wenn er dann wieder eine Stunde lang den Weg zwischen dem Presser und dem Aufzug gemacht hatte, fühlte er sich nicht mehr so müde. Aber die Minuten wurden ihm zu Stunden, die Stunden zu Ewigkeiten. Von dem vielen roten Staub wurden seine Hände und sein Gesicht rot, und rot war, was er spuckte, und er glaubte, es sei Blut und er müsse sterben. Aber er starb nicht. Die Augen wurden wie Glas und lagen tief in den Höhlen und lachen konnte er auch nicht mehr. Wenn er gewaschen war, war er nicht mehr rot, ganz gelbbleich und mager war er. Außer an Ruhe und Sterben dachte der Junge oft gar nichts mehr. Nur hie und da meinte er, wie schön es wäre, wenn er noch in die Schule gehen und singen und lachen könnte. Die Maschine hatte ihn um alles gebracht. In fünf Monaten hatte sie aus einem frohen, helläugigen Kind einen sich nach Tod und Grabesruhe sehnenden Greis gemacht. Der Junge war ich.

Nikolaus musste im Trockenwerk arbeiten, wo ein riesiger Brennofen große Hitze ausstrahlte.

Aber die Hitze und der Staub! ▸ Nach wenigen Tagen konnte ich gar nichts mehr essen, nur trinken, trinken! [...] Aber dann wurden mir die Beine [...] immer schwerer. Eine Woche darauf trugen mich die anderen Jungen bewusstlos ins Aufseherzimmer, von wo ich blutbrechend im Wagen nach Hause gefahren wurde. Acht Wochen lang legte ich in Fieberfantasien ununterbrochen den Weg von der Presse zum Aufzug zurück, bis ich langsam wieder dem Leben entgegengenas.

M 3 Erproben und Aufführen

▸ Anschauliche Quellentexte, wie die Lebensbeschreibung des Nikolaus Osterroth (M 1), machen die Geschichte lebendig. Sie lassen in unserer Vorstellung Bilder entstehen, in denen wir uns in geschichtliche Situationen und Personen versetzen können.
Solche Bilder lassen sich auch in Szene setzen. Damit könnt ihr euch und anderen ein Erlebnis bereiten. Ihr könnt Kenntnisse über die Kinderarbeit zur Zeit der Industrialisierung vermitteln und zum Nachdenken über ähnliche Probleme heute anregen.

So könnt ihr vorgehen:

1. Lesen und Feststellen, was geschieht ▸ Welche Personen kommen vor? In welcher Beziehung stehen sie zueinander? Was geschieht im Einzelnen?

2. Festlegen der Szeneninhalte und Rollen ▸ Um welche Geschehnisse in der Textquelle lässt sich eine Handlung aufbauen (Elternhaus, erster Tag in der Fabrik ...)? Welche Personen sollen vorkommen?

3. Entscheiden über die formale Gestaltung ▸ Kleines Theaterstück, szenische Lesung, Reportage, Hörspiel, Kurzfilm?

4. Niederschreiben ▸ Eine Szene wird lebendiger, wenn in den Gesprächen unterschiedliche Perspektiven sichtbar werden. Reportagen oder Kommentare haben einen größeren Abstand zum Geschehen.

5. Diskutieren der geschriebenen Texte ▸ Muss in der Sache noch etwas geklärt werden? Gelingt es den Autoren, damalige Menschen und ihre Lebenssituationen zu verstehen?

6. Erproben und Aufführen

Veränderungen der Arbeitswelt

- Im 18./19. Jahrhundert begann ein Veränderungsprozess in Europa, den wir Industrielle Revolution nennen. Sie bewirkte, dass sich überall die Agrargesellschaften in Industriegesellschaften wandelten.

- Die Industrialisierung brachte eine neue Gesellschaftsschicht hervor, die Arbeiterschaft, und mit ihr die Soziale Frage. Unternehmer, Kirchen, die Arbeiterbewegung und der Staat versuchten sie mit ihren Mitteln zu lösen.

Kennzeichen der Industriellen Revolution sind:

- der Einsatz der Dampfmaschine als Antriebsmaschine in vielen Bereichen,
- die Ablösung der handwerklichen Fertigung durch Massenproduktion der Güter,
- die Entstehung von Fabriken und Industriestädten,
- neue Energiequellen durch die Nutzung von Kohle, Erdöl und Elektrizität, die die Entwicklung neuer Verkehrsmittel und Maschinen ermöglichten.

A 1 An welche Erfindungen, Ereignisse und Personen erinnern die Briefmarken auf dieser Seite? Schlage im Buch nach und berichte.

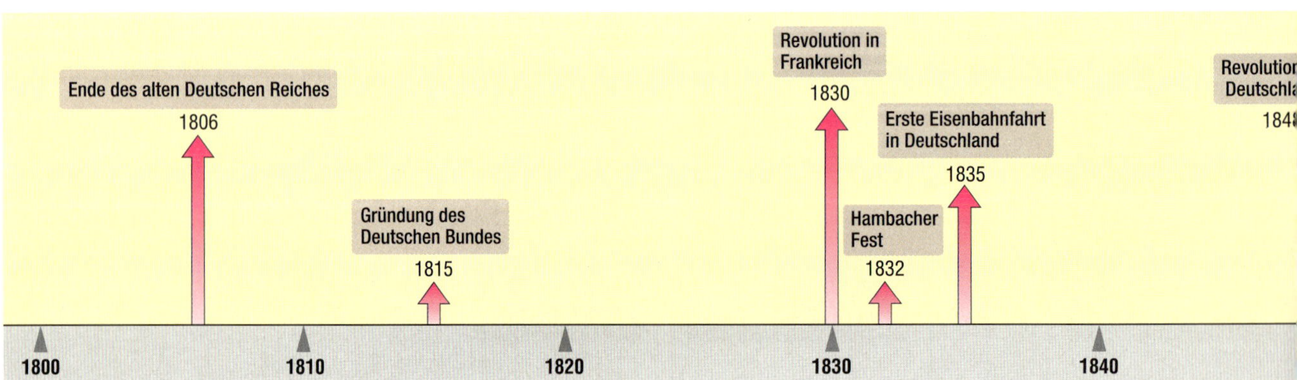

Wegmarken der deutschen Einheit – ein Silbenrätsel

EI

In diesem Jahr zerbricht das Deutsche Reich, das nahezu 1000 Jahre bestanden hat. Napoleon hat damit etwas zu tun.

FR

Frankreich beginnt einen Krieg gegen Deutschland und verliert ihn.

EIT

In Deutschland werden erstmals die Grundrechte niedergeschrieben.

RE

„Gegen Demokraten helfen nur Soldaten", sagt der König und lehnt die Kaiserkrone ab.

EI

Im Schloss von Versailles spielt sich dieses Ereignis ab.

NI

Auf dem Wiener Kongress schließen sich 38 deutsche Staaten zu einem Staatenbund zusammen.

GK

Bei diesem Ereignis sind erstmals viele Frauen dabei.

CHT

Österreich und Bayern verlieren den Krieg gegen Preußen, das einen neuen Bund gründet.

HEIT

Der erste Kanzler des Deutschen Reiches, Otto von Bismarck, scheidet aus dem Amt aus.

A 2 Suche die zu den Texten und Bildern gehörenden Jahreszahlen. Benutze dazu die Zeitleiste unten. Wenn du diese Jahreszahlen in die richtige zeitliche Reihenfolge bringst, kannst du die drei Begriffe bilden, die in diesem Kapitel eine wichtige Rolle gespielt haben.

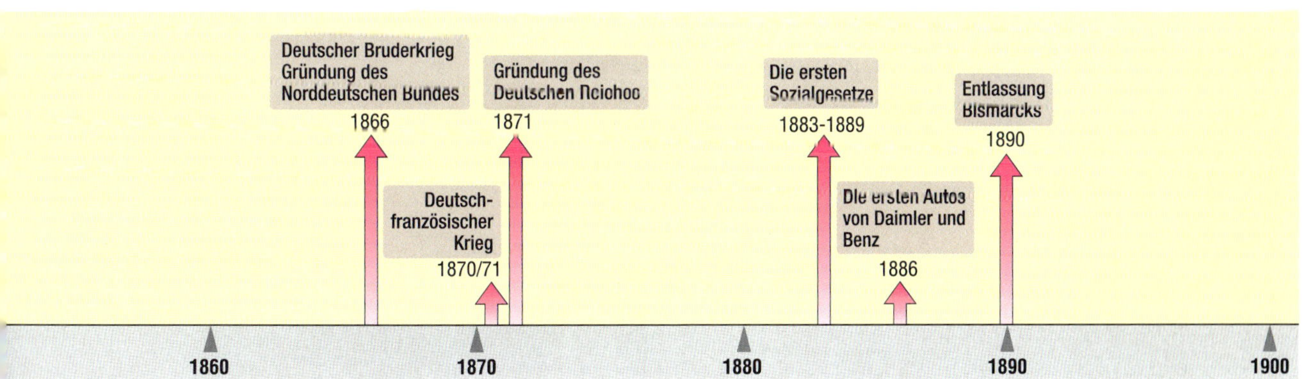

Deutschland – ein Sozialstaat

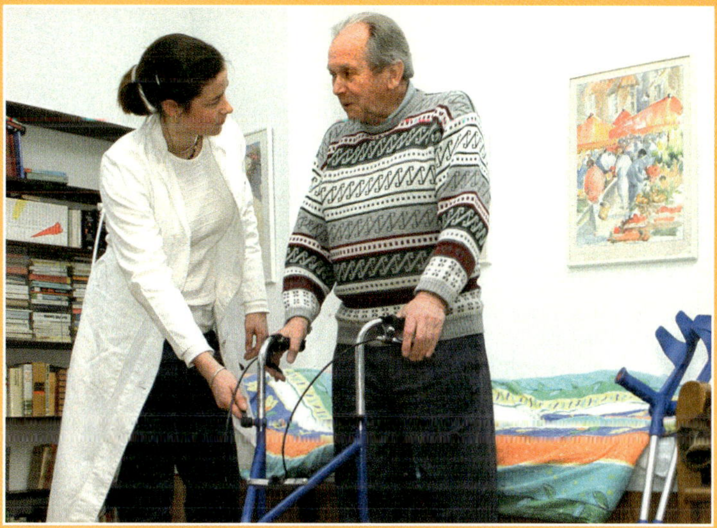

Wir leben in einem Sozialstaat

Sozial ▸ Lateinisch „socius" heißt „gemeinsam", aber auch „Gefährte" oder „Teilnehmer". Bedeutung heute: gemeinnützig, wohltätig, menschlich, das Zusammenleben der Menschen betreffend.

M 1 Was ist ein Sozialstaat?

Aus den Erläuterungen zu parlamentarischen Begriffen des Deutschen Bundestages:

▸ Die Sozialstaatlichkeit der Bundesrepublik wird in Artikel 20 Absatz 1 des Grundgesetzes festgelegt. Der Sozialstaat ist darauf gerichtet, soziale Sicherheit und Gerechtigkeit herzustellen und zu erhalten. Der Staat ist mitverantwortlich für den Ausgleich sozialer Unterschiede zwischen den Bürgern und verpflichtet, in sozialen Notlagen Hilfe zu leisten.

A 1 Wenn du weitere Einzelheiten zum sozialen Netz (M 4) erfahren möchtest, dann gib dort aufgeführte Stichworte in eine Internet-Suchmaschine ein und berichte.

A 2 „Was gehen mich die anderen an? Ich kann für mich selbst sorgen. Sollen das die anderen doch auch tun!" Nimm zu dieser Aussage Stellung.

▸ **Kindergeld** erhalten alle Eltern in Höhe von monatlich 154 Euro für das erste und 179 Euro für jedes weitere Kind. Es wird bis zur Vollendung des 18. Lebensjahres bezahlt, in manchen Fällen auch noch länger.

▸ **Jugendhilfe** setzt ein, wenn Eltern bei der Erziehung ihrer Kinder versagen, elternlose Kinder betreut werden müssen, Jugendliche am Arbeitsplatz ausgenutzt oder vor schädlichen Einflüsse geschützt werden müssen.

▸ **Wohngeld** wird den Bürgern gegeben, die wegen eines zu niederen Einkommens ihre Mieten nicht bezahlen können.

▸ **Hilfe erhalten Alleinerziehende,** wenn sie wegen ihrer Kinder nicht oder nur kurze Zeit arbeiten und auf diese Weise selbst nicht genügend verdienen können.

▸ **Hilfe gibt es für ältere Menschen,** wenn sie zum Beispiel nicht ausreichend versichert sind, zum Pflegefall werden und den Heimaufenthalt nicht bezahlen können.

▸ **Hilfe wird für Arbeitslose bezahlt,** wenn sie das zeitlich befristete Arbeitslosengeld I nicht mehr bekommen und mit dem wesentlich niedrigeren Arbeitslosengeld II von monatlich 345 Euro nicht auskommen.

M 3 Beispiele

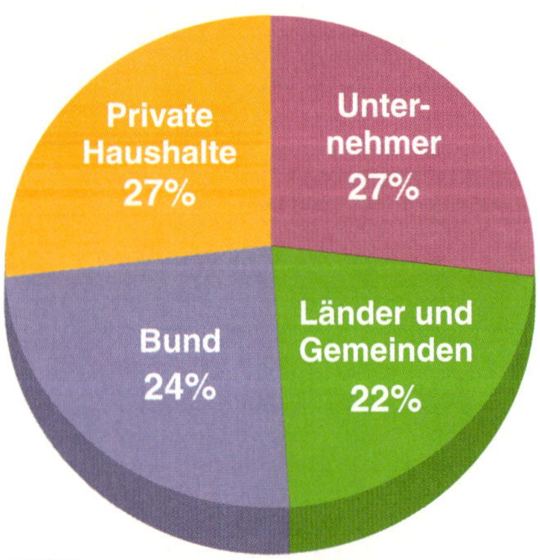

M 2 Wer finanziert das soziale Netz?

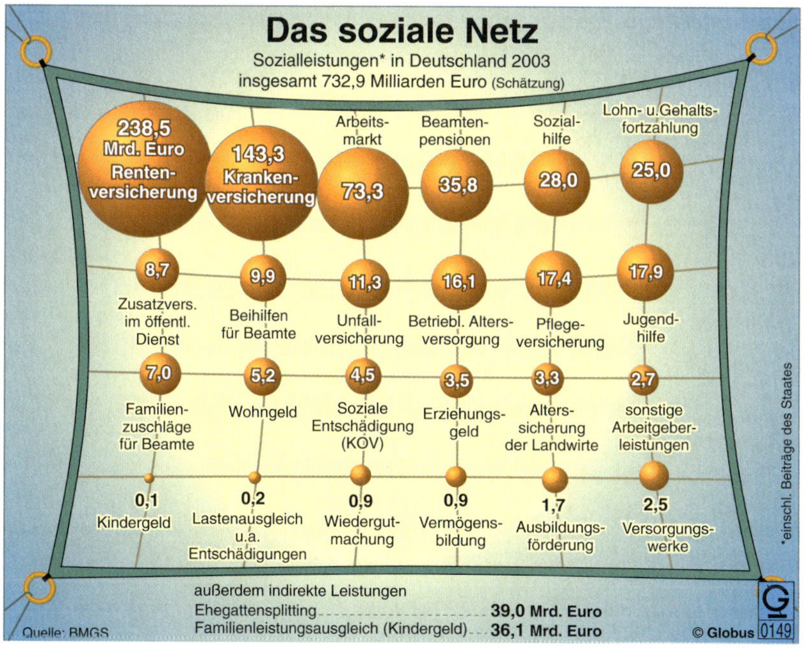

M 4 Die Sozialleistungen im Jahre 2003. Zusammengezählt sind alle Leistungen, die erbracht wurden von den zahlreichen Versicherungsanstalten (zum Beispiel Krankenkassen), den Berufsgenossenschaften (zum Beispiel Berufsgenossenschaft der Bauwirtschaft), den Unternehmen (zum Beispiel Betriebskrankenkasse), von staatlichen Ämtern (Bundesagentur für Arbeit), vom Bund, den Ländern und Kommunen (Jugendämter, Sozialämter).

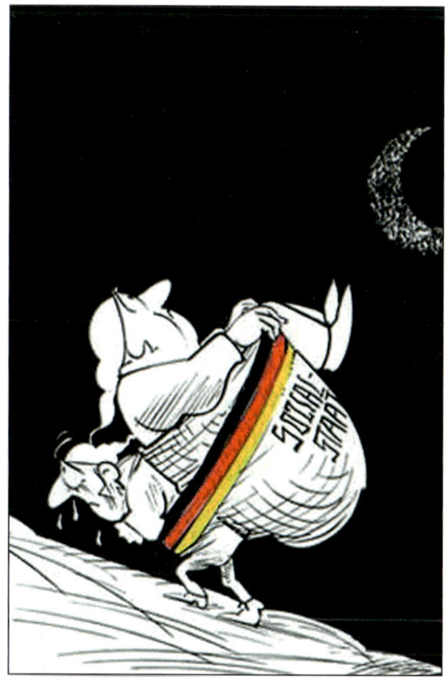

M 5 Das soziale Netz muss finanziert werden. Es droht zu zerreißen, wenn die Zahl der Empfänger von Sozialleistungen größer wird als die Zahl derer, die diese bezahlen müssen.

M 6 Und nun?

Ein ehemaliger Unternehmer berichtet.

Ich war über 16 Jahre lang selbstständiger Unternehmer im Verlagswesen. Im November 2004 musste auch ich aufgrund ständig zurückgehender Aufträge und hoher Außenstände (unbezahlte Rechnungen) mein Unternehmen aufgeben.

Bis einschließlich April 2005 habe ich noch versucht, allein wieder auf die Füße zu kommen oder einen Job zu finden. Beides war ohne Erfolg, sodass ich seit Mai 2005 Sozialhilfeempfänger nach Hartz IV (Arbeitslosengeld II) mit 345,- Euro im Monat bin.

Meine Lebensversicherung habe ich gekündigt und aufgebraucht, mein Haus verkauft, mit 70 000 Euro Verlust, die noch als Schulden an mir kleben bleiben, sodass ich nun weder ein Einkommen, noch eine Altersvorsorge habe. Mein Auto habe ich abgeben müssen und den Unterhalt für meine Kinder kann ich auch nicht mehr zahlen ... Und nun?

Wie unterstützt mich der Staat nun beim Aufbau einer neuen Existenz?

A 3 Erkläre den Begriff „Soziales Netz" (M 4).

A 4 Besprecht den Fall des arbeitslosen Unternehmers (M 6). Was bringt ihm das soziale Netz?

Kurz und klar

- Als „Sozialstaat" bezeichnet man einen Staat, der den Bürgern hilft, die sich selbst nicht helfen können, und der dafür sorgt, dass die sozialen Unterschiede in der Gesellschaft nicht zu groß werden.
- Finanziert wird der Sozialstaat von seinen Bürgern.

Der Sozialstaat hat Geschichte

M 1 Aus einer Liederhandschrift um 1300: Der wohltätige Ritter und Minnesänger Hesso von Reinach.

Das soziale Netz der Familie ▸ Die Pflege bei Krankheit und die Sicherung des Lebensabends waren in früheren Jahrhunderten in erster Linie Aufgaben der Familie. Starke halfen den Schwachen, Gesunde pflegten die Kranken, Eltern sorgten für die Kinder und erwarteten, später selbst von ihnen mit versorgt zu werden. Wer aber half, wenn die eigene Familie diese soziale Fürsorge nicht leisten konnte, etwa wenn die Eltern starben und eine Schar unversorgter Kinder hinterließen?

Das soziale Netz der Mitmenschen ▸ Das Gebot der Nächstenliebe verpflichtete nicht nur die Kirchen, sich um Waisen, Arme, Gebrechliche und Alte zu kümmern, sondern auch die Gemeinden und wohlhabende Einzelpersonen (M 1 und M 2) Trotzdem gab es noch viele Menschen, die ihren Lebensunterhalt nicht mit eigener Kraft erarbeiten konnten und zum Betteln gehen mussten. Armut breitete sich aus, wenn Kriege geführt wurden, Seuchen die Haustiere dahinrafften oder Missernten und Naturkatastrophen die Preise für Nahrungsmittel in die Höhe schnellen ließen. Solche Anlässe zwangen die Landesherren, durch soziale Maßnahmen einzugreifen.

M 2 Die Fuggerei in Augsburg wurde im 16. Jahrhundert von dem Handelsherrn und Bankier Jakob Fugger gestiftet und besteht noch heute. Arme Menschen, die hier wohnen, bezahlen im Jahr 88 Cent Miete. Für ihren Lebensunterhalt müssen sie selbst aufkommen.

Das soziale Netz des Staates ▸ Ein gutes Beispiel für das Eingreifen des Staates liefert die Bettelordnung des bayerischen Kurfürsten Maximilian I., die er während des Dreißigjährigen Krieges (1627) erlassen hat.

Die Bettelordnung legte fest:

- Bedürftige müssen von der Gemeinde unterstützt werden, in der sie geboren wurden. Die Gemeinde muss prüfen, ob der Bedürftige einen Anspruch auf Unterstützung hat.
- Den Armen ist das Betteln verboten. Die Almosen werden bei den Bewohnern eingesammelt und einmal in der Woche an die Bedürftigen verteilt.
- Die Bewohner (Bauern, Handwerker) werden aufgefordert, den arbeitsfähigen Armen Arbeit zu geben.
- Den Armen sollen Rohstoffe (zum Beispiel Flachs) statt Geld gegeben werden, aus denen sie selbst etwas herstellen und es verkaufen können.
- Gemeinden, die wenige Arme zu versorgen haben, sollen Gemeinden, die viele Arme haben, durch Geldzahlungen unterstützen.

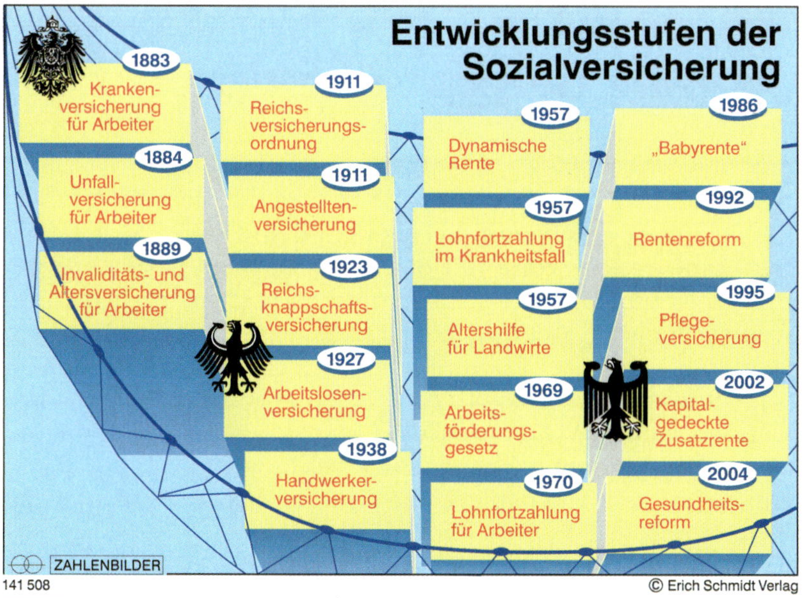

M 3 Die wichtigsten deutschen Sozialgesetze des 19. und 20. Jahrhunderts

Neue Herausforderungen im 19. Jahrhundert ▸ Auf die Soziale Frage (Seite 54 und 55) reagierte das 1871 gegründete Deutsche Reich durch eine Sozialgesetzgebung, die es damals nirgendwo in Europa gab. Zwischen 1883 und 1889 verabschiedete der Reichstag Gesetze für folgende Versicherungen:

Krankenversicherung ▸ Die Arbeitnehmer mussten zwei Drittel und die Arbeitgeber ein Drittel der Beiträge bezahlen. Wer erkrankte, erhielt die Kosten für die ärztliche Behandlung ersetzt. Wer nicht mehr arbeiten konnte, erhielt in den ersten 13 Wochen ein Krankengeld.

Unfallversicherung ▸ Sie wurde von den Arbeitgebern finanziert. Bei einem Betriebsunfall trug sie ab der 14. Woche die Kosten für die Heilbehandlung. Konnte der Verunglückte nicht mehr arbeiten, bezahlte sie zwei Drittel des Lohnes als Rente.

Alters- und Invalidenversicherung ▸ Die Beiträge dafür teilten sich Arbeitnehmer, Arbeitgeber und der Staat. Eine Altersrente konnte erst nach dem 70. Lebensjahr in Anspruch genommen werden. Eine Invalidenrente erhielt, wer zu zwei Drittel erwerbsunfähig wurde.

Das soziale Netz verdichtet sich ▸ Im 20. Jahrhundert wurde die Sozialgesetzgebung immer weiter ausgebaut. Die wichtigsten Neuerungen waren die Einführung der Arbeitslosen- und der Pflegeversicherung.

A 1 Wer kümmerte sich um die soziale Sicherheit der Menschen, bevor der Staat mit seiner Gesetzgebung eingriff?

A 2 Welche Bestimmungen der Bettelordnung von 1627 könnten auf heutige Verhältnisse übertragen werden?

A 3 Suche aus M 3 die Jahre heraus, in denen die fünf wichtigsten Sozialversicherungen des 19. und 20. Jahrhunderts eingeführt wurden. Gestalte eine Zeitleiste.

A 4 Wenn du mehr über die in M 3 genannten Sozialgesetze erfahren möchtest, dann suche im Internet nach geeigneten Informationen und berichte über die Ergebnisse.

A 5 Du stürzt im Sportunterricht so unglücklich, dass dein Wadenbein bricht und du mit dem Rettungswagen in das Krankenhaus eingeliefert werden musst. Wer bezahlt die anfallenden Kosten?

Kurz und klar

- Die Grundlage für den deutschen Sozialstaat wurde durch die drei Sozialversicherungen gelegt, die Otto von Bismarck im 19. Jahrhundert eingeführt hat: Krankenversicherung, Unfallversicherung und Alters- und Invalidenversicherung.
- Die Versicherungsleistungen waren damals nicht besonders hoch. Aber sie bewahrten 14,7 Millionen Arbeiter vor dem Absturz in die völlige Armut, wenn ihnen etwas zustieß.
- Ohne die sozialen Leistungen, die noch heute von den Familien, Kirchen, Vereinen und von zahllosen ehrenamtlichen Helfern und Geldspendern erbracht werden, wäre unser soziales Netz längst zerrissen.

Was heißt „soziale Gerechtigkeit"?

Aufgaben des Sozialstaates

↓

Soziale Gerechtigkeit

Ausgleich sozialer Unterschiede

Soziale Unterschiede ausgleichen ▸ Es ist eine Binsenweisheit: In einem demokratischen Staat sind die Menschen in vielen Belangen gleich, zum Beispiel vor dem Gesetz. Sozial gesehen, gibt es aber zum Teil beträchtliche Unterschiede unter ihnen. Es gibt reichere und ärmere Menschen, tüchtige und weniger tüchtige, talentierte und weniger talentierte. Die einen werden in einem begüterten Elternhaus geboren, andere haben schlechtere Startchancen, zum Beispiel Kinder in einer Zuwandererfamilie. Die einen sind gesund, andere leiden ständig an Krankheiten oder sind sonst behindert. Die einen haben einen sicheren Arbeitsplatz, die anderen haben ihn verloren.

Auch ein demokratischer Sozialstaat kann diese Ungleichheiten nicht aus der Welt schaffen. Er hat aber die Pflicht, die ihm zur Verfügung stehenden Steuergelder so zu verteilen, dass auch die Benachteiligten ein menschenwürdiges Leben führen können. Am Beispiel der Kinderarmut in Deutschland lässt sich zeigen, dass nicht nur der Staat etwas tun muss.

M 1 Kinderarmut in Deutschland

Aus einer UNICEF-Studie zur Kinderarmut (2005):

▸ Mehr als jedes zehnte Kind unter 18 Jahren wächst in Deutschland in relativer Armut auf – das sind 1,5 Millionen Kinder und Jugendliche. Zwar reduziert die Bundesregierung durch Kindergeld, Steuererleichterungen und andere sozialpolitische Maßnahmen die Kinderarmut erheblich. Doch sie tut weniger als andere Staaten. Die Folge: Kinder sind häufiger arm als Erwachsene.

Vor allem Kinder aus Zuwandererfamilien und Kinder Alleinerziehender leiden unter Armut. 40 Prozent der Kinder Alleinerziehender sind arm. Der stärkste Anstieg der Kinderarmut ist bei Kindern aus Zuwandererfamilien zu verzeichnen. In den 1990er Jahren verdreifachte sich der Anteil armer Kinder in dieser Bevölkerungsgruppe von fünf auf 15 Prozent.

M 2 Aktionstag „Kinderarmut" des Jugendrotkreuzes in den Straßen der Städte (2005)

M 3 Nachteile armer Kinder

Das deutsche Kinderhilfswerk:

Kinder aus armen Familien

- haben es schwerer, einen guten Schulabschluss zu machen,
- müssen oft auf viele Freizeitaktivitäten verzichten, da diese zu viel Geld kosten,
- verstecken gern ihre Armut vor anderen Kindern,
- erhalten oft eine schlechtere gesundheitliche Versorgung.

M 4 Was kann der Staat tun?

Zum Beispiel ein Gesetz wie das TAG erlassen. Das Bundesministerium für Familie, Senioren, Frauen und Jugend gibt bekannt (2006):

▸ Mit dem in Kraft getretenen Tagesbetreuungsausbaugesetz (TAG) sind die Kommunen verpflichtet, ein bedarfsgerechtes Angebot für Kinder unter drei Jahren zu schaffen. Dafür stehen ihnen von Seiten des Bundes 1,5 Milliarden Euro im Jahr zur Verfügung. Bedarfsgerecht heißt: Für alle unter dreijährigen Kinder, deren Eltern erwerbstätig sind oder werden wollen, sich in einer beruflichen Bildungsmaßnahme, in der Schul- oder Hochschulausbildung befinden, sollen bis 2010 Betreuungsangebote vorhanden sein. Das entspricht rund 230 000 Plätzen.
Der Ausbau der Kinderbetreuung trägt entscheidend zur Verbesserung der Chancengerechtigkeit von Kindern, zu einer besseren Vereinbarkeit von Familie und Beruf und letztlich zu einer familienfreundlichen Gesellschaft bei.

M 5 Was können wir tun?

Zum Beispiel „Sprachpartnerschaften" übernehmen, wie sie das Jugendrotkreuz (JRK) 2004/2005 angeboten hat. Eine Teilnehmerin berichtet:

▸ 20 Jugendrotkreuzler und junge Zuwanderer im Alter zwischen 12 und 17 Jahren trafen sich regelmäßig einmal im Monat, um einander kennenzulernen. Das geschah auf spielerische Weise: Grillen, Spiel und Sport, miteinander ins Gespräch kommen, Spiele aus einem anderen Land spielen.
Das Projekt wollte durch spielerisches Erlernen der Sprache zur Verhütung von Armut und Ausgrenzung bei Kindern und Jugendlichen mit Migrationshintergrund beitragen. Außerdem konnten junge Zuwanderer unsere Arbeit im Jugendrotkreuz kennen lernen und wir das Leben und die Umstände Gleichaltriger, die zugewandert sind.

A 1 Beschreibe, was man unter „sozialer Gerechtigkeit" verstehen kann.

A 2 „Armut im reichen Deutschland ist ein Skandal. Einfach mehr Geld auszuschütten, ist keine echte Lösung. Nur Bildung und Arbeit helfen weiter", schreibt ein Kommentator einer Zeitung. Was müsste demnach getan werden?

A 3 Wann und warum sind vor allem Kinder von Armut betroffen?

A 4 Erkundet in eurer Gemeinde, was sie aufwendet (Geld- und Sachmittel, Personal), um armen Menschen zu helfen.

M 6 Was ist gerecht?

Nimm Stellung zu folgenden Beispielen.

▸ Autorennfahrer und Bundesliga-Profis haben nicht studiert. Jeder von ihnen verdient aber mehr als alle Lehrer der Schule zusammen.

▸ Ein 60-Jähriger schlägt vor: „Die Erbschaftssteuer müsste vervielfacht werden, denn die junge Generation wird – ohne etwas dafür geleistet zu haben – viel mehr erben als wir."

▸ Im Altersheim St. Johann treffen auf eine Schwester 25 Menschen. Im Seniorenstift „Am Hügel" betreut eine Schwester zehn ältere Personen.

▸ Verena steht am Fließband neben Dominik. Sie erhält für ihre Arbeit 9,50 Euro pro Stunde, er 10,95 Euro.

▸ Nach der PISA-Studie haben in Bayern Kinder aus wohlhabenden Familien eine fast siebenmal größere Chance, das Abitur zu erreichen als Arbeiterkinder.

▸ Über den Lüftungsschächten großer Kaufhäuser schlafen im Winter zahlreiche Obdachlose.

Was heißt „soziale Sicherheit"?

M 1 Die drei Grundpfeiler der sozialen Sicherheit

A 1 Erläutere die drei Bestandteile der sozialen Sicherung (M 1).

A 2 Wie hoch ist der Anteil, der vom Verdienst eines Arbeitnehmers für die soziale Sicherung abgezogen wird (M 2)? Wer bezahlt ihn?

A 3 Die Sozialhilfe wird von der Gemeinde und vom Landkreis geleistet. Erkundige dich in deiner Gemeinde, wie viele Sozialhilfeempfänger sie zu versorgen hat und wie hoch die Zuschüsse sind.

Sozialversicherung ▸ Unter einer Sozialversicherung (M 1) versteht man den Zusammenschluss von Menschen, die den gleichen sozialen Risiken ausgesetzt sind. Sie bilden eine „Gefahrengemeinschaft", die durch ihre Beiträge dem Einzelnen beisteht, wenn er erkrankt, einen Unfall erleidet, arbeitslos wird, in Rente geht oder pflegebedürftig wird (M 3).

▸ Welche Rolle spielt der Staat dabei? Er entscheidet, welche Versicherungen für alle verpflichtend sind und er legt fest, wie viel Prozente vom Verdienst dafür bezahlt werden müssen. Zum Beispiel sind 6,5 Prozent des Bruttolohnes (2006) für die Arbeitslosenversicherung abzuführen (M 3). Der Staat leistet nur dann einen finanziellen Zuschuss aus Steuermitteln, wenn die Versicherungen finanziell überfordert sind. Das ist zum Beispiel in der Arbeitslosenversicherung der Fall.

▸ Die soziale Absicherung durch die Versicherungen beruht auf der Solidarität der Beitragszahler: Wer mehr verdient, zahlt höhere Beiträge als Bezieher eines niederen Einkommens. Der Grundstein für die deutsche Sozialversicherung wurde im Deutschen Kaiserreich gelegt (Seite 56 und M 3). In der Weimarer Republik und in der Bundesrepublik kamen neue Versicherungen hinzu, als jüngste die Pflegeversicherung (M 3).

M 2 Der Esel „Arbeit" lahmt.

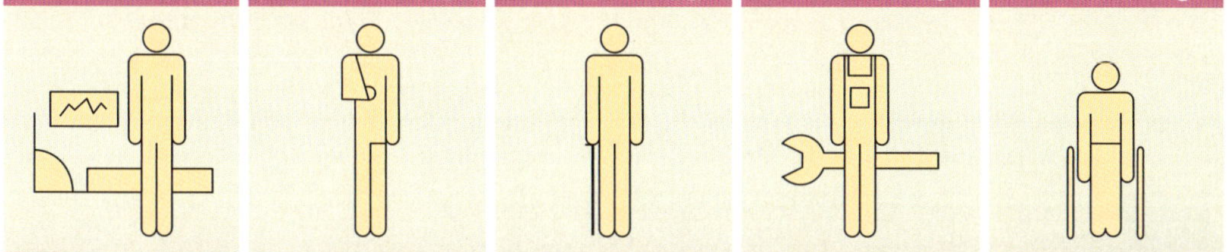

Die fünf wichtigsten Versicherungen	Krankenversicherung	Unfallversicherung	Rentenversicherung	Arbeitslosenversicherung	Pflegeversicherung
Anbieter der Versicherung	Krankenkassen	Berufsgenossenschaften	Versicherungsanstalten	Bundesagentur für Arbeit	Krankenkassen
Jahr der Einführung	1883	1884	1889	1927	1995
Prozentualer Anteil am Monatsverdienst	13%	XX	19,5%	6,5%	1,7%
Anteil in Euro bei 2000 Euro im Monat	260 Euro	XX	390 Euro	130 Euro	30 Euro
Anteil des Arbeitnehmers	130 Euro	XX	195 Euro	65 Euro	15 Euro
Anteil des Arbeitgebers	130 Euro	XX	195 Euro	65 Euro	15 Euro

M 3 Pflichtversicherungen, die vom Arbeitnehmer und Arbeitgeber bezahlt werden. Über die Höhe der Unfallversicherung (XX), die der Arbeitgeber bezahlen muss, lassen sich keine Angaben machen, da sie von der Gefährlichkeit des Berufes und der Anzahl der Betriebsangehörigen abhängt. Stand: Anfang 2006.

Öffentliche Versorgung ▸ In unserer Gesellschaft gibt es Menschen, die etwas für die Allgemeinheit geleistet oder Opfer für sie gebracht haben. Dazu gehören nicht nur die Staatsbediensteten, sondern auch Opfer des Krieges, der Vertreibung und von Gewalttaten. Auch die Empfänger von Kindergeld werden dazu gerechnet.

Sozialhilfe ▸ Diese Hilfe springt ein, wenn andere Sozialleistungen nicht mehr zur Verfügung stehen und die betroffenen Personen sich aus eigener Kraft nicht helfen können. Sozialhilfe bekommt, wer seinen Bedarf an Nahrung, Kleidung, Unterkunft, Hausrat usw. nicht ausreichend decken kann und wer, zum Beispiel als älterer Langzeitarbeitsloser, in eine außergewöhnliche Notlage gerät (Seite 72/73).

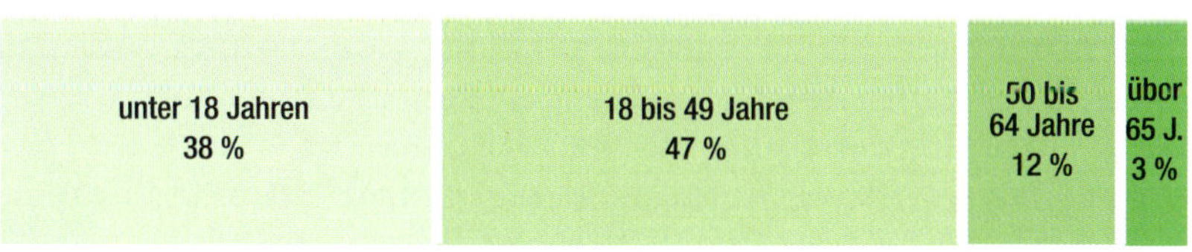

M 4 Empfänger von Sozialhilfe (2004), aufgeteilt nach Altersklassen. Gesamtzahl: 2,9 Millionen Menschen

Kurz und klar

- Der Sozialstaat hat die Aufgabe, soziale Unterschiede in der Gesellschaft so auszugleichen, dass die Benachteiligten ein menschenwürdiges Dasein führen können.
- Vor allem die von allen Steuerzahlern finanzierte Sozialhilfe sorgt dafür, dass die Benachteiligten nicht aus dem sozialen Netz fallen.
- Der Sozialstaat zwingt aber auch die Bürger, sich selbst durch eine Reihe von Versicherungen vor sozialen Risiken zu schützen.

Arbeitslos – abgerutscht ins soziale Netz

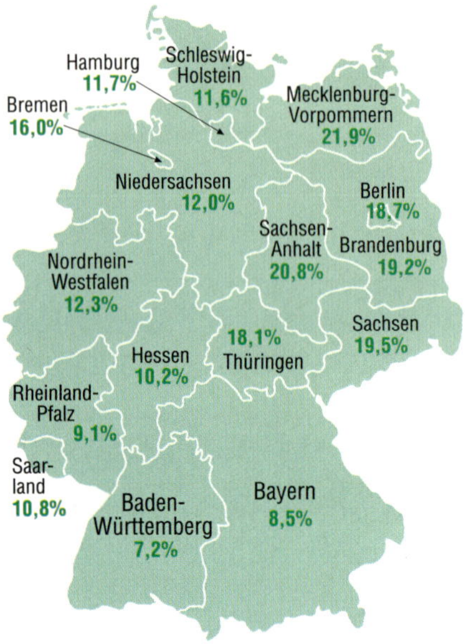

Quelle: Bundesagentur für Arbeit

M 1 Arbeitslose in Deutschland im Februar 2006: 5,048 Millionen = 12,2 Prozent der Beschäftigten.
In den Tageszeitungen werden regelmäßig die aktuellen Arbeitslosenstatistiken veröffentlicht. Stelle fest, wie sich die Arbeitslosenzahlen im Vergleich zum Februar 2006 verändert haben.

A 1 Die Bundesagentur für Arbeit gibt monatlich die Arbeitslosenzahlen bekannt. Verfolgt über einige Monate die Entwicklung im Bund und in eurem Landkreis / eurer Stadt. Berichtet, wie die Entwicklung kommentiert wird (M 1).

A 2 Besprecht zusammen die Texte M 3 und M 4. Wie könnte man die zentrale Aussage jedes Textes zusammenfassen?

M 2 Unglück Arbeitslosigkeit

Aus einem Zeitungsbericht (2004):

▸ Manager, einfache Angestellte, Arbeiter – jeden kann es treffen, jederzeit. Kaum jemand kann sich sicher fühlen, egal, wie gut er ist, egal, wie viel er leistet. Das ist das neue Merkmal des bekannten Unglücks Arbeitslosigkeit. [...]Auch Arbeitgeber wissen, dass ein Mitarbeiter schuldlos geht, wenn die Zahlen der Firma nicht stimmen. [...] Für die Älteren kann es sehr schnell aus sein. Stärker als in anderen westeuropäischen Ländern neigen Unternehmen in Deutschland dazu, sich mit jungen Leuten zu verstärken, statt auf die Erfahrung der Älteren zu setzen. Langzeitarbeitslosigkeit in Deutschland ist vor allem die Arbeitslosigkeit der Älteren. Aber wann ist man alt? Personalchefs glauben: von Mitte vierzig an.

M 3 Am Boden zerstört – auch wir

Aus dem Aufsatz einer Schülerin:

▸ In dem Betrieb hatte Papa sogar schon gelernt. Und dann erzählten sie ihm eines Tages irgendetwas von „Gesundschrumpfen“ und entließen ihn. Er war total am Boden zerstört – und wir auch. Ich dachte schon, wir hätten bald kein Haus, kein Auto und keine Geld mehr und würden auf der Straße stehen! Aber da gibt es Hilfe vom Staat, haben meine Eltern erklärt. Jeder Arbeitnehmer zahlt in die Arbeitslosenversicherung ein. Wenn er einmal seinen Job verliert, meldet er sich bei der Agentur für Arbeit. Papa ist auch dorthin gegangen. Zuerst hat er Arbeitslosengeld bekommen. Später hat ihn die Agentur zu einer Weiterbildung in eine Firma vermittelt. Die Agentur unterstützte dabei den Arbeitgeber. Dort hat Papa viel Neues dazu gelernt. Inzwischen hat er wieder eine feste Anstellung.

M 4 Sozialschmarotzer?

Eine Presseagentur meldet:

▸ Mit einem Sternmarsch in Berlin haben mehrere tausend Menschen aus ganz Deutschland gegen Sozialabbau demonstriert. Sie wandten sich auch gegen eine große Koalition, von der sie weitere Einschnitte ins soziale Netz erwarteten. Ihr Sprecher wehrte sich gegen den Vorwurf, bei den Empfängern von Arbeitslosengeld II handele es sich um ein „Heer von Sozialschmarotzern“. „Wir haben es satt, uns so beleidigen zu lassen.“

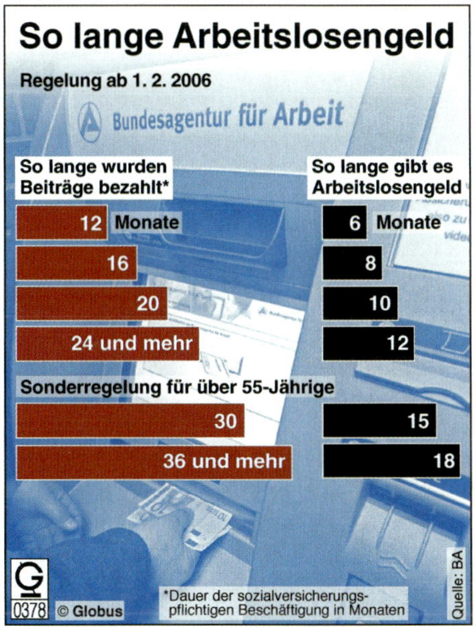

1. Stufe
Arbeitslosengeld I

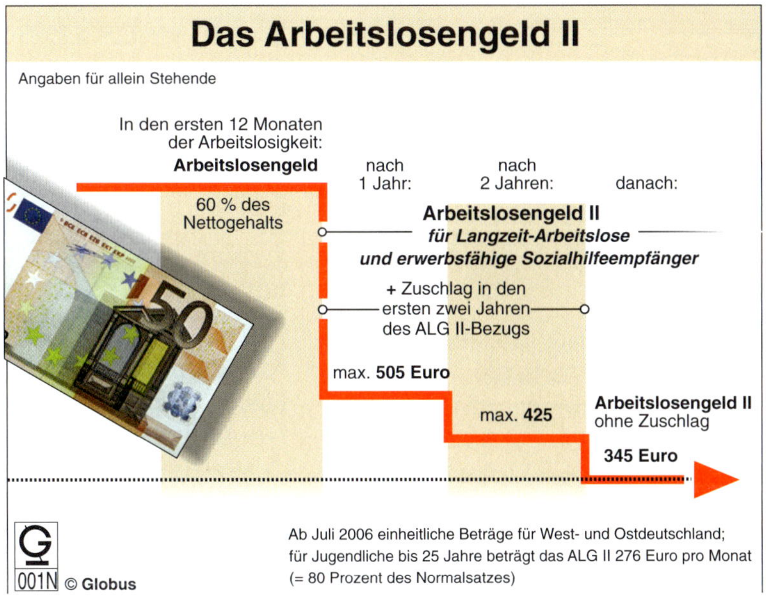

2. Stufe
Arbeitslosengeld II (Hartz IV); Stand 2006

M 5

▸ Wer seinen Arbeitsplatz verliert, muss sich bei der Agentur für Arbeit (früher Arbeitsamt) melden. Die Unterstützung für Arbeitslose erfolgt in zwei Stufen:

Arbeitslosengeld I (Stand 2006) ▸ Auf der ersten Stufe hat der Arbeitslose Anspruch auf 60 Prozent seines letzten Nettoeinkommens. Hat er Kinder, steigert sich der Satz auf 67 Prozent. Dieses Arbeitslosengeld I kann nur bekommen, wer mindestens zwölf Monate lang beschäftigt war und in dieser Zeit die Beiträge in die Arbeitslosenversicherung bezahlt hat. Das Arbeitslosengeld in dieser Höhe wird höchstens zwölf Monate lang bezahlt (M 5). Bei Menschen über 55 Jahre kann sich die Unterstützung bis zu 18 Monate verlängern. Hat jemand keine Beiträge in die Versicherung bezahlt, dann hat er auch keinen Anspruch auf Arbeitslosengeld I. Davon betroffen ist zum Beispiel, wer vor seinem Wehr- oder Zivildienst Schüler war und danach keinen Arbeitsplatz bekommen hat.

Arbeitslosengeld II (Stand 2006) ▸ Langzeitarbeitslose, das heißt Menschen, die keinen Anspruch auf das Arbeitslosengeld mehr haben, rutschen auf die zweite Stufe der Unterstützung, die in der Regel viel niedriger ausfällt. Die Berechnung des Arbeitslosengeldes II (Hartz IV) orientiert sich nicht mehr am früheren Lohn, sondern am Bedarf aller in einem Haushalt lebenden Personen – der Bedarfsgemeinschaft. Dazu gehören Eltern, Lebengefährten und deren Kinder. Das Arbeitslosengeld II wird aus Steuermitteln bezahlt.

A 3 Lies zuerst die Texte Arbeitslosengeld I und II und füge Einzelheiten aus den beiden Grafiken (M 5) hinzu.

A 4 Kennst du arbeitlose Menschen in deiner Umgebung? Befrage sie, warum und wann sie ihren Arbeitsplatz verloren haben und wie sie mit dem Arbeitslosengeld auskommen. Berichte darüber.

A 5 Die Finanzierung der Arbeitslosengelder ist ständig in der politischen Diskussion. Informiere dich über die neuesten Bestimmungen und bringe die Texte „Arbeitslosengeld I und II" von dieser Seite auf den neuesten Stand.

Hartz IV ▸ Der Personalvorstand einer großen Firma, Peter Hartz, wurde beauftragt, zusammen mit einer Experten-Kommission Vorschläge zur Bekämpfung der Massenarbeitslosigkeit zu machen. Deshalb tragen die dafür erlassenen Gesetze seinen Namen.

So kannst du bei der Auswertung einer Statistik vorgehen:

1. Nimm zuerst die Überschrift der Tabelle zur Kenntnis:
- Welches Thema wird angesprochen/behandelt?
- Wird ein begrenzter Zeitraum vorgegeben?

2. Berücksichtige die einzelnen Sparten der Tabelle:
- Gibt es übergeordnete und untergeordnete Sparten?
- Welche Gliederung liegt den Sparten zugrunde?

3. Lies die Zahlenreihen einzelner (waagrechter) Zeilen und setze sie zueinander in Verbindung.

4. Vergleiche die Zahlenwerte in den einzelnen (senkrechten) Sparten.

5. Versuche manche besonders auffällige Zahlen zu erklären.

Wir werten Statistiken und Grafiken aus

Statistiken sind Datensammlungen. Sie bestehen aus Zahlen, die in Form von Tabellen vorgestellt werden.

Zahlen informieren uns über Größen und Mengen. Zahlenreihen geben Entwicklungen wieder oder dienen dem Vergleich.

Als absolute Zahl bezeichnen wir eine einzelne Zahl, die alleine wenig aussagekräftig ist.
Die Sozialausgaben betrugen 2002 in Deutschland 723 Milliarden Euro. Wir wissen nicht, ob das viel oder wenig ist. Darum wird dieser Anteil am Bruttoinlandsprodukt von 2,4 Billionen Euro gemessen und in Prozent angegeben. Dies ergibt einen Anteil von 30,5 %. Dieser prozentuale Anteil lässt sich nun mit den Ausgaben anderer Staaten vergleichen.

Relative Zahlen setzen die einzelne Zahl zu anderen in Beziehung. Sie erlauben den Vergleich.
Die Zahl 30,5 % gewinnt an Aussagekraft, wenn wir erfahren, dass die Sozialausgaben innerhalb der Staaten der Europäischen Union in Irland mit 16,2 % am niedrigsten und in Schweden mit 32,4 % am höchsten lagen. Deutschland lag also mit der Höhe seiner Sozialleistungen innerhalb der EU bei den Staaten mit den höchsten Ausgaben.

	Anteil der Sozialausgaben am BIP in %	Anteile an den Sozialausgaben in %				
		Alte, Hinterbliebene	Krankheit, Invalidität	Familie, Kinder	Arbeitslosigkeit	Wohnen, Sonstiges
Deutschland	30,5	40,9	34,6	10,3	8,2	6,0
Frankreich	30,6	41,0	33,6	8,8	7,2	9,4
Großbritannien	27,6	44,6	35,5	6,4	3,4	10,1
Irland	16,2	22,4	44,8	15,2	8,3	9,3
Italien	26,1	59,5	31,0	3,8	1,7	4,0
Spanien	20,1	43,7	36,6	2,5	13,3	3,9
Griechenland	26,5	49,3	30,6	6,8	6,2	7,1
Schweden	32,4	38,1	39,8	9,2	5,3	7,6
Finnland	26,3	35,7	37,1	11,3	9,5	6,4
Dänemark	30,0	36,6	32,8	13,0	9,0	8,7
Österreich	29,1	48,3	31,8	10,2	5,2	4,5
Tschechien	19,9	41,5	43,6	8,0	3,3	3,6

M 1 Die Sozialleistungen ausgewählter EU-Staaten 2002 im Vergleich

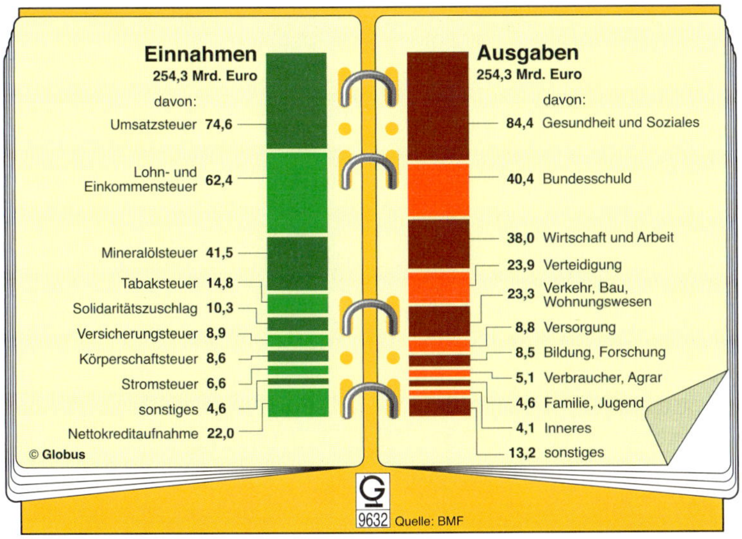

M 2 Hauptbuch der Nation

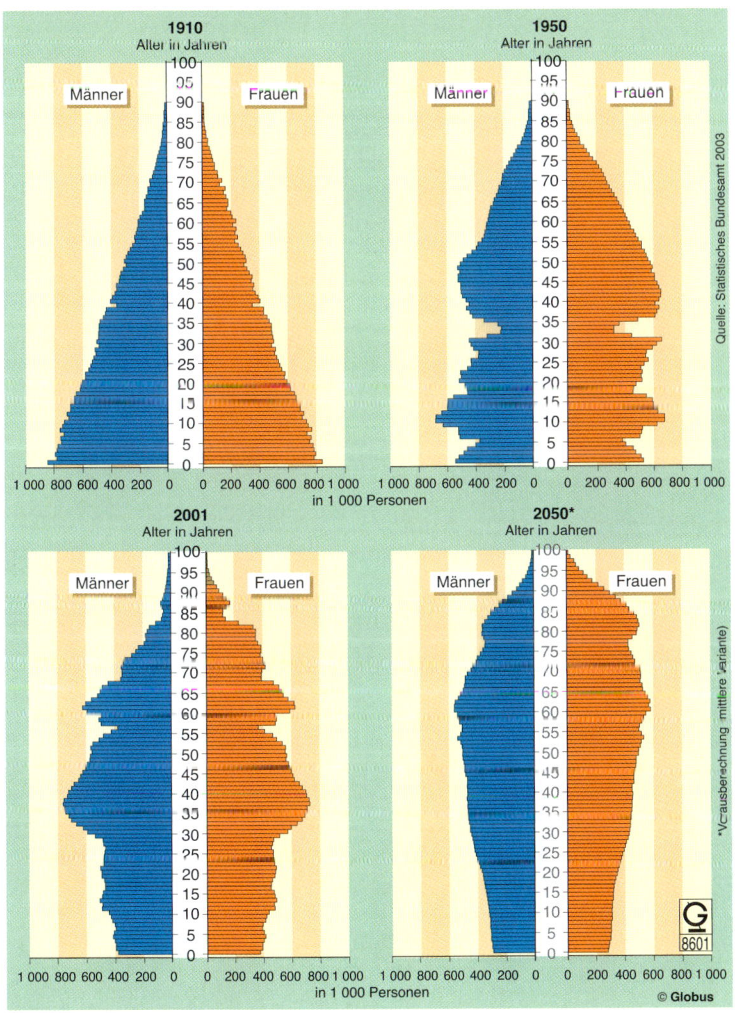

M 3 Alterspyramiden im Vergleich

So kannst du bei der Auswertung von Diagrammen vorgehen:

1. Beachte das Thema der Darstellung (Überschrift).

2. Stelle fest, welche Werte grafisch umgesetzt werden (absolute Zahlen, Prozentwerte) und welche Art von Diagrammen gewählt wird.

3. Berücksichtige die Zeichenerklärung.

Diagramme sind die bildliche (grafische) Darstellung von Zahlen.

Beispiel 1: Säulendiagramm

- Die Einnahmen und Ausgaben des Bundeshaushalts werden durch zwei Säulen dargestellt. Die Gliederung jeder Säule zeigt anschaulich die unterschiedlich hohen Anteile der Ausgaben einerseits und der Einnahmen andererseits.

Beispiel 2: Bevölkerungsdiagramm oder Alterspyramide

- Der Altersaufbau der Bevölkerung eines Staates wird dargestellt, getrennt nach Männern und Frauen. Jeder Jahrgang wird entsprechend seiner Personenzahl mit einem unterschiedlich langen Strich eingetragen.
  Man kann die Entwicklung des Altersaufbaus der Bevölkerung insgesamt oder einzelner Jahrgänge ablesen. Manche Ereignisse (z. B. Kriege) zeichnen sich in den Diagrammen ab.

- Über einfache Grafikprogramme im Computer (z. B. Excel) können wir unterschiedliche Diagramme gestalten und ausdrucken.

Die Gesellschaft verändert sich – Die Alten bleiben länger jung

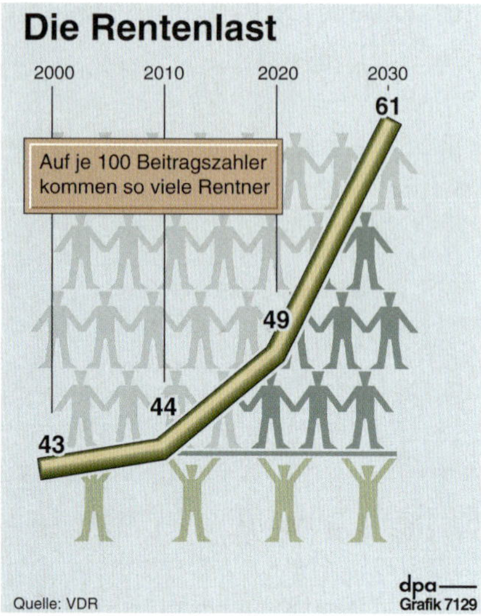

M 1 Die Entwicklung des Verhältnisses zwischen Rentnern und Beitragszahlern in der Bundesrepublik Deutschland.

Jedes Jahr schrumpft die Einwohnerzahl und die Menschen werden immer älter! ▸ In Deutschland sterben täglich mehr Menschen als geboren werden. Jedes Jahr wird die Einwohnerzahl um etwa 100 000 geringer. Gleichzeitig werden die Menschen immer älter. Im Jahr 2020 wird fast jeder dritte Deutsche über 60 Jahre alt sein.

Für den Sozialstaat bringt dies große Probleme mit sich. Es fehlen einerseits Erwerbstätige und andererseits steigen die Sozialausgaben. Das stellt vor allem die Rentenversicherung vor große Herausforderungen: Die Beiträge sollen nicht steigen, die Renten nicht sinken – wie soll das gehen?

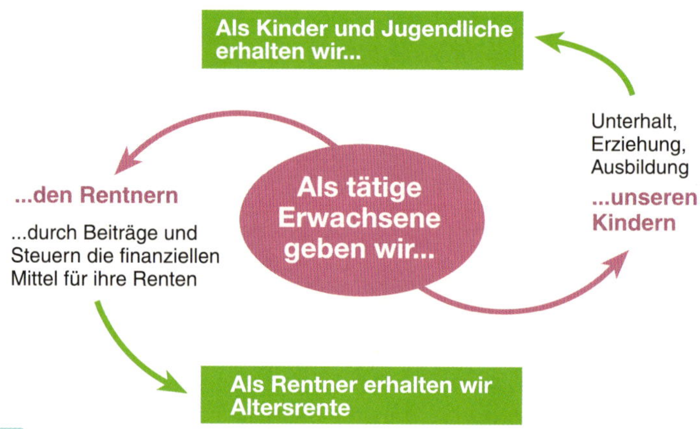

M 2 Der Generationenvertrag

A 1 Erkläre dieses Verhältnis in Bezug auf die Beitragshöhe für die Rentenversicherung (M 1).

A 2 Erläutere Karikatur (M 3).

M 3 Zwei Mann in einem Boot

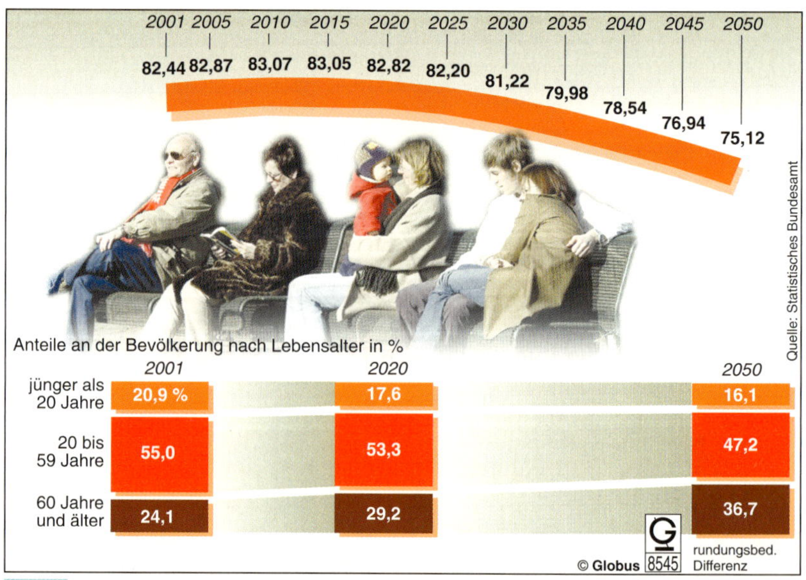

M 4 Die deutsche Lebenskurve – Herausforderung für den Sozialstaat

Die Rentenbeiträge ▸ Sie werden nicht für die Renten der Einzahler angespart, sondern dienen der Finanzierung der laufenden Renten. Allerdings erwerben die Einzahler mit ihren Zahlungen einen Anspruch, selbst im Alter in gleicher Weise unterstützt zu werden.

M 5 Seniorenpaar auf Reisen

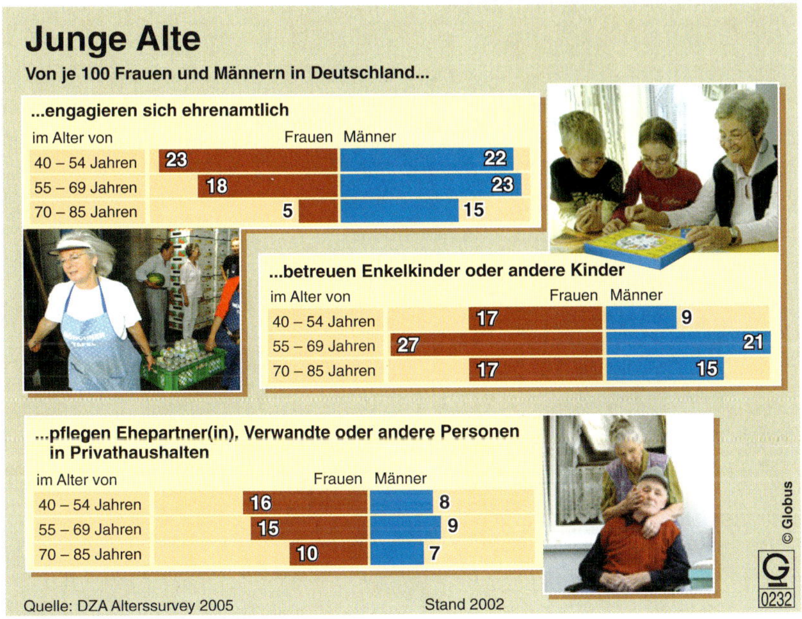

M 6 Tätigkeitsbereiche der Senioren

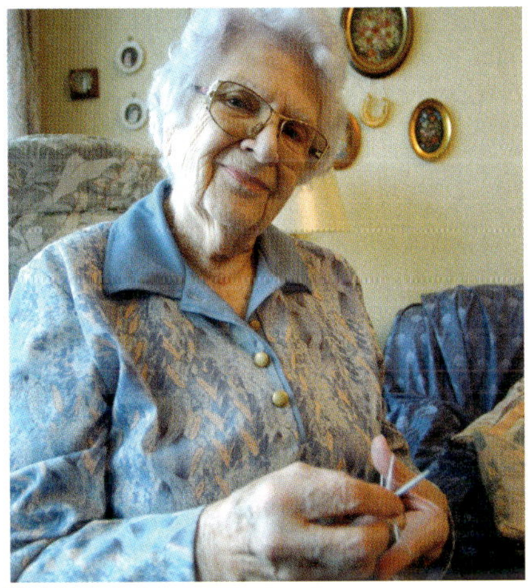

M 7 Strickende Großmutter

A 3 Wie leben dein Großvater, deine Großmutter?
Vergleiche mit M 5 – M 7.

Senioren ▸ Menschen, die über 60 Jahre alt sind, werden als Senioren bezeichnet. Darunter gibt es welche, die noch im Berufsleben stehen. Andere sind nicht mehr erwerbstätig. Viele betätigen sich nach ihrem Berufsleben ehrenamtlich und engagieren sich in kirchlichen, sozialen und politischen Organisationen und Verbänden.

Lebenssituationen ▸ Wie die Senioren leben, ist weniger vom Alter als vom gesundheitlichen Befinden abhängig. So kann ein 60-Jähriger mit starken Gebrechen älter wirken als ein gesundheitlich aktiver 80-Jähriger.
Die Senioren sind interessiert an Kunst und Kultur, an Bildung, Wissenschaft und Reisen. Ihr Einfluss auf die Wirtschaft wird durch ihre vielfältigen Konsummöglichkeiten immer größer und wichtiger. Mit ihrer Zahl wächst auch ihr politischer Einfluss bei Wahlen.
Das Alter kann freie Zeit und viel Freude und Genuss bringen. Gebrechen können aber auch zur Last werden.

M 8 Verkehrsschild in Schottland

A 4 Diskutiert über M 8.

Altersversorgung – aber wie?

M 1 Zukunftsträume

Jenny stellt sich vor, dass sie im Rentenalter noch viel unternehmen wird:

▸ Also, wenn ich mal in Rente bin, möchte ich was vom Leben haben. Da hat man dann ja richtig viel Zeit! Viele alte Leute machen doch so'ne Kreuzfahrt auf einem Riesen-Dampfer. So was würde ich auch gern machen – viel herumreisen, fremde Länder sehen.
Ist schon gut, dass man jetzt schon in die Rentenkasse einzahlt, damit man im Alter ohne Sorgen leben kann. Trotzdem sollte schon auch etwas übrig bleiben vom heutigen Einkommen, denn ich möchte jetzt auch gut leben.

Lebenserwartung ▸ In 100 Jahren wird ein Drittel der Weltbevölkerung über 60 Jahre alt sein (heute 10%). Gründe für diese schnelle Alterung vor allem in Ländern, die heute noch sehr wenige alte Menschen zu versorgen haben, sind sowohl der Geburtenrückgang als auch die steigende Lebenserwartung.
Der Generationenvertrag als solidarische Altersvorsorge wird in dieser Form nicht mehr ausreichen können. Solidarität wird anders aussehen müssen, wenn immer weniger Erwerbstätige für immer mehr Rentner aufkommen müssen. Es gibt auch eine Solidarität gegenüber den Kindern, die als Erwachsene nicht über ihre Leistungsgrenze hinaus belastet werden dürfen.

Wer heute in Rente geht, kann sich von der gesetzlichen Rente noch 70 Prozent des letzten Nettoeinkommens erhoffen; im Jahr 2030 beziehen Neurentner allenfalls noch 50 Prozent ihres letzten Nettoeinkommens.

M 2 Aus einem Zeitungsbericht

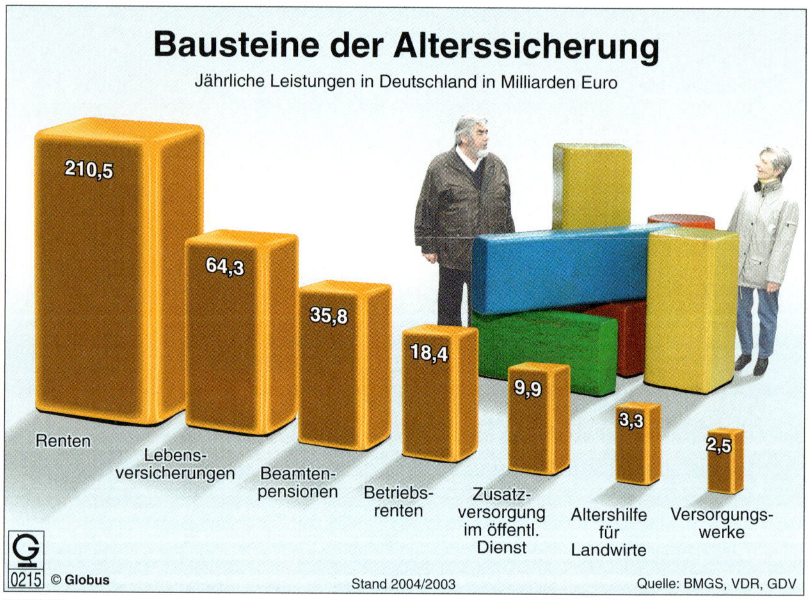

M 3 Woher beziehen die Alten ihre Renten und Pensionen?

Regierung will Rentenalter auf 67 erhöhen

Nullrunden für Rentner | **Leere Rentenkassen**

Rentenbeitrag demnächst 0,2 Prozent höher

M 4 Schlagzeilen aus Tageszeitungen

A 1 Folgende Möglichkeiten könnten die Lage der Rentenversicherung verbessern:
- Die Zahl der Geburten steigt deutlich an.
- Die Rentenbeiträge der aktiven Arbeitnehmer müssen erhöht werden.
- Die Renten werden gekürzt.
- Die Menschen arbeiten länger.
- Vor allem junge Menschen wandern aus anderen Ländern zu.

Stellt zu jeder Aussage Argumente und Gegenargumente zusammen. Sammelt dazu Zeitungsberichte.

Drei Säulen der Alterssicherung ▸ Die Alterssicherung kann nicht mehr nur auf der gesetzlichen Rentenversicherung basieren. Vielmehr sind weitere Vorsorgemaßnahmen, auch durch Mithilfe des Einzelnen, zur ausreichenden Versorgung nötig.

M 5 Die Alterssicherung steht auf drei Säulen

Regelsysteme ▸ Das sind die gesetzliche Rentenversicherung, die Beamtenversorgung, die berufsständischen Altersversicherungssysteme bei Selbstständigen.
Grundsätzlich sind alle abhängig Beschäftigten rentenversichert, also z. B. Arbeiter und Angestellte (Beamte sind anders abgesichert).

Eigenverantwortung ▸ Die staatlichen Alterssicherungssysteme sind weltweit unter Druck. Daher baut man immer mehr auf den Einzelnen und versucht durch finanzielle Anreize, den Bürger zu bewegen, mehr Eigenverantwortung zu übernehmen.

Zusatzsysteme ▸ Dazu gehören die betriebliche Altersversorgung und die Zusatzversorgung für Arbeiter und Angestellte im öffentlichen Dienst. Fast 60 Prozent der Beschäftigten in der Privatwirtschaft besitzen bereits eine derartige Zusatzversorgung.

Freiwillige Vorsorge ▸ Hierbei handelt es sich um ein individuelles Schutzpaket, das jeder Einzelne selbst aufbauen kann. Dies kann durch Lebensversicherungen, Aktienfonds, Immobilien, Bausparverträge geschehen.

Staatliche Leistungen ▸ Der Staat fördert und stärkt die beiden Säulen der privaten und betrieblichen Altersvorsorge. Sowohl für die betriebliche als auch für die private Altersvorsorge kann man staatliche Zuschüsse oder Steuerermäßigungen in Anspruch nehmen (Riester-Rente). Seit 2002 können Arbeitnehmer Teile ihres Gehaltes als betriebliche Altersvorsorge anlegen. Dies gilt auch für Sonderzahlungen wie Weihnachts- oder Urlaubsgeld.

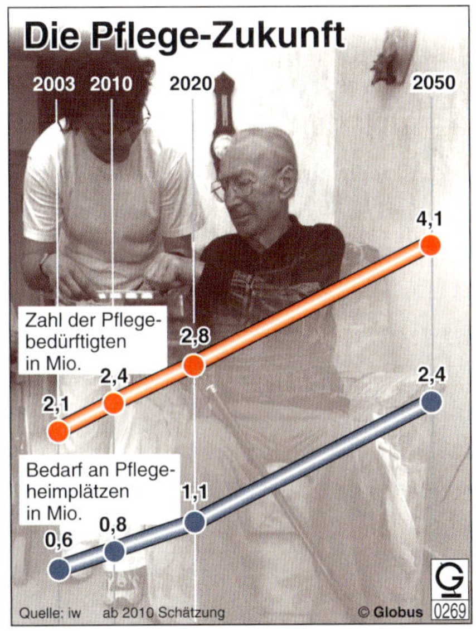

M 6 Die Entwicklung der Anzahl von pflegedürftigen Menschen in Deutschland

A 2 Wie müssen sich Kassen, Angehörige und Heime auf die Entwicklung bei den Pflegebedürftigen einstellen?

M 7 Die neue Pflegeversicherung

A 3 Die Pflegebedürftigkeit wird durch den medizinischen Dienst festgestellt. Was sagt die Karikatur dazu (M 7)?

A 4 Erkläre die Unterschiede zwischen den drei Säulen der Alterssicherung (M 5).

A 5 Informiere dich über die „Riester-Rente" und berichte der Klasse darüber.

Altersvorsorge in anderen Ländern

„Alt werden heißt geehrt werden"
Chinesisches Sprichwort

▸ In China sind die Kinder noch heute gesetzlich zum Unterhalt der Eltern verpflichtet. Seit 1980 durfte jede Familie nur noch ein Kind haben. Die Gruppe der jüngeren Menschen wird daher im Verhältnis zu den Älteren immer kleiner. Ein erwerbstätiges chinesisches Paar muss nun durchschnittlich ein Kind und vier alte Menschen miternähren. Für viele Familien ist diese Belastung nicht tragbar. Aus diesem Grund werden die Alten oft sich selbst überlassen und füllen dann die Obdachlosenheime.

M 1 Drei Generationen in einer Wohnung ▸ Um kurz vor fünf Uhr morgens schlendert Lao Sun zum täglichen Treffpunkt im Park. In seiner Hand hält er einen Vogelkäfig. Dort warten schon der alte Li, der alte Wang und noch ein paar andere Freunde. Sie haben ihre Bambuskäfige in die umliegenden Bäume gehängt, bald werden die Vögel mit dem Zwitscherkonzert beginnen. Überall im Park bilden sich nun größere und kleinere Gruppen um Tai Chi, eine Art Gesundheitsgymnastik, auszuüben. Auch Oma Zhang gehört zu den morgendlichen Parkbesuchern.
Als sie gegen sieben Uhr vom Frühsport nach Hause kommt, ist die Familie längst auf den Beinen. Der Vater bereitet das Frühstück zu. Die Oma hilft ihrer Schwiegertochter die Bettdecken in die Truhe zu verstauen und breitet die Tagesdecke aus. Ihr Enkel räumt sein Klappbett vom Flur und stellt den Esstisch im Wohnzimmer auf. Jeder kennt seine Aufgabe. Drei Generationen in einer engen Zweizimmerwohnung. Nach dem Frühstück machen sich Vater und Mutter auf den Weg in den Betrieb, die Großmutter bringt den Enkel zur Schule.

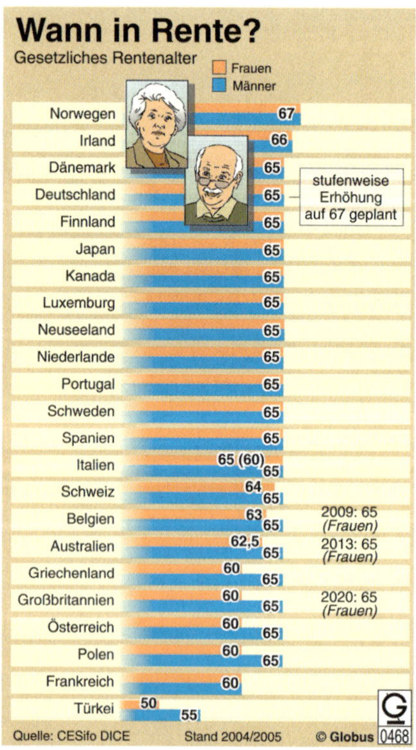

M 2 Renteneintrittsalter in Europa

M 3 Alter Chinese

M 4 Alte Chinesin

▸ Die Mehrzahl der staatlichen Rentenversicherungen in Europa kennt den vorgezogenen Ruhestand. In Frankreich gehen zurzeit 85,5 % aller Erwerbstätigen im Alter von 60 Jahren in den Ruhestand; lediglich 1,3 % arbeiten bis zum 65. Lebensjahr. In Italien gehen 62 % aller Erwerbstätigen bereits im Alter von 55 Jahren in den Ruhestand. Im Vergleich dazu: In den USA bringen 47 %, in Japan sogar 55 % der Bevölkerung bis zum 65. Lebensjahr Löhne und Gehälter nach Hause.

M 5 Das soziale Netz knüpfen die Kinder

Vandana Shavi aus Palakkad in Indien erzählt:

▸ In meiner Heimat Indien ist die Versorgung der älteren Menschen schon seit Generationen Aufgabe der Kinder. Früher wurden die Alten in der indischen Gesellschaft mit großem Respekt behandelt. Ihre Kinder kümmerten sich aufopferungsvoll um sie.
Das bedeutet, dass eine Familie, die sich im Alter absichern will, viele Kinder haben muss. Dadurch wird aber das Problem in der nächsten Generation verschärft, denn dann müssen noch mehr Menschen versorgt werden. Die Mädchen stellen dabei die Familien oft vor große Probleme, weil sie bei einer Heirat mit einer sehr kostspieligen Aussteuer ausgestattet werden müssen. Für viele Menschen in Indien bedeuten besonders Söhne immer noch eine gesicherte Altersversorgung. Dies hat sich heutzutage aufgrund des zunehmenden Materialismus und dem Verfall sozialer Werte geändert. Da es in Indien keine Rente und auch kein soziales Netz wie in Europa gibt, leben alte Menschen manchmal völlig vernachlässigt. Medizinische Versorgung können sie sich nicht leisten, sie besitzen meist nicht mehr als die Kleider, welche sie am Leibe tragen. Alte Menschen in Indien sind daher völlig auf ihre Kinder oder andere jüngere Verwandte angewiesen. Wenn es diesen jedoch lästig ist, sich um ihre alten Eltern oder Verwandten zu kümmern oder diese selbst kaum etwas zu essen haben, geraten die alten Menschen oftmals in lebensbedrohliche Situationen.

M 7 Zu arm zum Ausruhen ▸ In Amerika stehen Millionen alter Menschen vor dem Ruin. Statt in Rente zu gehen, müssen sie sich neue Jobs suchen. Nur etwa die Hälfte der arbeitenden Amerikaner hat überhaupt einen Pensions- oder Sparplan, schätzt ein Rentenexperte. Schätzungsweise 16 Prozent der Amerikaner haben ein Anrecht auf traditionelle Betriebsrenten, die feste monatliche Zahlungen bis ans Lebensende garantieren.
Deshalb ist dies ein alltägliches Bild in den USA: KassiererInnen in Supermärkten, Hausmeister, Fahrer – viele sind weit über 65 Jahre alt. Denn dort liegt die staatliche Rente schon jetzt im Durchschnitt bei weniger als 50 Prozent des letzten Lohns und macht alles in allem weniger als die Hälfte der Einkommen der über 65-Jährigen aus.
Jeder dritte Rentner in den USA ist daher gezwungen, noch nebenher Geld zu verdienen. In den Supermärkten und Fast-Food-Lokalen kommt eine große Zahl der Angestellten aus den Seniorensiedlungen, denn wenn sie schnell Geld brauchen, bleibt vielen Rentnern bloß ein Billigjob: Ticketabreißer in Kinos, Tütenpacker im Supermarkt, Tagesmutter, Straßenfeger …

M 6 Ein alter Inder lebt auf der Straße.

A 1 Vergleiche die Altersvorsorge in den USA und Indien mit der in Deutschland.

A 2 Kinder sind unsere Altersversicherung. Erläutere diese Aussage.

In einer Zeit, in der Kinder ihre Verantwortung für ihre alten Eltern vergessen und ihnen Essen und Unterkunft verwehren, ist diese private Rentenkasse für verarmte Frauen eine dringend benötigte Unterstützung. Die begünstigten Frauen sind entweder verwitwet, mit kranken oder arbeitsunfähigen Männern verheiratet oder müssen sich mittels karg bezahlter Gelegenheitsarbeiten mühselig über Wasser halten.

M 8 Hilfsorganisationen organisieren Rente.

Ist der Sozialstaat am Ende?

M 1 Zu viel Gewicht für das Soziale

Ein Denkanstoß des deutsch-englischen Wissenschaftlers und früheren FDP-Vordenkers Rolf Dahrendorf:

▸ Deutschland braucht eine neue Sozialpolitik. Leistungen wie Pflegeversicherung und Lohnfortzahlung im Krankheitsfall sind nicht mehr finanzierbar. Seit Gründung der sozialen Marktwirtschaft haben die Sozialleistungen ein zu großes Eigengewicht bekommen. Sie sind außerordentlich teuer. Kernproblem sind die Menschen, die nicht in der Lage sind, am wirtschaftlichen und politischen Leben teilzunehmen, obwohl sie das Recht dazu haben. Die Politik muss Mittel gegen den sozialen Ausschluss finden. (25. Januar 2006)

M 2 Arbeitslosigkeit verringern

Ein Vorschlag der Wirtschaftsexperten im Solarenergie-Förderverein Deutschland (SFV): ▸ Steuern und Abgaben für Personal sind in Deutschland mehr als fünfzehnmal so hoch wie die Steuern auf den Energieverbrauch aller Unternehmen. Deshalb müssen viele Unternehmen, die teure menschliche Arbeitskraft benötigen, schließen, sich verkleinern oder in Länder mit niedrigeren Löhnen abwandern. Wie könnte man die Personalkosten verringern? Besonders die Beiträge der Arbeitgeber für die Sozialversicherung sind zu hoch. Manche Wirtschaftswissenschaftler schlagen vor, diese Beiträge durch Steuern zu ersetzen, die alle Bürger zu tragen haben. Der SFV dagegen schlägt vor, den Beitrag der Arbeitgeber zur Sozialversicherung durch erhöhte Steuern auf Energie zu ersetzen. Damit würden die Unternehmen nicht mehr nach der Zahl ihrer Mitarbeiter belastet werden, sondern stärker nach ihrem Energieverbrauch. Dann lohnt es sich wieder, die anderen Unternehmen zu vergrößern, die wenig Energie einsetzen und viele Menschen beschäftigen. Die Belastung von Privatpersonen durch eine höhere Energiesteuer müsste natürlich ausgeglichen werden. Dazu wird ein Energiegeld von 100 Euro monatlich für jede Person ohne Rücksicht auf ihr Lebensalter oder ihr Einkommen vorgeschlagen.

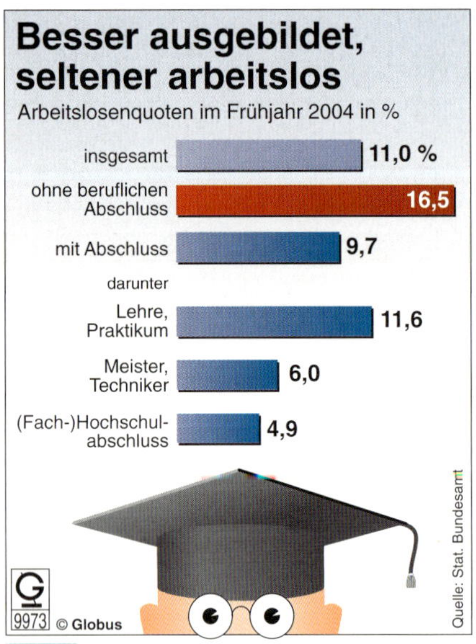

M 3 Eine gute Sozialversicherung

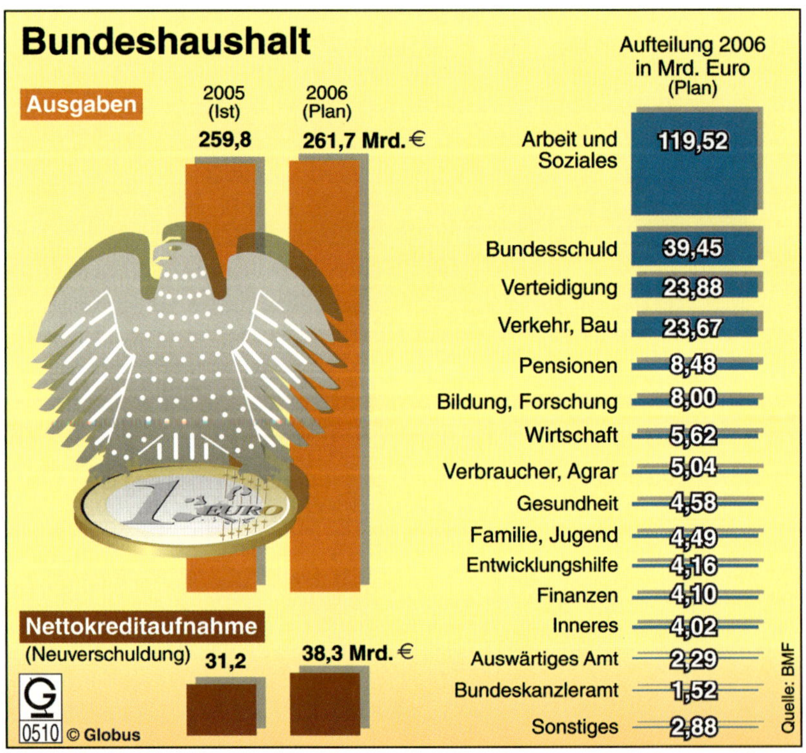

M 4 Bundeshaushalt 2006 und der Anteil der Sozialausgaben

M 5 Rentnern drohen Nullrunden bis 2016

Aus einer Zeitungsmeldung (März 2006):

Die durch die gesetzlichen Maßnahmen drohende Serie von Renten-Nullrunden hat der Präsident des Sozialverbandes VdK scharf kritisiert. „Den Rentnern drohen Nullrunden bis 2016. Dabei haben sie bereits Nullrunden 2004 und 2005 hinter sich", sagte er. Die Renten seien zudem in den vergangenen Jahren durch die Verdoppelung des Pflegeversicherungsbeitrags und den Sonderbeitrag zur Krankenversicherung bereits um 1,3 Prozent gekürzt worden. „Die gesetzliche Rente droht immer weiter auf Sozialhilfeniveau abzurutschen", kritisierte der VdK-Chef. Schon jetzt habe die Hälfte der männlichen Rentner nur eine Monatsrente von 1000 Euro und weniger. Zwei Millionen Frauen hätten nur 650 Euro. Die Politik sollte die Augen nicht davor verschließen, dass weitere Einschnitte zu Lasten der Lebensqualität gehen und in vielen Fällen Menschen an den Rand der Armutsgrenze führen. Deshalb gilt: Hände weg von den Renten!

M 7 Weniger Geld für junge Arbeitslose

Zeitungsbericht (März 2006):

Viele junge Menschen zwischen 18 und 25 Jahren, die Arbeitslosengeld II erhalten, müssen künftig mit weniger Geld auskommen. Der Bundestag beschloss, dass sie nur noch mit ausdrücklicher Genehmigung des Staates eine eigene Wohnung beziehen dürfen. Wer aber zu Hause wohnen bleibt, erhält statt 345 Euro nur noch 276 Euro im Monat.
Grund der Reform: Zwischen Januar und September 2005 ist die Zahl der Einpersonen-Haushalte unter den Hartz-IV-Betroffenen um 357 000 auf 2,21 Millionen gestiegen. Das liegt vor allem an 18- bis 25-Jährigen, die zuvor noch bei den Eltern wohnten. Jetzt soll verhindert werden, dass noch mehr Jugendliche ausziehen und auf Staatskosten eine eigene Bedarfsgemeinschaft bilden. Der Staat übernahm neben dem Arbeitslosengeld II-Satz zudem die Mietkosten für eine Wohnung und zahlte eine Pauschale für die Erstausstattung, im Schnitt etwa 1500 Euro.

M 6

M 8

A 1 Der Sozialstaat stößt zunehmend an seine Grenzen. Zähle Ursachen auf (M 1, M 2, M 4 – M 6).

A 2 Betrachte die Karikaturen M 7 und M 8. Welche zusätzlichen Argumente liefern sie zu den Antworten von A 1?

A 3 Ladet einen Mitarbeiter der Agentur für Arbeit oder des Sozialamtes ein und lasst euch über die besonderen Probleme in eurer Stadt bzw. in eurem Landkreis berichten.

A 4 Weitere Informationen zum Artikel M 2 findest du unter www.sfv.de.

Ein Quiz für Sozialexperten

Beantworte die folgenden Fragen.
Vor jeder Antwort steht ein Buchstabe.
Reihe die Buchstaben vor den richtigen Antworten aneinander. Sie ergeben als Lösung die Überschrift für die Grafik auf dieser Doppelseite.
Wer anschließend die Buchstaben vor den falschen Aussagen aneinanderreiht, dem wird als Lösung ein sogenannter Baustein der Alterssicherung genannt.

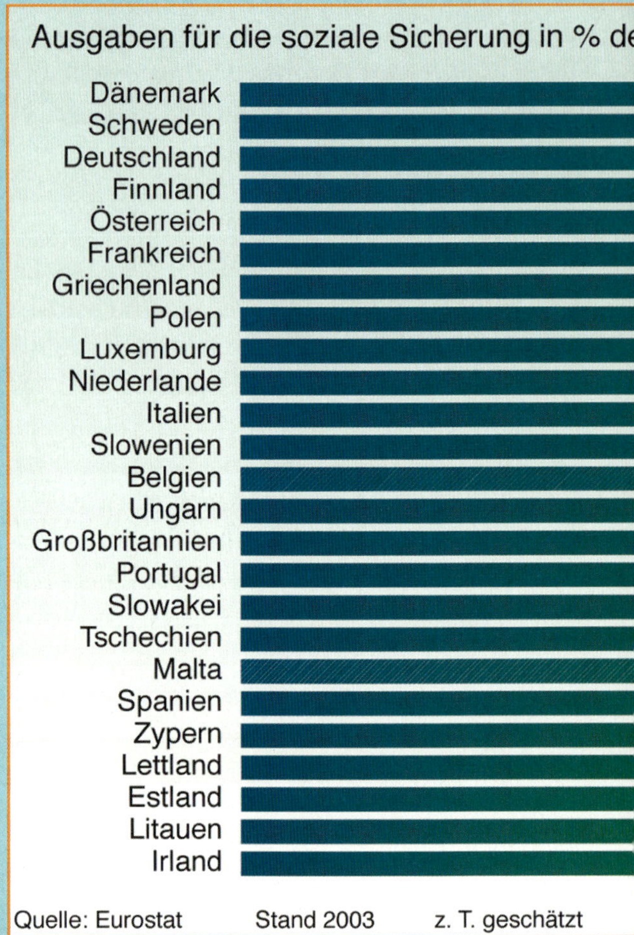

Wann wurde in Deutschland das Verbot für Kinderarbeit eingeführt?

A 1853
S 1891
L 1906

Seit wann gibt es in Deutschland die Krankenversicherung für alle?

T 1856
O 1883
E 1919

In welchem Jahr wurde in Deutschland die Arbeitslosenversicherung zur Pflicht?

R 1894
Z 1927
S 1953

Wann wurde in Deutschland die Pflegeversicherung eingeführt?

H 1912
I 1967
I 1995

Welcher Politiker hat in Deutschland die Sozialgesetzgebung begründet?

A Bismarck
L Ebert
F Adenauer

Auf welche drei Säulen stützt sich die Alterssicherung?

E Öffentliches Hilfswerk
L Staatliche Rentenkasse
S Freiwillige Vorsorge
F Sparkassen
C Betriebsrente
U Kinderpflicht

Welche drei Aussagen treffen auf den sogenannten Generationenvertrag zu?*

T Wer von den Arbeitnehmern auf eine spätere Rente verzichtet, braucht nichts in die Rentenkasse einzubezahlen.

R Die Kinder und Jugendlichen erhalten durch die Leistungen der Erwerbstätigen Unterhalt und Ausbildung.

E Die Renten werden durch Steuermittel finanziert.

E Die Erwerbstätigen zahlen in die Rentenkasse ein und erwerben dadurch Ansprüche.

U Die Rentner erhalten ihre Bezüge aus der Rentenkasse, in die sie selbst früher einbezahlt haben.

Welche der genannten Versicherungen sind die fünf Pflichtversicherungen im Rahmen der Sozialversicherung?*

N Haushaltsversicherung

D Vermögensversicherung

W Einbruchsversicherung

Z Krankenversicherung

I Arbeitslosenversicherung

N Rentenversicherung

D Unfallversicherung

I Hagelversicherung

R Aussteuerversicherung

E Pflegeversicherung

*Tipp: Wenn mehrere Antworten möglich sind, dann füge die Buchstaben von oben nach unten aneinander.

Ab welchem Alter zählt man in Deutschland zu den Senioren?

L Ab 50

T Ab 60

A Ab 70

Welches Ziel verfolgt die Sozialhilfe?

E Den kinderreichen Arbeitslosen ein Zusatzeinkommen zu verschaffen.

H Den Bedürftigen ein menschenwürdiges Leben zu ermöglichen.

Wer gilt in Deutschland als einkommensarm?

R Wer so wenig verdient, dass er sich kein Auto leisten kann.

U Wessen Einkommen weniger als die Hälfte des Durchschnittseinkommens beträgt.

CROM

Der Boden – unsere Lebensgrundlage

Wie wir den Boden nutzen

M 1 Ein Korn wird gesät

Was ist „Boden"? Boden ist ein Gemisch aus mineralischen und organischen Bestandteilen. Er ist durchsetzt mit Luft, Wasser und Lebewesen, wie zum Beispiel Käfern, Ameisen, Asseln, Tausendfüßern, Würmern und mikroskopisch kleinen Pilzen und Bakterien. In einer Handvoll Boden sind mehr Lebewesen enthalten als es Menschen auf der Erde gibt. Die Bodenlebewesen sorgen dafür, dass totes organisches Material – zum Beispiel Falllaub – zerkleinert, abgebaut und mit mineralischen Substanzen vermischt wird. Die größeren Lebewesen durchwühlen den Boden und lockern ihn dadurch. Die Bodenlebewesen sorgen für die Fruchtbarkeit des Bodens.

A 1 Erkläre: Der Boden ist unsere „Lebensgrundlage" (Seite 86/87 und Seite 89).

A 2 Erläutere das, was du zum Boden im PCB-Unterricht gelernt hast (M 2).

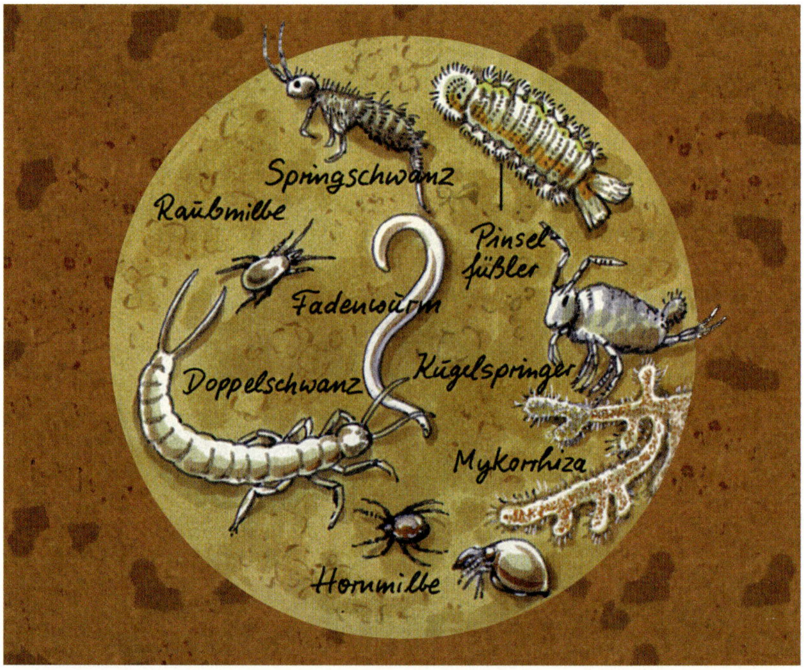

M 2 Leben im Boden

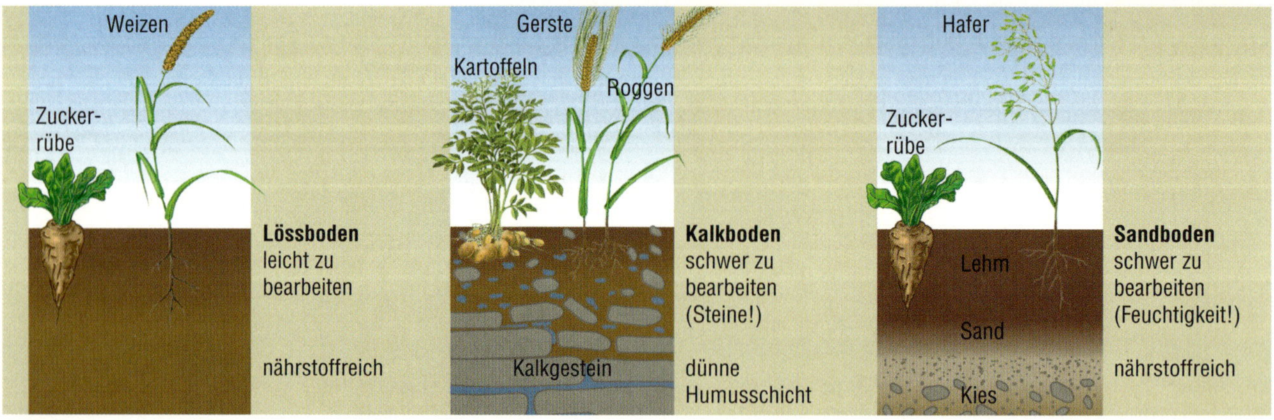

M 3 Querschnitt durch verschiedene Böden

Was bedeutet der Boden für uns?

- Der Boden ist die Lebensgrundlage für Pflanzen, Tiere und Menschen.
- Der Boden ist die Voraussetzung für Landwirtschaft, Gartenbau und Forstwirtschaft.
- Auf dem Boden bauen wir unsere Häuser und Straßen, die Arbeitsstätten und die Freizeiteinrichtungen.
- Der Boden speichert das Wasser und reinigt es.
- Der Boden nimmt Schadstoffe aus der Luft und aus dem Regen auf; Bodenlebewesen bauen sie größtenteils wieder ab.

Was die Landwirte anbauen können, hängt im Allgemeinen von den Böden und vom Klima ab ▸ Je nach den natürlichen Bedingungen produzieren sie Getreide, Zuckerrüben, Kartoffeln, Obst oder sie züchten Vieh und melken Rinder. Aber bevor die Produkte der Landwirte auf unseren Tisch kommen, werden sie verarbeitet. Das gilt auch für die Rohstoffe, die auf den Böden angebaut werden: Flachs für die Textilindustrie und Arzneipflanzen für die Herstellung von Medikamenten (Fenchel, Kamille).

A 3 Berichte über die Nutzung des Bodens in Deutschland (M 4). Zeichne ein Streifendiagramm.

A 4 Begründe, warum die Landwirte von der Beschaffenheit der Böden abhängig sind (M 3).

A 5 Nenne Lebensmittel, die von unseren Landwirten auf unseren Böden hergestellt werden (M 5 und M 6, Seite 86/87).

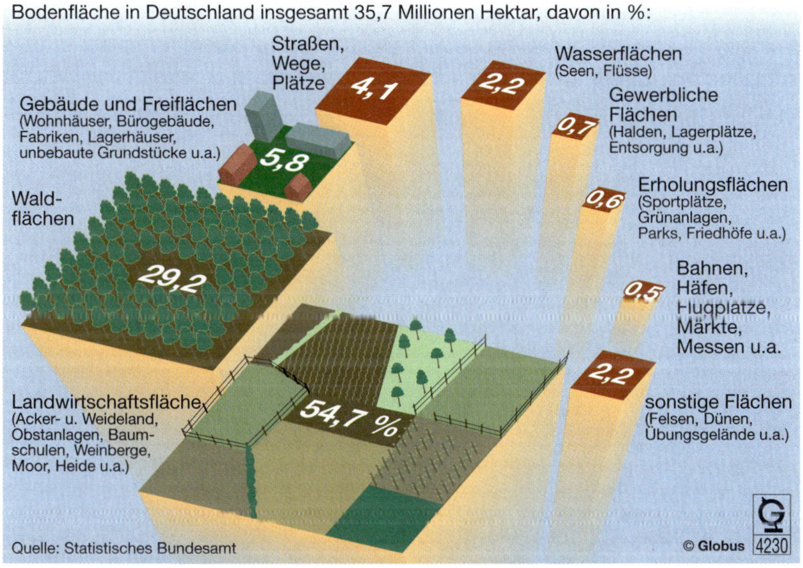

M 4 Nutzung der Bodenfläche in Deutschland (2005)

Kurz und klar

- Ohne Boden gäbe es kein Leben auf der Erde. Wir nutzen den Boden überwiegend als Landwirtschafts- und Waldflächen.
- Böden unterscheiden sich vor allem durch ihre mineralischen Bestandteile und den Nährstoffgehalt. Es hängt von der Art des Bodens ab, was jeweils angebaut werden kann.

M 5 / M 6 Brotwaren und Milchprodukte

M 1 Kunstdünger gelangt in den Boden.

Wie wir den Boden verbrauchen

Das ereignet sich bei uns jeden Tag ▸ Eine Straße wird gebaut, eine Autobahn verbreitert, ein Wohnhaus errichtet, ein Parkplatz angelegt, ein Wanderweg geteert, Eisenbahnschienen verlegt, ein Fabrikgebäude errichtet, ein Lagerplatz betoniert, ein Tennisplatz vergrößert, ein Flugplatz erweitert, eine Piste planiert ...

Der Boden wird versiegelt ▸ Zuerst kommt das Raupenfahrzeug, das die oberste Bodenkrume beiseite schiebt. Dann wird die Fläche durch Beton oder Teer oder Lehm oder Kunststoff dicht gemacht.

Altlasten ▸ Darunter versteht man Rückstände im Boden, von denen eine Gefahr für die Gesundheit des Menschen und für die Umwelt ausgeht.

M 2 So sieht der Karikaturist die Notwendigkeit neuer Verkehrswege.

Jetzt kann keine Pflanze mehr wachsen. Luft kann nicht mehr in den Untergrund eindringen. Bodenlebewesen können hier nicht mehr existieren. Wo eine Fläche versiegelt ist, kann kein Regenwasser mehr versickern. Dort wird kein Wasser gespeichert und kein neues Grundwasser gebildet. Im Gegenteil: Weil das Wasser dort nicht versickert, fließt es schnell an der Oberfläche ab, gelangt rasch in den Bach oder Fluss und führt deshalb leicht zu Hochwasser und Überschwemmungen.

Der Boden wird beansprucht ▸ Wo gebaut wird, müssen an anderer Stelle Steine, Sand oder Kies als „Bodenschätze" abgebaut, neue Versorgungsleitungen gelegt, Mülldeponien errichtet werden. Ein Eingriff in den Naturhaushalt zieht den nächsten nach sich.
Sogar in unserer Freizeit beanspruchen wir den Boden, wenn wir zum Beispiel im Winter in den Alpen Ski fahren oder im Sommer einen Badesee mit den Liegewiesen und Parkplätzen aufsuchen.

Der Boden wird verschmutzt ▸ In Deutschland sind in den letzten Jahrzehnten viele veraltete Industriebetriebe stillgelegt worden, deren Böden durch sogenannte Altlasten verseucht sind. Auch ehemalige Mülldeponien gehören zu den Altlasten, denn hier sind oft unkontrolliert giftige Stoffe abgelagert worden. Auf solchen Grundstücken darf erst gebaut werden, wenn der Boden saniert worden ist – eine teure Angelegenheit!
Auch über die Luft und die Niederschläge gelangen viele Schadstoffe in den Boden, insbesondere zu beiden Seiten viel befahrener Straßen.

M 3 Karikatur

A 1 Nenne Beispiele dafür, wie durch Wohnen, Arbeiten, Erholung und den Verkehr Boden verbraucht wird (M 1, M 2 und M 4).

A 2 Finde heraus, wofür in deiner Gemeinde in den letzten Jahren Boden verbraucht worden ist.

A 3 Erläutere den Begriff Altlasten. Berichte über Altlasten in deiner Umgebung.

A 4 Berichte darüber, wie du dazu beitragen kannst, dass der Verkehr nicht noch weiter zunimmt.

A 5 Erkläre, wie wir auch in der Freizeit durch unsere Aktivitäten den Boden schädigen können (M 4).

M 4 Mountainbiker unterwegs

Nachhaltigkeit ▸ In der Landwirtschaft bedeutet Nachhaltigkeit, dass der Boden immer die gleiche Leistung bringt, weil er gepflegt und gedüngt wird, aber nicht ausgelaugt oder vergiftet wird.
In der Forstwirtschaft bedeutet Nachhaltigkeit, dass nur so viel Wald geschlagen wird wie nachwachsen kann.
In anderen Bereichen meint nachhaltiges Wirtschaften, dass die Rohstoffe sparsam genutzt werden und die Umwelt möglichst wenig geschädigt wird, damit auch für die nächsten Generationen ausreichend Rohstoffe und eine gesunde Umwelt zur Verfügung stehen.

Flächennutzungsplan ▸ Im Flächennutzungsplan legt die Gemeinde fest, wie die verschiedenen Flächen der Gemeinde genutzt werden, zum Beispiel als Wohngebiete, Verkehrswege, Grünanlagen oder Landwirtschaftsflächen. Dadurch wird vermieden, dass Freiflächen ohne Rücksicht auf die Bedürfnisse der Natur und der Allgemeinheit verwendet werden.

Wie wir Grund und Boden im Einklang mit der Umwelt nutzen

Grund und Boden sind begrenzt; sie können nicht vermehrt werden ▸ Auch die künftigen Generationen müssen auf diesem Grund und Boden leben. Wie soll das gehen? Der Mensch kann nicht existieren, ohne Flächen in Anspruch zu nehmen. Allein in Bayern verbrauchen (verschwenden) wir täglich die Fläche von 25 Fußballplätzen!

Wie können wir sparsam mit Grund und Boden umgehen? Dazu schlägt ein Fachmann vor:

- Statt neue Siedlungsflächen auszuweisen, sollten die Gemeinden die Baulücken in den Dörfern und Städten schließen.
- Neuer Wohnraum kann geschaffen werden, indem Gebäude aufgestockt werden. In vielen Gemeinden ist das bisher verboten.
- Eigentlich könnten die meisten von uns mit weniger Wohnraum auskommen.
- Die Wohnungen könnten nach ihrer Größe besteuert werden.
- Eine weitere Zunahme des Verkehrs und damit der Bau neuer Verkehrswege sollte verhindert werden. Dazu dürfen zum Beispiel die Arbeitsstätten und die Wohnungen nicht so weit auseinanderliegen.
- Neue Betriebe sollten stadtnah und nicht „auf der grünen Wiese“ angelegt werden.
- Freizeitangebote müssen im Nahbereich der Siedlungen liegen und mit dem Fahrrad zu erreichen sein.

M 1 Fußballarena in München

M 2 **Ausgewählte Beschlüsse des Deutschen Städtetages von 1995**

- Entsiegelung städtischer Flächen,
- Sanierung von Altlasten und Industrieflächen,
- Förderung des flächensparenden Bauens durch neue Bauformen und mehrgeschossige Gewerbebauten,
- Erschließung von größeren Wohngebieten durch Straßen- und S-Bahnen,
- Durchsetzung autofreier Wohngebiete, Förderung des Öffentlichen Personennahverkehrs.

M 3 **Bodenschutz – ein Programm der bayerischen Staatsregierung**

- Grund und Boden sind nicht vermehrbar. Deshalb soll damit flächensparend umgegangen werden.
- Die Landwirte sollen den Boden so bearbeiten, dass Erosion und Verdichtungen vermieden werden und der Humusgehalt erhalten bleibt.
- Für die landwirtschaftliche Nutzung geeignete Böden sollten nur anders genutzt werden dürfen, wenn es unbedingt notwendig ist.
- Großbaumaßnahmen der öffentlichen Hand (zum Beispiel Neubaustrecken der Deutschen Bahn AG, Bau von Autobahnen) sollen naturverträglich umgesetzt werden.

A 1 Erläutere, dass Grund und Boden begrenzte Güter sind.

A 2 Nenne Maßnahmen, die zu einem sparsamen Umgang mit dem Boden führen. Verwende den Begriff der „Nachhaltigkeit".

A 3 Erkläre „Entsiegelung von Flächen" (M 2 und M 4).

A 4 Berichte darüber, wie Behörden den Boden schützen können (M 2 – M 4).

A 5 Wie kann ein Flächennutzungsplan zur schonenden Nutzung von Grund und Boden beitragen?

Kurz und klar

- Grund und Boden sind nicht vermehrbar. Deshalb müssen sie nachhaltig genutzt werden.
- Sie müssen so schonend genutzt werden, dass auch für künftige Generationen genügend Grund und Boden zur Verfügung stehen.

M 4 Schrägluftbild von der BUGA 2005 in München: Entsiegelung von Flächen am Beispiel des ehemaligen Flughafengeländes. Der geradlinige Weg deutet den Verlauf der einstigen Landebahn an.

Wir erkunden einen landwirtschaftlichen Betrieb

Wenn wir herausfinden wollen, wie die Landwirte in unserer Heimat den Boden bewirtschaften und was sie leisten, ist es am besten, wenn wir einen landwirtschaftlichen Betrieb erkunden.

Wir planen die Erkundung

Vor dem Besuch eines Bauernhofes gibt es einiges zu bedenken und zu planen:

- Welchen Betrieb wollen wir kennenlernen?
  - Einen Ackerbaubetrieb,
  - einen Hof mit Viehwirtschaft,
  - einen Hof mit ökologischer Landwirtschaft.
- Was müssen wir über den Betrieb wissen?
  - Größe des Betriebs,
  - Arbeitskräfte,
  - natürliche Voraussetzungen, zum Beispiel Böden, Klima,
  - Lage und Größe der Flächen,
  - Maschinen und Geräte.
- Was interessiert uns am meisten im Zusammenhang mit der nachhaltigen Bodennutzung?
  - Bodengüte, Anbaufrüchte,
  - Düngung, Bewässerung,
  - Tierhaltung (Futtermittel, Gülle, Mist),
  - Naturschutz, Umweltschutz.
- Was wollen wir über die wirtschaftliche Leistungsfähigkeit des Betriebes erfahren?
  - Eigene Flächen, gepachtetes Land,
  - Verkauf der Produkte, Verträge mit Abnehmern,
  - staatliche Fördermaßnahmen und Einschränkungen,
  - Ausgaben für Betriebsmittel, Saatgut, Maschinen u. a.,
  - Einnahmen/Ausgaben/Verdienst.

Wir bereiten die Erkundung vor

- Wir sammeln Informationen zur Landwirtschaft im Landkreis oder in Bayern und lesen sie.
- Wir erstellen (einzeln oder in Gruppen) Fragebögen zu verschiedenen Themen.
- Wir stellen Fotoapparate, Videokameras, Aufzeichnungsgeräte, Notizblöcke, Stifte bereit.

Wir führen die Erkundung durch

- Wir beobachten.
- Wir zeichnen, fotografieren, filmen.
- Wir stellen dem Landwirt/der Landwirtin Fragen.
- Wir notieren die wichtigsten Antworten.

Wie ihr euch auf einem Bauernhof verhalten sollt:

- Bedenkt, dass ihr Gäste seid!
- Streichelt die Tiere nur, wenn es der Bauer erlaubt!
- Klettert nicht ohne seine Zustimmung in Heustadeln, Ställen oder auf Maschinen herum!
- Macht nicht unnötigen Lärm, vor allem nicht in den Ställen! Die Tiere verhalten sich ruhig, wenn man sie nicht neckt oder ärgert.

M 1 Auf dem Bauernhof

Wir stellen die Ergebnisse unserer Erkundung vor

- Wir sammeln die Ergebnisse und stellen sie zusammen.
- Wir diskutieren, wie wir unsere Ergebnisse den Mitschülern präsentieren wollen:
  - Auf Folie schreiben und über den Tageslichtprojektor zeigen,
  - Texte und Zahlen in den PC eingeben und auf Folie ausdrucken,
  - eine Schautafel mit Zeichnungen, Texten und Tabellen gestalten,
  - eine Präsentation durchführen.

Sollten wir auch den befragten Landwirt in die Schule einladen?

M 2 Beispiel für eine von Schülern gestaltete Schautafel

Landwirtschaft in Deutschland

Sonderkulturen ▸ So nennen wir Anbaufrüchte, die besondere Anforderungen an Klima und Boden stellen und deren Pflege viel Arbeit und Kapital erfordern. Zu ihnen gehören Hopfen, Wein, Spargel, Gemüse und Obst.

Durchschnittlich 90 Prozent unserer Nahrungsmittel erzeugen die deutschen Landwirte selbst. Es sind nur wenige Produkte, die eingeführt werden müssen. Weniger als drei Prozent aller Beschäftigten in Deutschland sind in der Landwirtschaft tätig.

M 1 Ziele der bayerischen Agrar- und Forstpolitik

Aus dem Bayerischen Agrarbericht:

- Vielfältige und qualitativ hochwertige Lebensmittel sollen erzeugt werden, damit die Bürgerinnen und Bürger sich wohl fühlen und gesund bleiben.
- Die ländlichen Gebiete sollen weiterhin ihre Funktionen in den Bereichen Arbeiten, Wohnen und Erholung nachhaltig erfüllen können, damit die Menschen sie nicht verlassen müssen.
- Das Land soll flächendeckend von Bauern bewirtschaftet werden, weil dadurch die attraktive Landschaft gepflegt wird, vor allem in den von der Natur benachteiligten Regionen, die für den ländlichen Tourismus von Bedeutung sind.
- Die Wälder sollen dort erhalten bleiben, wo eine nachhaltige Waldbewirtschaftung möglich ist.
- Die Bedeutung des Waldes für das Gemeinwohl soll gesichert werden, zum Beispiel durch die Verwirklichung des Grundsatzes „Wald vor Wild“.

Obst	18
Gemüse	39
Butter	84
Schweinefleisch	89
Käse	109
Kartoffeln	107
Rind- u. Kalbfleisch	125
Gerste	110
Weizen	120
Zucker	138

M 2 So hoch ist der Anteil dessen (in Prozent), was die deutschen Landwirte für unsere Ernährung produzieren (Selbstversorgungsgrad); 2004

Urlaub auf dem Bauernhof ▸ bieten etwa 7000 landwirtschaftliche Betriebe in Bayern an. Für die Hälfte dieser Landwirte ist das Einkommen aus dem Tourismus so groß wie das aus der Landwirtschaft oder sogar größer. 80 Prozent der Gäste stellen Familien mit Kindern.

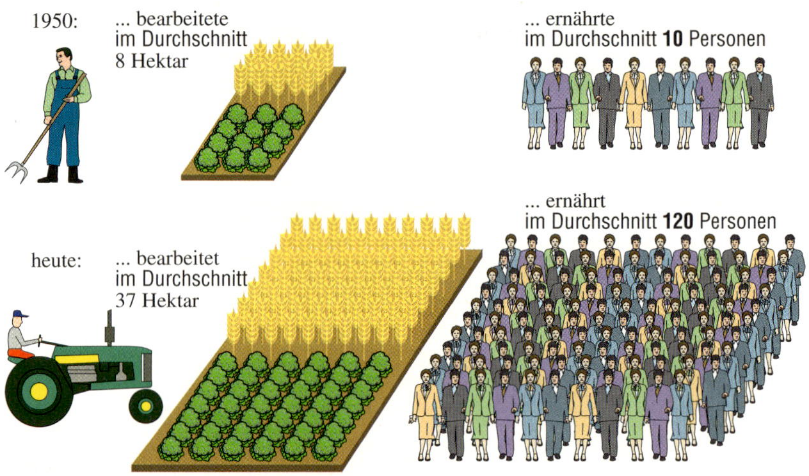

M 3 Die Leistung eines Landwirts

A 1 Nenne einzelne Aufgaben der deutschen Landwirtschaft (M 1 und M 3).

A 2 Erläutere den Selbstversorgungsgrad mit Nahrungsmitteln (M 2).

A 3 Beschreibe die Lage bedeutender Ackerbaugebiete und die Verbreitung von Gebieten mit Sonderkulturen in Deutschland (M 4 und Atlas).

A 4 In welchen Gebieten ist der Anteil des Grünlandes besonders hoch (M 4 und Atlas)?

M 4 Bodennutzung in Deutschland

Unsere Landwirtschaft: immer besser und immer mehr?

M 1 „Agrarwüste" – ohne Feldraine, ohne Hecken

In den vergangenen Jahrzehnten sind immer mehr landwirtschaftliche Produkte erzeugt worden. In der gleichen Zeit aber hat die Anzahl der Betriebe und der Arbeitskräfte in der Landwirtschaft ständig abgenommen. Wie ist die Leistungssteigerung der deutschen Landwirtschaft zu erklären?

Die bäuerlichen Betriebe werden zu Agrarfabriken ▸ Um mit der Konkurrenz in der EU und auf dem Weltmarkt mithalten zu können, müssen die Landwirte die Preise für ihre Produkte stabil halten oder gar senken. Deshalb müssen sie immer mehr produzieren und ihre Betriebe vergrößern. Sie kaufen oder pachten zusätzliche Flächen und modernisieren die Stallanlagen sowie den Maschinenpark.

Produktivität ▸ Allgemein versteht man darunter die Fähigkeit etwas herzustellen. In der Wirtschaft meint man damit das Verhältnis von Produktionsmenge zu dem eingebrachten Aufwand an Arbeit, Kapital und Zeit. Wer – bei gleicher Qualität – in kürzerer Zeit mehr erzeugt als sein Konkurrent, der besitzt die höhere Produktivität.

A 1 Berichte über die Veränderungen in der Landwirtschaft, zum Beispiel beim Maschinenpark oder bei den Erntemengen (M 1 – M 3). Erläutere den Begriff Produktivität.

A 2 Erkläre, warum ein Landwirt heute wesentlich mehr Menschen ernähren kann als früher (M 2 und Seite 96, M 3).

	1949	2003
Anzahl der Betriebe (in 1000)	1647	449
Durchschnittsgröße der Betriebe (in ha)	8	37
Vollarbeitskräfte (in 1000)	3886	529
Arbeitspferde (in 1000)	1200	0
Schlepper (in 1000)	140	955
Mähdrescher (in 1000)	0	135
Mineraldüngereinsatz (in kg/ha)		
• Stickstoff	23	108
• Phosphat	30	21
• Kali	47	32
• Kalk	47	117
Erntemengen (in 100 kg/ha)		
• Winterweizen	26	79
• Wintergerste	24	71
• Körnermais	25	89
• Kartoffeln	184	415
• Zuckerrüben	362	552
Viehbestände (in Millionen)		
• Rinder	11	15
• Schweine	12	26
• Hühner	48	110
Jahresproduktion		
• Milch (kg/Kuh)	2500	6152
• Eier/Henne	120	276

M 2 Landwirtschaft im Wandel (1949 nur alte Bundesländer)

Die Landwirte haben sich spezialisiert ▸ Früher baute ein Landwirt auf seinen Feldern Ackerfrüchte an und hielt auf den Weiden und in den Ställen Tiere. Dazu brauchte er eine Reihe unterschiedlicher Maschinen und hatte einen riesigen Arbeits- und Kostenaufwand. Deshalb waren die Landwirte gezwungen sich zu spezialisieren. Pflanzenbau und Tierhaltung sind heute meistens getrennt.
Bäuerliche Betriebe, die sich auf Ackerbau spezialisiert haben, werden als Marktfruchtbetriebe bezeichnet. Durch den Einsatz moderner Maschinen kann ein Landwirt alleine eine über 100 Hektar große Fläche bewirtschaften.
Futterbaubetriebe halten Milch- oder Fleischvieh und bauen ausschließlich Futtermittel an. Sie beschränken sich zumeist auf eine ganz bestimmte Tierart oder sie halten zum Beispiel nur Muttertiere zur „Produktion" von Jungvieh, das sie dann an andere Betriebe weiter verkaufen, die die Tiere zur Schlachtreife mästen.

M 3 „Agrarfabrik"

Die Landwirte intensivieren ihre Produktion ▸ In Bayern wurden in den letzten Jahrzehnten jährlich etwa 300 000 Bodenuntersuchungen durchgeführt und der Bedarf an Düngemitteln ermittelt. Deshalb bringen die Landwirte Düngemittel nur noch in der Menge aus, die von der zuständigen Stelle vorgeschlagen wird.
Während der Vegetationszeit von Getreide werden an über 200 Standorten Pflanzenproben gezogen. Die Untersuchungsergebnisse können die Landwirte über das Internet abrufen und als Entscheidungshilfe verwenden. Gleiches gilt für die Untersuchung von Blättern der Zuckerrüben, für den Hopfen, den Kartoffel- oder den Obstanbau. Zudem besteht bei den Landwirtschaftsämtern ein Pflanzenschutzwarndienst. Deshalb werden Pflanzenschutzmittel gezielt eingesetzt, je nach Witterungsbedingungen.

A 3 Nenne einzelne Prozesse, die den Wandel in der deutschen Landwirtschaft kennzeichnen (M 1 bis M 4). Verwende die Begriffe „Spezialisierung" und „Intensivierung".

A 4 Durch welche Maßnahmen wird der Einsatz von Mineraldünger beeinflusst (M 4)?

A 5 Vorschlag: Führt ein Interview mit einem Landwirt durch. Erkundigt euch nach dem Wandel in seinem Betrieb. Schreibt darüber einen Bericht in der Regionalzeitung.

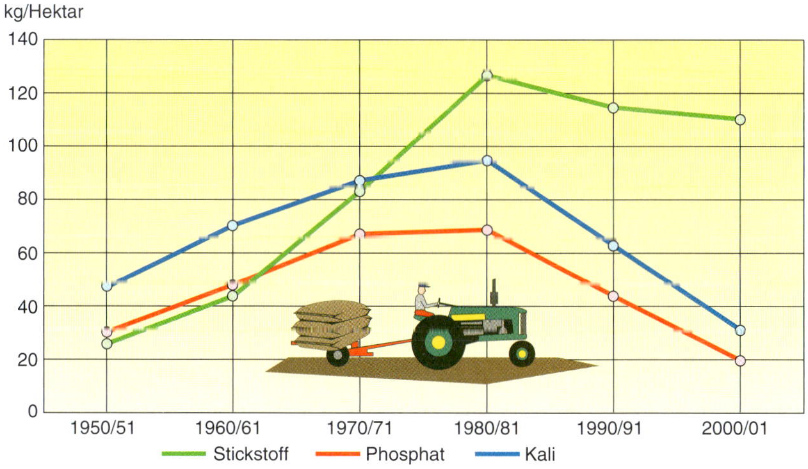

M 4 Entwicklung des Mineraldüngereinsatzes in Deutschland

Kurz und klar

- Die deutsche Landwirtschaft ist besonders leistungsfähig. Dazu tragen vor allem die Intensivierung der Produktion und die Spezialisierung der Betriebe bei.
- Die Produktivität unserer Landwirtschaft ist sehr hoch.

M 1 Stall für Mastschweine mit computergesteuerten Fütterungsanlagen

Wo stößt die Intensivierung der Landwirtschaft an natürliche Grenzen?

Sollen Landwirtschaftsflächen immer noch größer werden? ▸ Um Maschinen rationell einzusetzen, müssen die bewirtschafteten Flächen groß genug sein. Allerdings ist auf weiten Ackerflächen ohne Gehölzstreifen und Hecken die Ackerkrume Wind und Regen schutzlos ausgeliefert. Bei Trockenheit bläst der Wind aus den „Agrarwüsten" die feinsten Bodenpartikelchen davon, bei heftigen Niederschlägen wird der Boden weggeschwemmt. Es bleibt kaum mehr Lebensraum für Tiere in der freien Natur, vor allem für Vögel.

Sind die stärksten Traktoren auch die besten? ▸ Mit ihrer Größe und ihren Pferdestärken nimmt auch ihr Gewicht zu. Wer mit solchen Maschinen die Felder befährt, verdichtet den Boden. Dann sind im Boden weniger Luft und Wasser und folglich auch weniger Bodenlebewesen. Pflanzenwurzeln können sich in einem verdichteten Boden nicht so gut entwickeln wie in einem lockeren Boden. Der Regen kann nicht so leicht eindringen. Er fließt oberflächlich ab und reißt dabei den fruchtbaren Boden mit. Es kommt zur Bodenzerstörung. Viele Landwirte verwenden heutzutage Breitreifen, weil diese das Gewicht der Traktoren auf eine größere Fläche verteilen. Außerdem fahren sie nur bei geeignetem Wetter über die Felder und nicht mehr so oft, weil sie mehrere Geräte für verschiedene Arbeitsgänge gleichzeitig an die Zugmaschine hängen.

Wer viel gibt, bekommt viel ▸ Nach diesem Grundsatz wurde früher von vielen Landwirten mineralischer Dünger

A 1 Berichte über die Folgen der intensiven Landbewirtschaftung für die Natur (M 2 und M 4).

A 2 Erläutere die Vorzüge und die Gefahren der Massentierhaltung (M 1, M 2 und M 4).

A 3 Berichte über die Situation der Landwirtschaft in deiner Heimatgemeinde.

A 4 Ermittle im Supermarkt, welche Produkte das Qualitätssiegel QS tragen (M 3).

A 5 Erkläre, wie sich die Massenproduktion von Tieren auf den Preis des Fleisches auswirkt.

A 6 Vorschlag: Besucht einen landwirtschaftlichen Betrieb. Gestaltet darüber ein Video.

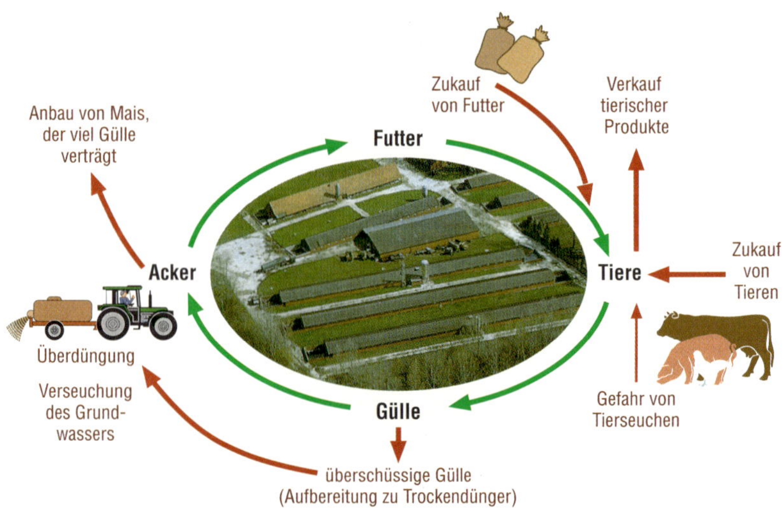

M 2 Zusammenhänge bei der intensiven Tierhaltung

auf die Felder ausgebracht. Ähnliches galt für die Anwendung chemischer Pflanzenschutzmittel. Dadurch wurden die Böden geschädigt. Heute hat sich in dieser Hinsicht vieles geändert: Die Landwirte besitzen einen wesentlich höheren Wissensstand. Der Staat bietet gezielte Informationen zum Einsatz der Dünge- und Pflanzenschutzmittel an. Außerdem sind die Industrieprodukte viel zu teuer, als dass man sie im Übermaß einsetzen würde.

Kann natürlicher Dünger den Boden vergiften? ▸ Gülle ist ein wertvoller Dünger, weil er Bestandteile enthält, die das Wachstum der Pflanzen fördern. Wenn jedoch zu viel Gülle auf die Felder ausgebracht wird, werden die Bodenlebewesen vergiftet und die überschüssige Gülle gelangt in das Grundwasser. Dies trifft dann zu, wenn die Tierbestände eines Betriebes zu groß sind, wenn also die Felder des Betriebes für die Fütterung der Tiere nicht reichen und Futter zugekauft werden muss.

Welche Rolle spielt eigentlich der Verbraucher? ▸ Seit bekannt geworden ist, dass unsere Nahrungsmittel nicht immer umweltfreundlich erzeugt worden sind, seit es zu Tierseuchen wie BSE gekommen ist, fordern die Verbraucher mehr Kontrollen bei der Herstellung von Lebensmitteln.
So hat man zum Beispiel 2001 zur Sicherung der Qualität des Fleisches das QS-Kontrollsystem eingeführt. QS steht für Qualität und Sicherheit. Der Verbraucher kann zurückverfolgen, von welchem Schwein das Schnitzel stammt, wo es gemästet und geschlachtet, wo es verarbeitet und wie es transportiert wurde.
Tierschützer verlangen zum Beispiel eine artgerechte Tierhaltung und den Verzicht auf überflüssige Tiertransporte.

M 3 QS-Siegel

Kurz und klar

Die Intensivierung der landwirtschaftlichen Produktion stößt dort an ihre Grenzen,

- wo der Boden zerstört wird,
- wo der Boden unsachgemäß bearbeitet wird, zum Beispiel mit zu schwerem Ackergerät,
- wo dem Boden zu viele chemische Mittel zugeführt werden,
- wo der Boden mit Gülle verseucht wird,
- wo Tiere falsch gefüttert und nicht artgerecht gehalten werden.

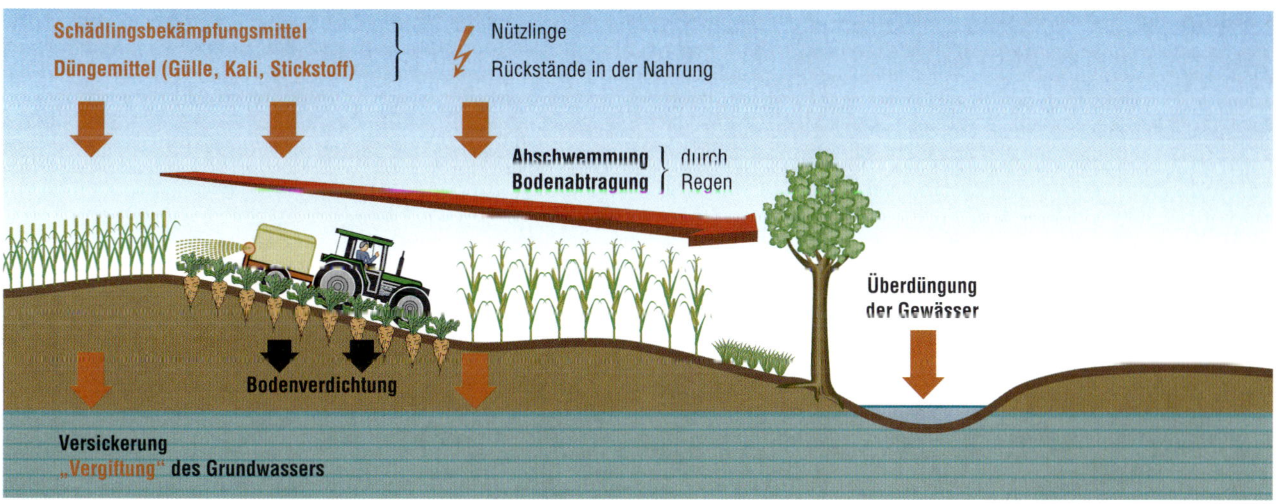

M 4 Negative Auswirkungen der Landwirtschaft auf die Natur

M 1 Direktvermarktung im Hofladen

A 1 Vergleiche die Kreisläufe auf einem herkömmlich und auf einem ökologisch wirtschaftenden Betrieb. Stelle wesentliche Unterschiede fest (M 2 und Seite 100, M 2).

A 2 Erläutere die Unterschiede im Aufwand und Ertrag zwischen herkömmlichen Betrieben und Ökobetrieben (M 3).

Ökologischer Landbau = nachhaltige Landwirtschaft

Was bedeutet „ökologischer Landbau"? ▸ Der Ökobauer unterscheidet sich vom herkömmlichen Landwirt zunächst durch die Bearbeitung des Bodens. Der Ökobauer fördert das Bodenleben, indem er den Lebewesen viel Ruhe gönnt. Er vermeidet es, den Boden tief zu pflügen und dabei zu wenden oder ihn lange schutzlos Wind und Regen auszusetzen. Er düngt nur mit dem hofeigenen Wirtschaftsdünger – niemals mit Kunstdünger. Dessen Gebrauch ist verboten. Der Boden soll aus eigener Kraft die Pflanzen tragen, das heißt ernähren. Um den Boden nicht einseitig zu beanspruchen, legt der ökologische Landbau großen Wert auf den Fruchtwechsel. Der herkömmlich wirtschaftende Landwirt düngt die Pflanzen und bekämpft die Schädlinge.
Bei der ökologischen Tierhaltung kommt es darauf an, dass die Tiere artgerecht gehalten werden, nicht in enge Ställe gepfercht werden, dass nicht vorbeugend gegen Krankheiten Arzneien verabreicht werden. Antibiotika und Wachstumshormone sind strengstens untersagt. Vor allem aber kauft der Ökobauer kaum Futter zu. Er hält also nur so viele Tiere, wie er im eigenen Betrieb Futtermittel erzeugen kann. Dadurch entfällt das Problem mit der Entsorgung der überschüssigen Gülle.
Ökologischer Landbau ist also eine Landwirtschaft, die versucht im Einklang mit der Natur zu wirtschaften, die Umwelt möglichst wenig zu stören.

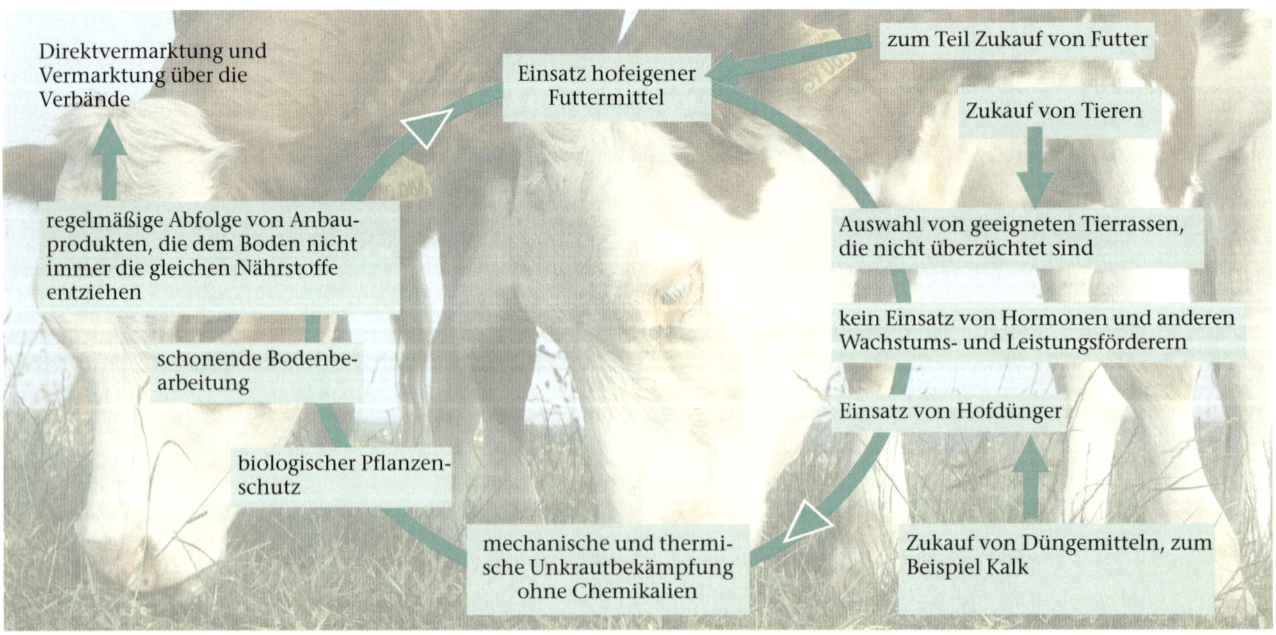

M 2 Kreislauf auf einem Ökobauernhof

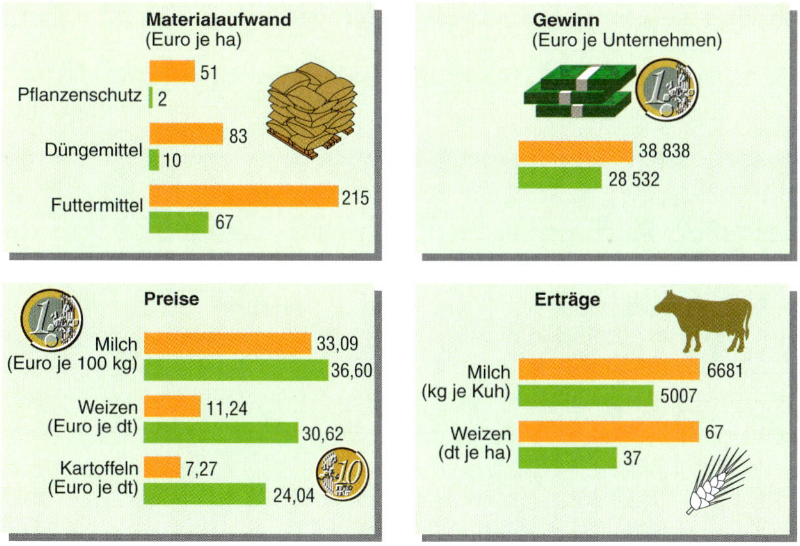

M 3 Vergleich von Aufwand und Ertrag

Das deutsche Öko-Prüfzeichen

Das EU-Prüfzeichen

M 4 Qualitätszeichen

M 5 Kennzeichen ausgewählter Verbände

Wie werden Ökoprodukte vermarktet? ▸ Damit ein Lebensmittel „öko“ oder „bio“ bezeichnet werden darf, muss es bestimmte Kriterien der EU oder der Bundesregierung erfüllen. Erst dann erhält es das entsprechende Siegel (M 4). Noch strenger sind die Richtlinien für die Produkte der ökologischen Anbauverbände wie zum Beispiel Bioland, Naturland und demeter (M 5).
Die Erzeugnisse der Ökobauern sind teurer als die der herkömmlichen Landwirte, weil die Arbeitsweise im ökologischen Landbau aufwändiger ist und die Erträge geringer ausfallen.

M 6 Verkaufsstand für Ökoprodukte

A 3 Erkläre: Was hat ökologischer Landbau mit „Nachhaltigkeit“ zu tun?

A 4 Berichte über die Vermarktung ökologischer Produkte (M 1, M 4 – M 6). Ermittle im Supermarkt Produkte, die mit einem Bio-Siegel ausgestattet sind.

Kurz und klar

- Der ökologische Landbau bewirtschaftet das Land in einem natürlichen Kreislauf. Dabei wird der Boden nachhaltig gepflegt; er behält seine Fruchtbarkeit und wird nicht vergiftet.
- Kunstdünger und Pflanzenschutzmittel sind verboten.
- Die Tierhaltung erfolgt artgerecht und ohne Gabe von Hormonen.
- Die Erträge der Ökobauern sind niedriger als die der herkömmlich wirtschaftenden Bauern, aber die Ökobauern erzielen für ihre Produkte höhere Preise.

Wie kann die Ernährung der Menschheit gesichert werden?

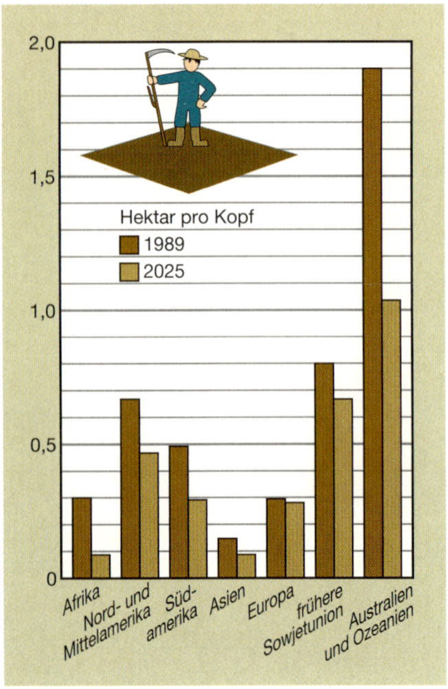

M 1 Verfügbares Ackerland

A 1 Beschreibe die Verbreitung des sogenannten Hungergürtels auf der Erde (bis 2600 kcal pro Kopf und Tag) (M 4).

A 2 Nenne Maßnahmen, mit denen die Produktion von Nahrungsmitteln erdweit gesteigert werden kann (M 1 und M 2).

Hunger ▸ Der Mensch erhält zu wenig Nahrung oder eine Nahrung mit zu wenigen Nährstoffen. Die Folgen können Hungerkrankheiten sein.

Unterernährung ▸ Der Kalorienbedarf wird nicht ausreichend durch die Nahrung gedeckt.

Mangelernährung ▸ Die Nahrung ist einseitig zusammengesetzt und deshalb unzureichend.

Derzeit leben etwa sechseinhalb Milliarden Menschen auf der Erde. Davon leiden fast 900 Millionen an Hunger. Jährlich verhungern neun Millionen Menschen, zwei Drittel von ihnen sind Kinder.
Im „Hungergürtel der Erde" liegen ausschließlich Entwicklungsländer, während fast alle Industriestaaten mehr Nahrungsmittel produzieren als sie selbst verbrauchen. Das größte Problem für die Ernährung der Menschheit ist die ungleiche Verteilung der Nahrungsmittel.

Welche Maßnahmen können ergriffen werden, um die landwirtschaftliche Produktion im Hungergürtel der Erde zu erhöhen?

- Die landwirtschaftliche Nutzfläche kann durch die Rodung von Wäldern oder die Bewässerung von Trockengebieten oder die Aufschüttung flacher Meeresgebiete ausgeweitet werden.

M 2 Steigerung der Produktion durch Karussellbewässerung

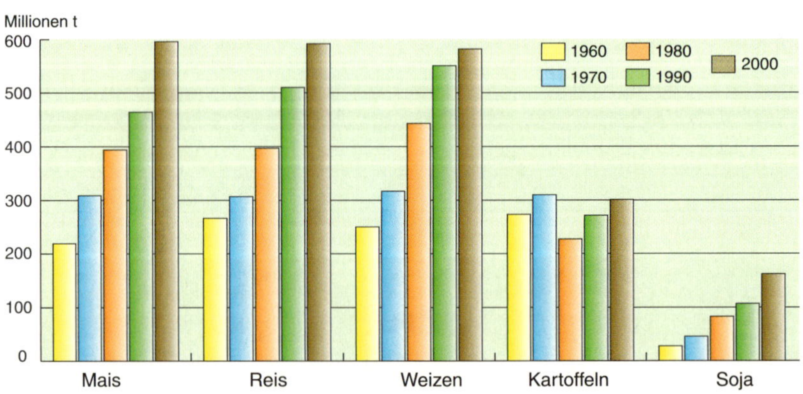

M 3 Entwicklung der Produktionsmengen wichtiger Nahrungspflanzen

- Die Hektarerträge können gesteigert werden durch bessere Ackergeräte, verbessertes Saatgut, den Einsatz von Pflanzenschutzmitteln und Kunstdünger.
- Ernteverluste kann man vermeiden durch sachgemäße Lagerung der Vorräte und durch die Bekämpfung von Ratten und Insekten.

Das Beispiel Indien: Die Grüne Revolution ▸ Um die Ernährung der Bevölkerung zu sichern, wurden in Indien ab Mitte der 1960er Jahre neue Techniken in der Landwirtschaft eingeführt. Das Ziel war eine Grüne Revolution. Zu diesem Zweck wurden neue Reis- und Weizensorten (aus den USA) importiert, die wesentlich höhere Erträge abwerfen sollten. Dafür benötigte man zusätzliche Dünge- und Pflanzenschutzmittel. Um den Einsatz von Maschinen zu ermöglichen, mussten Ackerflächen zusammengelegt werden. Dadurch sollten die Menschen auf dem Lande zu Wohlstand kommen und die Wirtschaft des gesamten Staates angekurbelt werden. Diese Investitionen konnten nur Großgrundbesitzer leisten, die über ausreichend Kapital verfügten. Sie profitieren von den höheren Erträgen. Gleichzeitig aber verloren Millionen Kleinbauern und Landlose wegen der Mechanisierung ihren Arbeitsplatz. Indien produziert Weizenüberschüsse, während Millionen arbeitslose Inder hungern, weil sie nicht das Geld haben sich den Weizen zu kaufen.

A 3 Berichte über die Entwicklung der Produktion von Nahrungspflanzen (M 3).

A 4 Erläutere: Durch die Grüne Revolution in Indien wurden die Reichen reicher und die Armen ärmer.

A 5 Beschreibe die Entwicklung des Ackerlandes, das für jeden Einzelnen in verschiedenen Teilen der Erde zur Verfügung steht (M 1).

Kurz und klar

- Dem Hungergürtel der Erde gehören viele Entwicklungsländer vor allem in Afrika an.
- Es müsste keinen Hunger geben, wenn die Nahrungsmittel gleichmäßig auf der Erde verteilt werden könnten.
- Die Produktion von Nahrungsmitteln konnte in den letzten Jahrzehnten erheblich gesteigert werden.

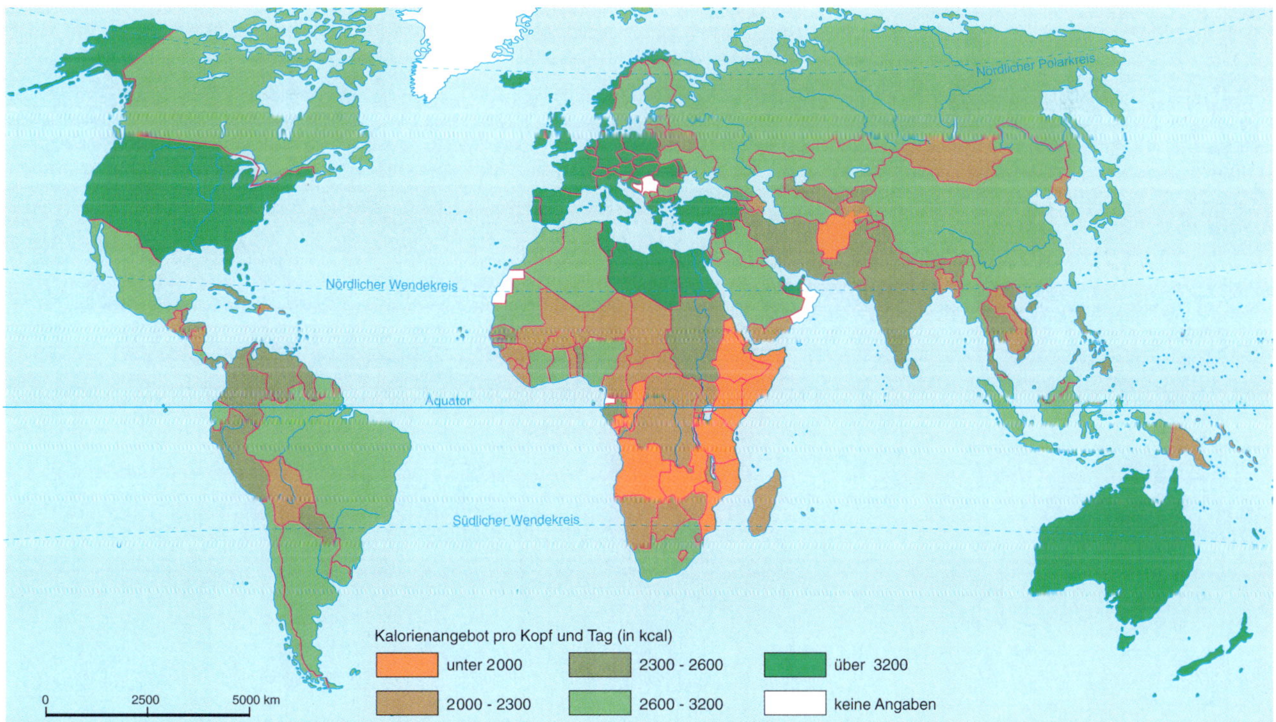

M 4 Die Versorgung der Erdbevölkerung mit Nahrungsmitteln

Kulturpflanzen ▸ Pflanzen, die der Mensch gezüchtet hat und anpflanzt: Nahrungs-, Heil-, Gewürz-, Zierpflanzen. Für die Ernährung der Menschheit werden nur rund 30 Pflanzenarten eingesetzt, obwohl etwa 30 000 Pflanzenarten essbar sind.

Regenfeldbau ▸ Ackerbau, bei dem die Kulturpflanzen ihren Wasserbedarf ganz aus den Niederschlägen decken können. (Keine Bewässerung!)

Permafrost ▸ = Dauerfrost. Böden und Gestein sind hier bis in große Tiefen dauernd gefroren und tauen selbst im Sommer nur wenige Dezimeter oder Meter tief auf.

Ertragssteigerung – nicht ohne Grenzen, nicht ohne Risiko

Die Natur setzt dem Menschen Grenzen bei der landwirtschaftlichen Nutzung.

- Weltweit versuchen die Menschen, Neuland zu erschließen, um darauf anbauen oder Tiere halten zu können. Dabei stoßen sie an Grenzen, die nur schwer zu überwinden sind.
- Die **Kältegrenze** des Anbaus verläuft dort, wo die Wachstumszeit für Kulturpflanzen zu kurz ist. Das bedeutet, dass jenseits dieser Grenze die Pflanzen nicht mehr reifen können.
- Die **Trockengrenze** des Anbaus ist zugleich die Grenze des Regenfeldbaus. Jenseits dieser Grenze ist es heiß und die Verdunstung ist höher als der Niederschlag. Da Pflanzen bei Bewässerung gedeihen, kann die Trockengrenze relativ einfach überwunden werden.
- Die **Höhengrenze** des Anbaus wird – wie bei der Kältegrenze – bestimmt durch die Wachstumszeit. Das Gedeihen der Kulturpflanzen wird aber zusätzlich durch die intensive UV-Strahlung der Sonne, die starken Höhenwinde, die lange Dauer der Schneebedeckung und die steinigen Gebirgsböden behindert.

M 1 Grenzen des Anbaus (ohne die Höhengrenzen)

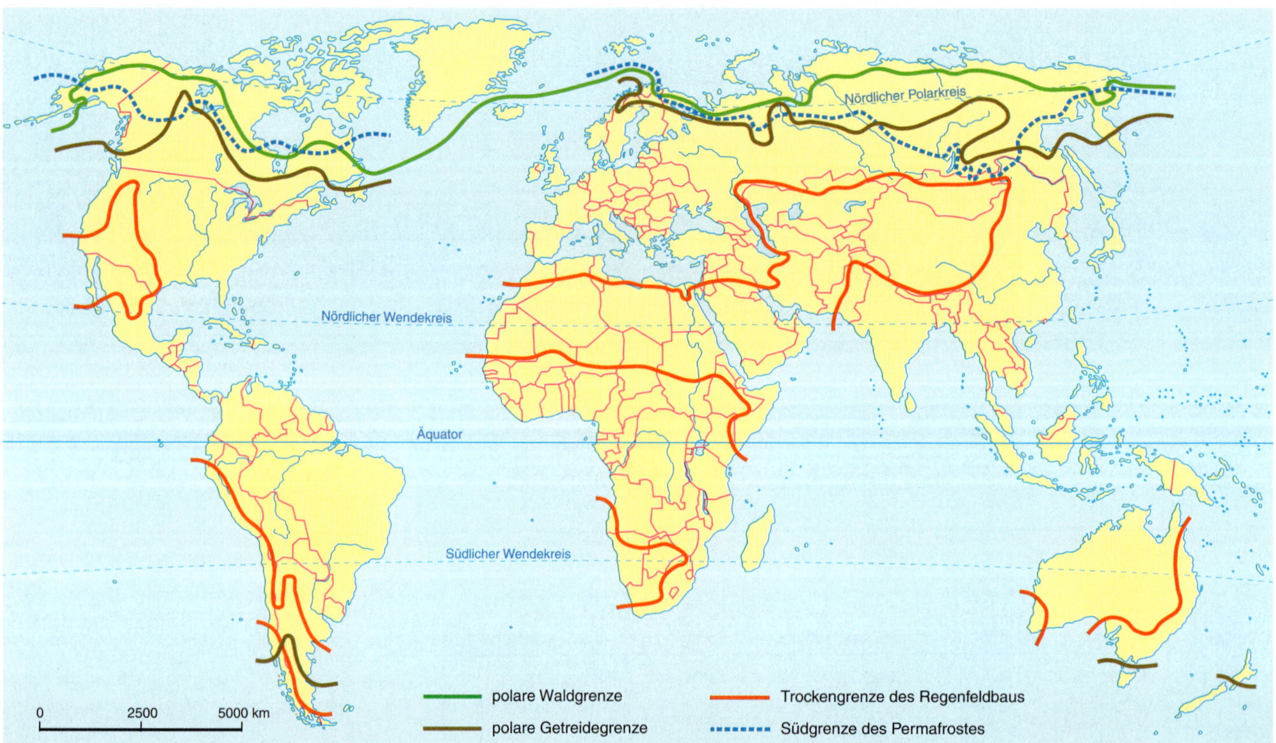

Zwei Beispiele für die Überwindung von Anbaugrenzen

In den USA weiteten die Farmer und Rancher in den 1930er Jahren die landwirtschaftlichen Nutzflächen auf die Great Plains aus. Zu diesem Zweck setzten sie erstmals neu entwickelte Großmaschinen ein. Nachdem es mehrere Jahre lang ausreichend geregnet hatte, überschritten sie die Trockengrenze im Gebiet des hundertsten Längengrades und hatten in den ersten Jahren Erfolg. Doch dann folgte eine mehrjährige Dürreperiode. Wind und gelegentliche Starkregen zerstörten den umbrochenen, ungeschützten Boden. Tausende von Farmern und Ranchern verloren ihre Betriebe.

A 1 Beschreibe den Verlauf der Kältegrenze des Anbaus auf der Nordhalbkugel und auf der Südhalbkugel (M 1).

A 2 Schildere den Verlauf von Höhengrenzen des Anbaus auf der Erde (M 1).

M 2 Gefährdung der Landwirtschaftsflächen durch fortschreitende Bodenzerstörung in Nebraska/USA

Staubwolken verfinsterten die Mittagssonne

„Am 11. Mai 1934 trieb ein Sturm mit über 100 km/h über die endlose Präriezone der USA. Er wirbelte aus den schutzlosen Feldern Süddakotas, Nebraskas und Kansas gelbgraue Staubwolken auf. Sie wurden von dem rasenden ‚schwarzen Blizzard' über die breite Ebene des Mississippi hinweg bis 3000 km in den Atlantischen Ozean hinausgetragen. Dadurch verloren Tausende von Farmern den Boden ihrer Felder, ihre Lebensgrundlage."

M 3 Zeitungsbericht

In China wollte die Regierung in den 1960er und 1970er Jahren neue Anbauflächen in den Trockensteppen Zentralasiens gewinnen. Seit alter Zeit hatten die Menschen dort aufgrund ihrer Erfahrungen nur Viehwirtschaft mit Yaks betrieben. Chinesisches Militär wurde angesiedelt mit dem Auftrag, die Steppe zu umbrechen und zu bewässern. Nach anfänglichen Erfolgen kam es zu Missernten und zur Versalzung der Böden.

A 3 Erkläre, warum es ein Risiko ist, wenn der Mensch die natürlichen Grenzen bei der landwirtschaftlichen Nutzung überschreitet (M 2, M 3 und M 4).

M 4 Militärlager in der Steppe westlich Lanzhou/China. Hier steht zu wenig Wasser für die Bewässerung großer Flächen zur Verfügung. Die Mauern schützen vor den eiskalten Winden im Winter.

Das Quiz zu Boden und Landwirtschaft

Hier kannst du selbstständig dein Wissen über den Boden und die Landwirtschaft überprüfen. Von den folgenden Aussagen ist ein Teil richtig, der andere Teil falsch.

- Finde zuerst die richtigen Aussagen heraus. Die Buchstaben vor den richtigen Aussagen ergeben einen Fachausdruck für den arbeitsaufwändigen Anbau von Hopfen, Wein, Gemüse oder Blumen.
- Wenn du anschließend die Buchstaben vor den falschen Aussagen zusammensetzt, ergeben diese einen Fachausdruck, der nicht nur in der Landwirtschaft verwendet wird.

Start

I Der Anteil der Erholungsflächen ist in Deutschland etwa so hoch wie der Anteil der bebauten Grundstücke.

S Die Landwirte bearbeiten mehr als die Hälfte der Fläche Deutschlands.

P Fast 30 Prozent der Fläche Deutschlands bedecken Wälder.

N Die Verkehrsflächen nehmen ein Zehntel der Fläche Deutschlands ein.

E Böden unterscheiden sich durch ihre mineralischen Bestandteile und durch ihren Nährstoffgehalt.

T Lössboden ist nährstoffarm und leicht zu bearbeiten.

Z Altlasten sind Rückstände, die die Umwelt gefährden, weil sie den Boden verunreinigen.

E Stillgelegte Mülldeponien können problemlos eingeebnet und als Landwirtschafts- oder Siedlungsflächen verwendet werden.

I Die Bodenversiegelung führt zu einer Verstärkung der Hochwassergefahr nach Niederschlägen.

N Der Verkehr kann den Boden nicht schädigen, weil die Abgase in die Luft gelangen.

S In einem Flächennutzungsplan legt die Staatsregierung fest, wie die Flächen der Gemeinde genutzt werden dürfen.

A „Nachhaltigkeit" meint, die Natur so schonend zu nutzen, dass auch künftigen Generationen genügend gesunder Lebensraum zur Verfügung steht.

I „Nachhaltigkeit" bedeutet, den Boden nicht zu düngen und nicht zu bepflanzen.

L Sonderkulturen stellen besonders hohe Ansprüche an Boden und Klima und verlangen für ihre Pflege viel Aufwand an Arbeit und Kapital.

K Etwa 90 Prozent unserer Nahrungsmittel erzeugen die deutschen Landwirte selbst.

V Selbstversorgungsgrad ist der Anteil der Landwirte, die selbst ganz von der Landwirtschaft leben.

I Die deutschen Landwirte haben sich auf die Herstellung von teuren Tierprodukten spezialisiert.

U Mit Produktivität bezeichnet man das Verhältnis zwischen dem Arbeits-, Zeit- und Kapitalaufwand (Input) und der Menge der erzeugten Produkte (Output).

L Die Intensivierung in der Tierhaltung bedeutet zum Beispiel, dass die Tiere ohne Freilauf im Stall gehalten werden.

E Gülle ist ein so wertvoller Dünger, dass der Boden davon kaum genug bekommen kann.

T Oft sind große Maisfelder der Hinweis auf intensive Viehhaltung, weil Mais besonders viel Gülle verträgt.

U Massentierhaltung hat den Vorteil, dass dadurch Fleisch billig produziert und auf den Markt gebracht werden kann.

R Sehr große Ackerfluren sind leicht maschinell zu bearbeiten und nicht erosionsgefährdet, weil sie Wind und Regen keinen Widerstand bieten.

U Um den Boden gut zu durchlüften, wird er von den Ökobauern tief gepflugt.

R Der Ökobauer versucht bei der Bewirtschaftung seines Betriebes möglichst den natürlichen Kreislauf einzuhalten.

N Ökobauern verdienen deshalb besonders viel, weil ihre Ernteerträge und die Preise sehr hoch sind.

G Ökologischer Landbau ist nicht nachhaltig, weil er Flächen zum Anbau beansprucht.

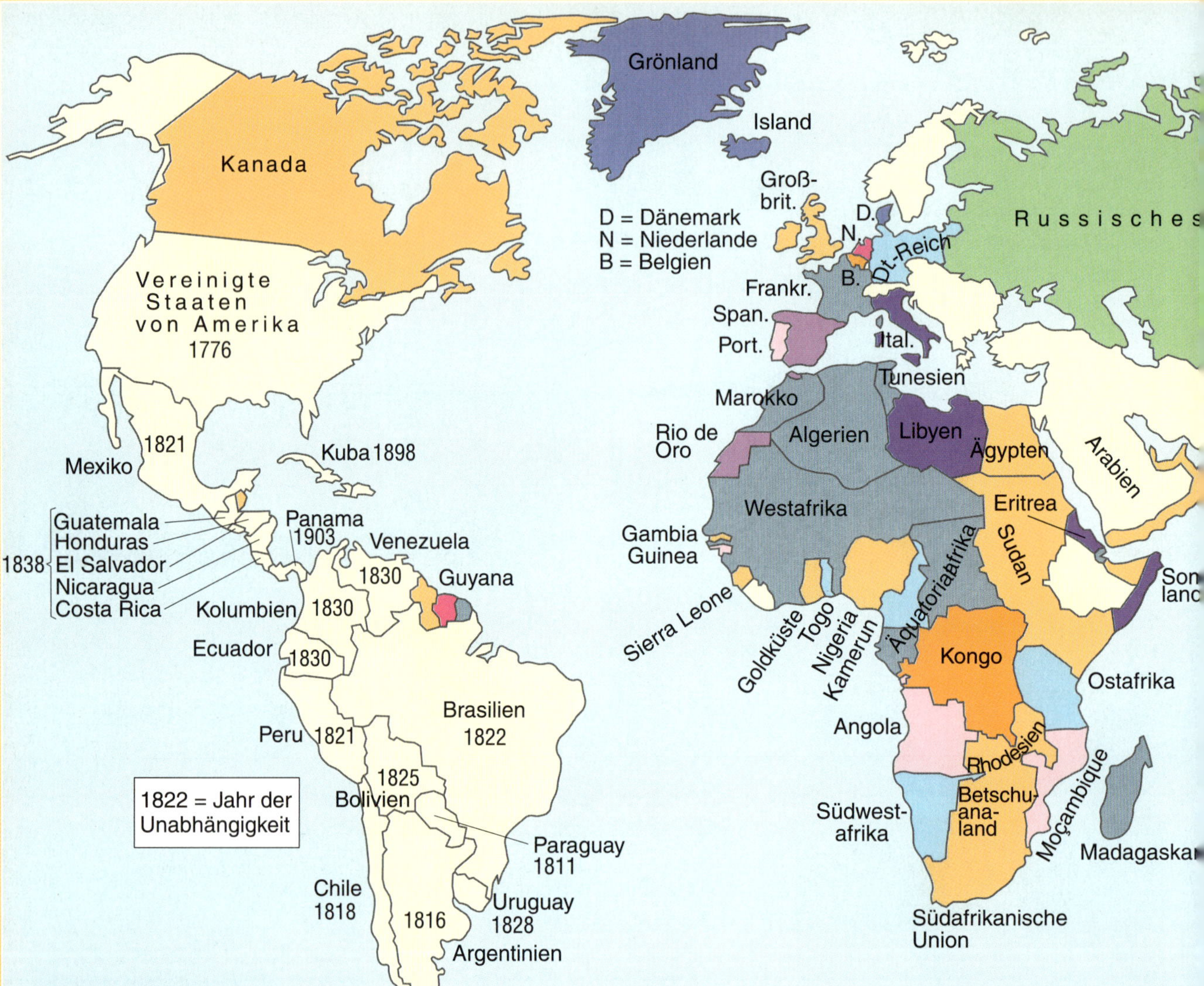

Die acht größten europäischen Kolonialmächte im Jahre 1914:

Nach der Entdeckung Amerikas 1492 gründeten die europäischen Mächte dort ihre Kolonialreiche. 1776 erklärten die USA ihre Unabhängigkeit vom englischen Mutterland. In der ersten Hälfte des 19. Jahrhunderts erkämpften nahezu alle mittel- und südamerikanischen Kolonien ihre Selbstständigkeit.

Im 19. Jahrhundert wandte sich das Interesse der imperialistischen Großmächte den Kontinenten Asien und Afrika zu. Großbritannien errichtete ein Kolonialreich, das ein Fünftel der Erdoberfläche und ein Viertel der Weltbevölkerung umfasste. Russland dehnte sich nach Sibirien und in den zentralen asiatischen Raum aus.

Der Wettlauf um Kolonien führte immer wieder zu Spannungen unter den rivalisierenden Staaten. Sie lieferten zwar nicht den unmittelbaren Anlass für den Ausbruch des Ersten Weltkriegs (1914–1918), führten aber dazu, dass sich die europäischen Großmächte in zwei Lager spalteten, die sich bei Kriegsausbruch feindlich gegenüber standen.

Imperialismus und Erster Weltkrieg

Ein symbolisches Bild für die Zeit des Imperialismus. Französische Karikatur (1898).
Links Großbritannien (Königin Viktoria), daneben Deutschland, Russland, Frankreich und Japan, hinter ihnen China, von dem sich jeder ein großes Stück abschneiden möchte.

Wer ist der größte in der Welt?

Imperialismus ▸ Lateinisch imperium = Herrschaft, Weltreich. Damit bezeichnet man die Epoche zwischen 1880 und 1914, in der vor allem die europäischen Saaten auf der Suche nach Rohstoffen, Märkten und Siedlungsland ihren eigenen Herrschaftsbereich auf andere Kontinente ausdehnten. Gleichzeitig erhoben sie den Anspruch Weltmächte zu sein.

A 1 Beschreibe, wie die Europäer den Erwerb von Kolonien rechtfertigen. Wie beurteilen wir heute diese Begründungen?

A 2 Welche Vorstellung der europäischen Kolonisation vermittelt M 4?

A 3 Vergleiche jeweils die Einwohnerzahl und die Fläche der Mutterländer und ihrer Kolonien (M 5). Vergleiche dann die Kolonialmächte untereinander. Was stellst du fest?

M 1 Großbritannien?

Der Premierminister der britischen Kap-Kolonie, Cecil Rhodes (1877):

▸ Ich behaupte, dass wir die erste Rasse in der Welt sind und dass es umso besser für die menschliche Rasse ist, je mehr von der Welt wir bewohnen. Darüber hinaus bedeutet es einfach das Ende aller Kriege, wenn der größere Teil der Welt in unsere Herrschaft übergeht. Da Gott offenkundig die englisch sprechende Rasse zu seinem auserwählten Werkzeug formt, durch welches er eine Gesellschaft hervorbringen will, die auf Gerechtigkeit, Freiheit und Frieden gegründet ist, muss er offensichtlich wünschen, dass ich tue, was ich kann, um so viel von der Karte Afrikas britisch rot zu machen als möglich.

M 2 Russland?

Russische Offiziere 1895 (aus dem Bericht des deutschen Botschafters in St. Petersburg):

▸ Russland ist endlich von dem jahrelangen Schlaf zu neuem Leben erwacht. Es dehnt sich nach allen Richtungen aus, baut Eisenbahnen in großen Proportionen, um die entferntesten Gegenden zugänglich zu machen und neue Erwerbsquellen zu erschließen. Russland hat Ressourcen wie kein anderes Land der Welt. Es braucht vor nichts zurückzuschrecken, es ist unüberwindlich.

M 3 Frankreich?

Aus dem Buch „Das neue Frankreich“ erschienen im Jahr 1868:

▸ Es möge bald der Tag kommen, wo unsere Mitbürger [...] nach Marokko und Tunis hinübergehen und endlich jenes Mittelmeerreich gründen, das nicht nur unseren Stolz befriedigen kann, sondern auch in Zukunft die letzte Quelle unserer Größe sein wird. [...] Denn es gibt nur zwei Arten, das Schicksal Frankreichs aufzufassen: entweder bleiben wir, was wir sind [...]; in diesem Fall versinken wir auf diesem Erdball, der von den Nachkommen unserer alten Rivalen besetzt sein wird, in eine schmähliche Bedeutungslosigkeit [...]. Oder 80 bis 100 Millionen Franzosen, die auf beiden Seiten des Mittelmeeres fest angesiedelt sind, werden den Namen, die Sprache und das wohl erworbene Ansehen Frankreichs durch die Zeiten aufrecht erhalten.

M 4 Marianne (Verkörperung Frankreichs) kommt nach Marokko. Titelseite einer französischen Zeitung (1911).

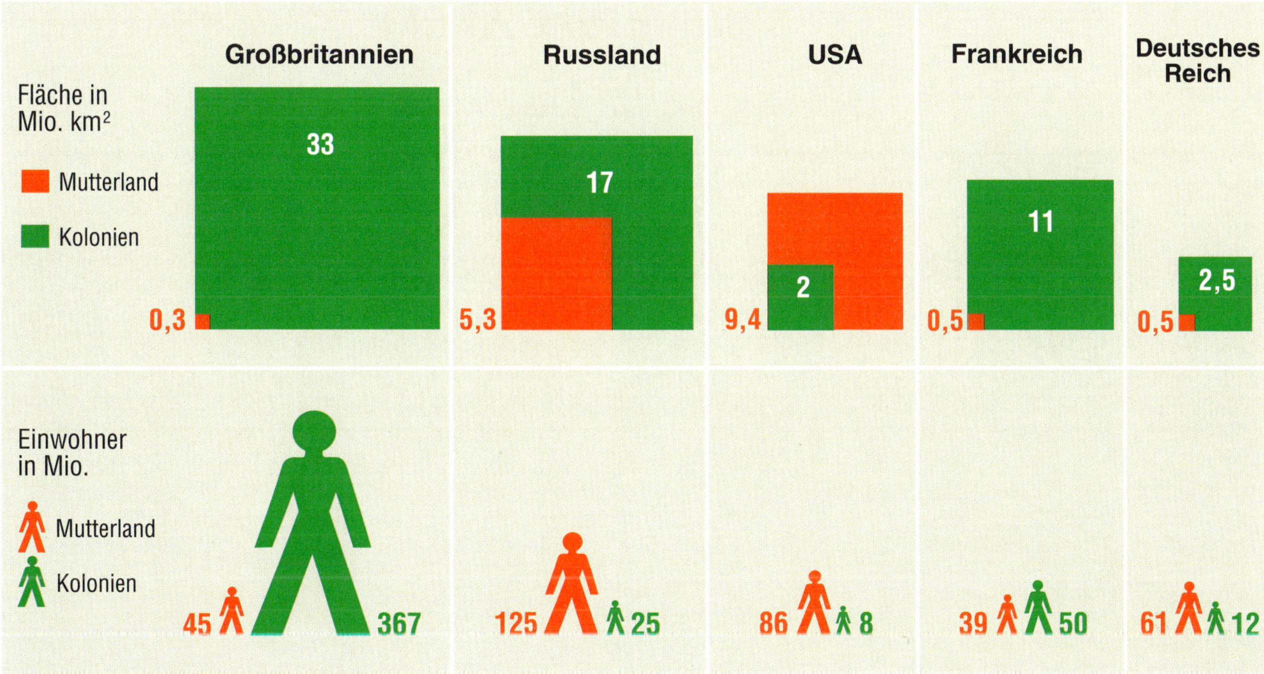

M 5 Ausgewählte Mächte und ihr Kolonialbesitz im Vergleich (1890)

M 6 Deutschland?

Auszüge aus Reden des deutschen Kaisers Wilhem II.:

▸ Zum Großen sind wir bestimmt und herrlichen Zeiten führe ich euch entgegen. Deutschland soll oben sein in allem und jedem.

Wo der deutsche Aar [Adler] Besitz ergriffen und die Krallen in ein Land hineingesetzt hat, das ist deutsch und wird deutsch bleiben.

Aus dem Deutschen Reich ist ein Weltreich geworden. Überall in fernen Teilen der Erde wohnen Tausende unserer Landsleute. Deutsche Güter, deutsches Wissen, deutsche Betriebsamkeit gehen über den Ozean.

Der Ozean ist unentbehrlich für Deutschlands Größe. Aber der Ozean beweist auch, dass auf ihm in der Ferne, jenseits von ihm, ohne Deutschland und ohne den deutschen Kaiser keine große Entscheidung mehr fallen darf.

M 7 IMPERATOR GERMANORUM, REX BORUSSORUM (= Kaiser der Deutschen, König der Preußen). Wilhelm II. war 29 Jahre alt, als er 1888 deutscher Kaiser wurde. Weil Wilhelm „sein eigener Kanzler" sein wollte, musste 1890 Bismarck sein Amt aufgeben.

Schauplatz Afrika

M 1 Karikatur zur Kolonialpolitik des belgischen König Leopold II. Der König erwarb das Kongogebiet als private Kolonie. Er ließ die Afrikaner schonungslos ausbeuten. Grausame Strafen drohten denen, die mit der Ablieferung von Landesprodukten in Verzug gerieten. Auf internationalen Protest hin musste der König die Kolonie 1908 dem belgischen Staat überlassen.

A 1 Beschreibe und erkläre die Karikatur M 1.

A 2 Beschreibe die Verteilung des Kolonialbesitzes, die in der Karte M 2 dargestellt wird. Bringe zehn beliebig ausgewählter Jahreszahlen und der dazugehörenden Kolonien (M 2) in eine zeitliche Ordnung. Welche Feststellung machst du?

A 3 Welche Vorgänge werden mit „scramble for Africa" bezeichnet?

A 4 Nenne wichtige Motive für den Wettlauf um Afrika.

A 5 Wie reagierten die Afrikaner auf die Kolonisierung ihres Kontinents?

Scramble for Africa ▸ Zu Beginn des 19. Jahrhunderts waren nur wenige afrikanische Gebiete in europäischer Hand. Das „Gerangel um Afrika" setzte erst in den letzten 20 Jahren des Jahrhunderts ein. 1914 war ganz Afrika im Besitz von sieben europäischen Mächten. Unabhängig blieben lediglich Äthiopien (Abessinien), das sich 1898 erfolgreich gegen einen Angriff Italiens wehrte, und Liberia, das von freigelassenen Sklaven aus Amerika gegründet und 1847 selbstständig wurde.

Das Afrika der Afrikaner ▸ Die Europäer wussten nicht erst seit den Reisen der Afrikaforscher, dass der Kontinent längst unter den Afrikanern „verteilt" war. Neben dem christlichen Kaiserreich Äthiopien existierten große Königreiche, wie Marokko und Madagaskar. In Westafrika und im Sudan hatten sich erst im 19. Jahrhundert islamische Großreiche gebildet. Man schätzt, dass es daneben noch etwa 10 000 Herrschaftsgebiete gegeben hat, die in der Regel von adeligen „Großleuten" (Stammeshäuptlingen) regiert wurden. Wie in Europa kam es oft zu Konflikten und Kriegen unter den Herrschern und Völkern Afrikas. Einer der Kriegsgründe war der Sklavenhandel, den einheimische Alleinherrscher in West- und in Ostafrika betrieben.

Auf nach Afrika! ▸ Die Afrikaforscher berichteten vom Reichtum an Rohstoffen und von der Fruchtbarkeit großer Teile des Kontinents. 1869 wurde der Suezkanal eröffnet, der den Weg nach Indien und Ostasien verkürzte, aber auch die Ostküste Afrikas leichter zugänglich machte. Im gleichen Jahr wurden in Südafrika Diamanten und etwas später Goldvorkommen entdeckt.

Unaufhaltsam breitete sich jetzt in Europa das Afrikafieber aus. Es erfasste zunächst risikofreudige Kaufleute, Landwirte und Bergwerksunternehmer, aber auch Missionare. Da diese bald in Konflikt mit anderen Europäern gerieten, benötigten sie den Schutz ihrer Regierungen.

M 2 Europäischer Kolonialbesitz in Afrika im Jahre 1914
Die Jahreszahlen in der Karte markieren den Beginn des staatlichen Schutzes des Mutterlandes über Ländereien, die in der Regel schon vorher erworben worden waren.
Sind zwei Jahreszahlen angegeben, bedeutet dies, dass die ursprüngliche Kolonie immer wieder erweitert wurde.

Auf der Afrikakonferenz in Berlin 1884 kamen die europäischen Mächte überein, den erworbenen Gebieten staatlichen Schutz zu geben und ihren Besitz gegenseitig anzuerkennen. Das Afrikafieber erfasste nun auch die Regierungen. Sie ließen Gebiete, die noch nicht verteilt waren, mit Waffengewalt erobern, wenn die einheimischen Führer sich nicht beugen wollten. Frankreich zwang so große Teile West- und Äquatorialafrikas unter seine Herrschaft. Großbritannien wollte die östliche Hälfte Afrikas von der Südspitze des Kontinents bis Ägypten in Besitz nehmen.

Was Afrika den Europäern lieferte

- Die wichtigsten Bodenschätze: Diamanten, Gold, Kohle, Kupfer.
- Landwirtschaftliche Produkte: Baumwolle, Datteln, Elfenbein, Kaffee, Kakao, Kautschuk, Palmöl, Reis, Sisal, Zuckerrohr.

Und die Afrikaner? ▸ Viele einheimische Großleute arrangierten sich mit den Europäern, indem sie Verträge abschlossen, die oft nur ihnen selbst Vorteile brachten, nicht aber ihren Völkern. Sie ließen zu, dass fremde Siedler ins Land kamen, dass nicht nur Bodenschätze und Wälder ausgebeutet wurden, sondern auch ihre Untertanen. Diese ließen sich allerdings nicht alles von den europäischen Herren gefallen. In vielen Kolonien erhoben sie sich gegen die weißen Eindringlinge. Hundert tausende Afrikaner kamen ums Leben, wenn die Kolonialmächte mit militärischer Gewalt zurückschlugen.

- In manchen Teilen Afrikas schlossen afrikanische Großleute Verträge mit Europäern, die versprachen, sie gegen afrikanische und arabische Sklavenhändler zu schützen.
- Viele Afrikaner lernten in den Kolonialschulen und bei den Missionaren nicht nur Lesen und Schreiben, sondern erfuhren auch etwas über Menschenrechte und Nächstenliebe. Kein Wunder, dass sie solche Errungenschaften auch für sich einforderten. Das Verlangen nach politischer Unabhängigkeit von den europäischen Kolonialmächten tauchte jedoch erst im 20. Jahrhundert auf.

Schauplatz Deutsch-Südwestafrika

A 1 Was bedeutet der Satz: Das Deutsche Reich nahm Südwestafrika unter seinen Schutz? Wie sah dieser Schutz aus?

A 2 Nenne Gründe für den Konflikt zwischen Deutschen und Afrikanern.

A 3 Berichte, was 1904 am Waterberg passierte.

A 4 Warum spricht man von einem Völkermord, den das deutsche Militär zu verantworten hat?

Deutschlands erste Kolonie ▸ Die Errichtung der Kolonie Deutsch-Südwestafrikas ging auf private Initiativen zurück. Der Bremer Kaufmann Adolf Lüderitz gründete in der Bucht Angra Pequena (Lüderitzbucht) eine Handelsniederlassung. Nach und nach erwarb er von eingeborenen Häuptlingen große Landstriche. Seine Hoffnung, wertvolle Bodenschätze zu finden, erfüllte sich nicht. Um seinen Besitz gegenüber den Briten zu sichern, bemühte sich Lüderitz um den Schutz des Deutschen Reiches, den er 1884 erhielt. Damit wurde Südwestafrika die erste deutsche Kolonie.

Konflikte um die Weiden ▸ Deutsch-Südwestafrika war – wie die anderen Teile Afrikas auch – kein menschenleeres Land. Hier lebten unterschiedliche Völker, wie die Nama, Herero und Damara im Süden und in der Mitte sowie die Ambo im Norden. Die Afrikaner waren Viehzüchter, die mit ihren Herden wanderten. Im Streit um Weiden und Wasserstellen kam es oft zu gewaltsamen Auseinandersetzungen unter ihnen. Die Probleme vermehrten sich, als deutsche Siedler ins Land kamen, die ebenfalls Viehzüchter waren. Sie hatten das Land von der Deutschen Kolonialgesellschaft gekauft. Dass die Eingeborenen auch Besitzrechte hatten, kümmerte niemand. 1893 rebellierten erstmals die Nama, 1904 die Herero und 1904 bis 1907 nochmals die Nama. Zehntausende schwarze Südwestafrikaner kamen im Kampf mit der deutschen Schutztruppe ums Leben.

M 1 Mit Maschinengewehren ausgerüstete deutsche Schutztruppe im Kampf gegen die aufständischen Herero

M 2 „Uns gehört Hereroland!“

Ein heutiger Verfasser schreibt über die Ereignisse des Jahres 1904:

Die Lage war kritisch in der Kolonie. Seit Jahresbeginn schon rüsteten die Herero heimlich zum Aufstand. Wie die Nama ein Jahrzehnt zuvor, wollten sie sich nicht damit abfinden, dass immer mehr Weideflächen für ihre Viehherden an deutsche Siedler verloren gingen. Überfälle auf Farmen, Mord, Plünderung und Verwüstung häuften sich, Eisenbahnschienen, Brücken und Telegrafenlinien wurden zerstört.

Am 11. August, bei Sonnenaufgang, kam es am Waterberg zur Entscheidungsschlacht. Das gesamte Hererovolk hatte sich dort mit seinen Rinderherden zusammengezogen. Frauen standen in der zweiten Linie hinter den Kriegern und riefen in Deutsch: „Wem gehört Hereroland? Uns gehört Hereroland, uns gehört Hereroland!“

Nach grausamen Kämpfen waren die Herero tags darauf geschlagen. Am dritten Tag nahm die Schutztruppe die Verfolgung des fliehenden Volkes auf, trieb es in das wasserlose Sandveld und riegelte die Wüste ab. Ein Tagesbefehl des kommandierenden Generals von Trotha besiegelte den Genozid [Völkermord]: „Innerhalb der deutschen Grenzen wird jeder Herero, mit oder ohne Gewehr, mit oder ohne Vieh, erschossen. Ich nehme keine Weiber und Kinder mehr auf, ich treibe sie zu ihrem Volk zurück oder lasse auf sie schießen.“ Von 60 000 Herero überlebten 20 000. Viele Gefangene starben auf dem Weg in Zwangsarbeitslager.

M 3 Hendrik Witbooi, Häuptling der Nama (1834–1904), auf einem namibischen Geldschein. Witbooi weigerte sich, den Weißen Land zu verkaufen. Er war Christ und konnte lesen und schreiben. In seinen Briefen an die Kolonialverwaltung zweifelte er die Rechtmäßigkeit der deutschen Herrschaft über die Afrikaner an. Witbooi wurde beim Aufstand 1904 getötet.

M 4 Herero, die den Völkermord von 1904 überlebt hatten, mussten Zwangsarbeit leisten.

Kurz und klar

- Im letzten Drittel des 19. Jahrhunderts teilten die imperialistischen Staaten Europas Afrika unter sich auf.
- An diesem Wettlauf um Kolonien beteiligte sich auch Deutschland. 1884/1885 ergriff es Besitz von Südwestafrika, Kamerun, Togo und Ostafrika. Konflikte mit den Afrikanern führten zu Kriegen, in denen Zehntausende Eingeborene ihr Leben ließen.

Wir werten Bilder und Texte aus den ehemaligen Kolonien aus

Die Texte und Bilder auf diesen beiden Seiten haben etwas mit der Beziehung von Schwarzen und Weißen zur Zeit der Kolonisierung Afrikas zu tun.

Der erste Schritt Den Inhalt der Texte wahrnehmen und verstehen. *Beschreiben, was auf den Bildern zu sehen ist.*

Der zweite Schritt Entscheiden, welche Aussagen wichtig erscheinen.
In den Texten kann das ein einzelner Satz oder eine Zusammenfassung verstreuter Aussagen sein.
In den Bildern kann das eine Geste oder ein Gesichtsausdruck sein.

Der dritte Schritt Festlegen und begründen, wer welchen Text geschrieben hat:
- ein deutscher Kolonialbeamter,
- eine führende afrikanische Persönlichkeit,
- Eingeborene einer Kolonie.

Der vierte Schritt Die Ergebnisse miteinander diskutieren. Suchen, welche Antworten in den Texten 1 und 2 auf Aussagen und Fragen im Text 3 zu finden sind.
Sich in die Lage der Menschen auf den Bildern versetzen und Gedanken formulieren, die sie sich gerade machen könnten.

Neger Frühere Bezeichnung für dunkelhäutige Afrikaner und Amerikaner. Sie geht auf das Lateinische niger (schwarz) zurück. Von den betroffenen Menschen wird heute „Neger“ als Diskriminierung empfunden.

M 1 Text Nummer 1 (1894)

Sie sagen, dass es Ihnen leidtut, dass ich den Schutz des Deutschen Kaisers nicht anerkennen will und dass Sie mir dies als Schuld anrechnen und mich mit Waffengewalt strafen wollen. Dies beantworte ich so: Ich habe den Deutschen Kaiser in meinem Leben noch nicht gesehen, deshalb habe ich ihn auch noch nicht erzürnt mit Worten oder Taten. Gott, der Herr, hat verschiedene Königreiche auf die Welt gesetzt und deshalb weiß und glaube ich, dass es keine Sünde und kein Verbrechen ist, dass ich ein selbstständiger Häuptling meines Landes und Volkes bleiben will. Wenn Sie mich wegen meiner Selbstständigkeit über mein Land und ohne Schuld töten wollen, so ist das auch keine Schande und kein Schaden, denn dann sterbe ich ehrlich über mein Eigentum. [...] Sie kommen zu mir mit Waffengewalt und haben mir erklärt, dass Sie mich beschießen wollen. So denke ich diesmal auch, wieder zu schießen, nicht in meinem Namen, nicht in meiner Kraft, sondern in dem Namen des Herrn und in Seiner Kraft, und mit Seiner Hilfe werde ich mich wehren.

M 2 Text Nummer 2 (1913)

Rechtsstreitigkeiten zwischen Europäern und Eingeborenen werden vielfach derart gerichtet, dass der Eingeborene stets der Verlierende ist; und wird mit unangemessener Strafe belegt. Es ist leider sehr oft vorgekommen, dass der Eingeborene beim Nichtgrüßen eines unbekannten Europäers von diesem einfach tätlich angegriffen wird; ist der betreffende Europäer ein Beamter, so wird der Unglückliche ohne weiteres und ohne Rücksicht auf die Bildung zur Züchtigung auf das Bezirksamt oder die Station geführt. Ferner, macht der angegriffene Eingeborene Gebrauch von der Selbstverteidigung einem Europäer gegenüber, so wird dieser noch obendrein zu Unrecht mit ungewöhnlich hoher Strafe belegt. Was die Kettenhaft anbelangt, halten wir solche für nicht notwendig. In so einer christlichen Stadt wie Lome, die bereits auf eine gewisse Stufe der Kultur gestiegen ist, ist grundsätzlich das Anketten der Gefangenen unangebracht. Wir halten es für eine spielende Leichtigkeit für eine so große Macht wie das Deutsche Reich, solche Sträflinge ohne Ketten in Sicherheit zu halten. Die Prügelstrafe bitten wir ebenfalls abzuschaffen. Hierzu bitten wir zu bemerken, dass die Bewohner der Nachbarkolonien uns zu unserer größten Beschämung „Kinder der Kette und des Prügels“ nennen.

M 3 **Bild Nummer 1:** Fotografie aus dem Jahr 1885

M 4 Text Nummer 3 (1906)

Wozu wollen wir den Neger erziehen? [...] Wir müssen uns zuerst eine zweite wichtige Frage beantworten, aber ehrlich beantworten; das ist die: Weshalb haben wir überhaupt Kolonien erworben? Antwort: Getrieben vom Kampfe ums Dasein, vom Expansionstriebe der Rasse, welcher der heimische Boden zu eng wird, getrieben von dem Willen, dem Mutterlande neue Quellen zuzuführen und neue Absatzmärkte zu verschaffen. Alle anderen Motive sind später erst hineingetragen worden, um dem nackten Kinde ein Mäntelchen umzuhängen. [...] Legen wir uns jetzt nochmals die Frage vor: Wozu sollen wir den Neger erziehen? Meine kurze und bündige Antwort lautet: zur Arbeit für uns. Tun wir das, so haben wir den materiellen Nutzen auf unserer Seite und eine Veredlung der Eingeborenen auf der anderen Seite. Denn Arbeit hat schon immer einen veredelnden Einfluss ausgeübt. [...] Ich möchte nicht den Glauben erwecken, als wenn der Erziehungszeitraum, dessen der Neger bedarf, dem des Kindes gleichzusetzen sei. Jahrhunderte wird er für den Neger dauern und hoffentlich wird er auch dann nicht seinem europäischen Lehrmeister über den Kopf wachsen, sondern dauernd im Vergleich zu ihm der Unmündige bleiben. „Afrika den Afrikanern“, sagt der Afrikaforscher Zintgraff treffend, „aber uns die Afrikaner!“.

M 5 **Bild Nummer 2:** Fotografie aus der Zeit um 1900

Machtgerangel in Europa

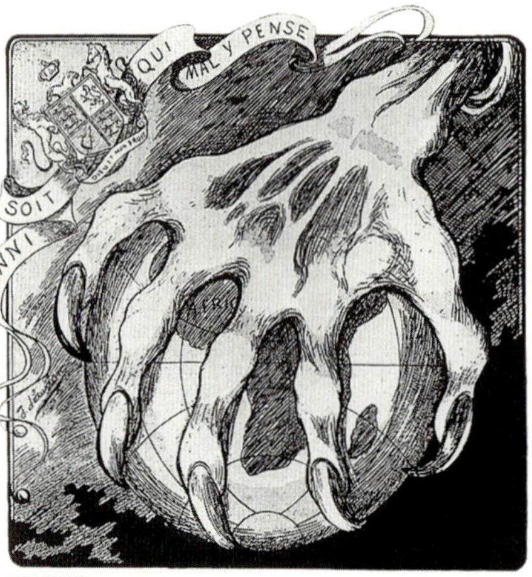

M 1 Französische Karikatur zur Faschodakrise 1898

A 1 Beschreibe und erkläre, was die französischen Karikaturisten in M 1 und M 4 aussagen wollten.

A 2 Suche die vier in den Texten genannten Schauplätze auf der Karte M 2 (Seite 114/115) und berichte, worum es jeweils ging.

M 2 Das Gebiet, in dem der russisch-japanische Krieg 1904/1905 stattfand.

Wie die folgenden Beispiele belegen, führte der Wettlauf um die Aufteilung der Welt immer wieder zu gefährlichen Konflikten zwischen den europäischen Kolonialmächten:

Zwischen Frankreich und Großbritannien ▸ 1898 erreichten französische Soldaten Faschoda, ein kleines Dorf am oberen Nil, und nahmen es für Frankreich in Besitz. Sie sollten eine Landverbindung von Senegal bis zum Roten Meer herstellen. Wenig später kamen britische Truppen nach Faschoda. Sie sollten die Landverbindung „vom Kap bis Kairo" vervollständigen. Großbritannien forderte von Frankreich den Rückzug aus dem Sudan. Damals bot diese Forderung eigentlich den Anlass, zu den Waffen zu greifen. Doch für einen Krieg war Frankreich nicht genügend gerüstet. Die beiden Staaten einigten sich schließlich auf gemeinsame Grenzen in der Region.

Zwischen Großbritannien und Deutschland ▸ In Südafrika gab es immer wieder Konflikte zwischen den Buren und den Briten. Die Buren waren niederländische und französiche Siedler, die im 17. Jahrhundert eingewandert waren. Bedrängt von den Briten zogen sie in nördlicher gelegene Gebiete und gründeten dort eigene Staaten (Transval und Oranjefreistaat). Als die Buren 1896 den britischer Versuch vereitelten, die Regierung von Transval zu stürzen, schickte ihnen Kaiser Wilhelm II. ein Glückwunschtelegramm. In England rief die deutsche Einmischung große Verärgerung hervor. 1899 brach der Krieg zwischen den Burenstaaten und Großbritannien aus. Die Buren warteten vergebens auf militärische Hilfe aus Deutschland. Die Firma Krupp allerdings lieferte Kanonen an beide Krieg führenden Parteien.

Zwischen Russland und Japan ▸ Russland hatte nach 1900 die zu China gehörende Mandschurei besetzt und wollte auch Korea haben. In beiden Gebieten, in denen es Kohle und Eisenerz gab, beanspruchte auch Japan die Herrschaft. Deshalb kam es 1904/1905 zum russisch-japanischen Krieg, den Japan gewann. Das Zarenreich musste sich aus der Mandschurei zurückziehen und den Japanern Korea überlassen. Der Krieg im fernen Osten warf auch seine Schatten auf Europa. Großbritannien war damals ein Rivale Russlands in Asien und deshalb ein Verbündeter Japans. Es drohte dem deutschen Kaiser mit Krieg, weil er seinen Vetter Zar Nikolaus II. mit umfangreichen Waffen- und Kohlelieferungen unterstützte.

M 3 Großkampfschiffe (Schiffe mit bis zu zwölf schweren Geschützen), gebaut zwischen 1905 und 1911. Das Machtgerangel zwischen den europäischen Mächten führte zu einem Rüstungswettlauf, vor allem zwischen Deutschland und Großbritannien, das sich vom deutschen Flottenbau herausgefordert fühlte.

A 3 Erläutere die militärischen Machtverhältnisse der europäischen Staaten (M 3).

A 4 Erstelle ein Zeitleiste für die in den Texten genannten Ereignisse.

Zwischen Frankreich und Deutschland ▸ Die nächsten Kriegsgefahren wurden durch die „Marokkokrisen" ausgelöst. Das Königreich Marokko war um 1900 noch keine europäische Kolonie. Da Frankreich und Deutschland das rohstoffreiche Land für sich haben wollten, kam es zu erheblichen Spannungen zwischen beiden Staaten. Die erste Krise wurde ausgelöst, als Wilhelm II. 1905 die marokkanische Hafenstadt Tanger besuchte und damit Frankreich herausforderte. Großbritannien stellte sich auf die Seite Frankreichs. Die zweite Krise wurde 1911 ausgelöst, als die französische Regierung Truppen nach Marokko schickte, nachdem dort Unruhen ausgebrochen waren. Wilhelm II. entsandte sofort ein Kriegsschiff nach Marokko. Eine britische Nachrichtenagentur meldete bereits den Kriegsausbruch. Doch die beiden Länder legten die Krise durch Verhandlungen bei: Deutschland gab seinen Anspruch auf Marokko auf und erhielt dafür französische Gebiete in Kamerun. Es geriet aber immer mehr in die Isolation.

M 4 Französische Karikatur (1890). Die Vertreter der europäischen Großmächte rufen dem deutschen Kaiser zu: „Mach so nicht weiter, sonst wirst du uns alle umkippen."

Isolation Deutschlands ▸ In Europa gab es im 19. Jahrhundert ein Netz von Bündnissen, das den Frieden sichern sollte. Die Rivalitäten der imperialistischen Mächte untereinander führten zu wechselnden Bündnissen. Nur Deutschland geriet durch die forsche und oft unüberlegte Großmachtpolitik seines Kaisers in die Isolation. Um 1910 stand es mit seinem Partner Österreich den miteinander verbündeten großen Mächten Frankreich, Großbritannien und Russland gegenüber.

Kurz und klar

- Der Wettlauf um Kolonien zwischen den europäischen Mächten führte immer wieder zu Spannungen und Konflikten untereinander.
- Die Faschodakrise, der Burenkrieg, der russisch-japanische Krieg und die Marokkokrisen brachten sie sogar an den Rand eines Krieges.
- Deutschland sollte nach dem Willen Kaiser Wilhelms II. Weltmacht werden. Seine Politik isolierte Deutschland in Europa.

Das „Pulverfass Europas“ explodiert

A 1 Beschreibe, wie sich die Staatenwelt auf dem Balkan zwischen 1908 und 1913 verändert hat.

A 2 Erkläre, warum man den Balkan mit einem „Pulverfass“ verglichen hat.

A 3 Berichte, warum die Schüsse in Sarajewo einen Krieg unter den europäischen Mächten auslösen konnten.

Wem gehört der Balkan? Nahezu ganz Südosteuropa war jahrhundertelang Teil des Osmanischen (türkischen) Reiches (M 1). Im Laufe des 19. Jahrhunderts gelang es den Balkanvölkern, sich von der türkischen Herrschaft zu befreien und eigene Staaten zu gründen (M 2). 1912 kämpften sie noch gemeinsam gegen die Türken. Ein Jahr später zogen sie gegeneinander in den Krieg, weil sie sich über die Aufteilung der befreiten Gebiete nicht einigen konnten. Die Ziehung neuer Grenzen hatte zur Folge, dass Unzählige ihre Heimat verließen, weil sie nicht einer anderen Nation angehören oder mit Andersgläubigen zusammenleben wollten.

Die Fronten sind klar Österreich-Ungarn annektierte 1908 Bosnien-Herzegowina. Dagegen protestierte Serbien, das dieses Gebiet ebenfalls beanspruchte. Serbien wurde vom russischen Zaren unterstützt, der sich als Schutzherr der Slawen auf dem Balkan betrachtete. Österreich war mit Deutschland verbündet. Bis 1909 verschärften sich zwar die Spannungen, aber weder Russland, noch seine Verbündeten Frankreich und England waren bereit, wegen Bosnien einen Krieg zu beginnen. Das änderte sich allerdings im Juli und August des Jahres 1914.

M 1 Der Balkan 1908. Die rote Linie zeigt den Verlauf der Grenzen des Osmanischen Reiches um 1800.

M 2 Der Balkan 1913. Seine Staatenwelt hat sich im Vergleich zu 1908 merklich verändert.

Extra-Blatt
Sarajewo, 28. Juni 1914

Der österreichische Thronfolger und seine Gattin ermordet

Als der Erzherzog Franz Ferdinand und seine Gattin, die Herzogin von Hohenberg, sich heute Vormittag zum Empfang in das hiesige Rathaus begaben, wurde gegen das erzherzogliche Automobil eine Bombe geschleudert, die jedoch explodierte, als das Automobil des Thronfolgers die Stelle bereits passiert hatte. Der Täter wurde sofort verhaftet.

Nach dem festlichen Empfang im Rathaus setzte das Thronfolgerehepaar die Rundfahrt fort. Unweit des Regierungsgebäudes schoss ein Gymnasiast namens Prinzip aus einer Pistole mehrere Schüsse gegen das Thronfolgerehepaar. Der Erzherzog wurde im Gesicht, die Herzogin im Unterleib getroffen. Beide verschieden, kurz nachdem sie in das Krankenhaus gebracht worden waren, an den erlittenen Wunden. Auch der zweite Attentäter wurde verhaftet. Die erbitterte Menge hat die beiden Attentäter nahezu gelyncht.

M 3 Im Juni 1914 fanden österreichische Militärmanöver in Bosnien statt. Bei dieser Gelegenheit besuchten der Thronfolger Erzherzog Ferdinand und seine Frau die Hauptstadt Sarajewo.

Kettenreaktion in Europa

5. Juli ▸ Der österreichische Kaiser Franz Joseph will Serbien für das Attentat in Sarajewo bestrafen. Er bittet den deutschen Kaiser Wilhelm II. Österreich dabei zu unterstützen. Wilhelm sagt ihm die Hilfe Deutschlands zu.

23. Juli ▸ Österreich beschuldigt Serbien der Anstiftung zum Attentat. Es verlangt eine gerichtliche Untersuchung unter Mitwirkung von österreichischen Beamten.

28. Juli ▸ Da sich Serbien weigert, die österreichischen Forderungen zu erfüllen, erklärt Österreich Serbien den Krieg.

29. Juli ▸ Der britische Außenminister gibt bekannt, dass sein Land Frankreich beistehen werde, sollte es zum großen Krieg kommen.

30. Juli ▸ Zar Nikolaus II. ordnet die russische Mobilmachung an. Der deutsche Reichskanzler drängt Wien erfolglos, die Briten als Vermittler anzuerkennen.

31. Juli ▸ Deutschland droht dem Zaren mit dem Krieg, wenn er innerhalb von 12 Stunden nicht die Mobilmachung zurücknimmt. Deutschland fordert Frankreich auf, sich innerhalb von 18 Stunden für neutral zu erklären. Die Antwort ist die französische Mobilmachung.

1. August ▸ Deutschland erklärt Russland den Krieg.

2. August ▸ Deutsche Truppen marschieren in das neutrale Luxemburg ein.

3. August ▸ Deutschland erklärt Frankreich den Krieg.

4. August ▸ Großbritannien tritt in den Krieg ein, weil Deutschland in das neutrale Belgien einmarschiert ist.

6. August ▸ Österreich erklärt Russland den Krieg. Serbien erklärt Deutschland den Krieg.

11./12. August ▸ Frankreich und Großbritannien erklären Österreich den Krieg.

Der Erste Weltkrieg im Westen

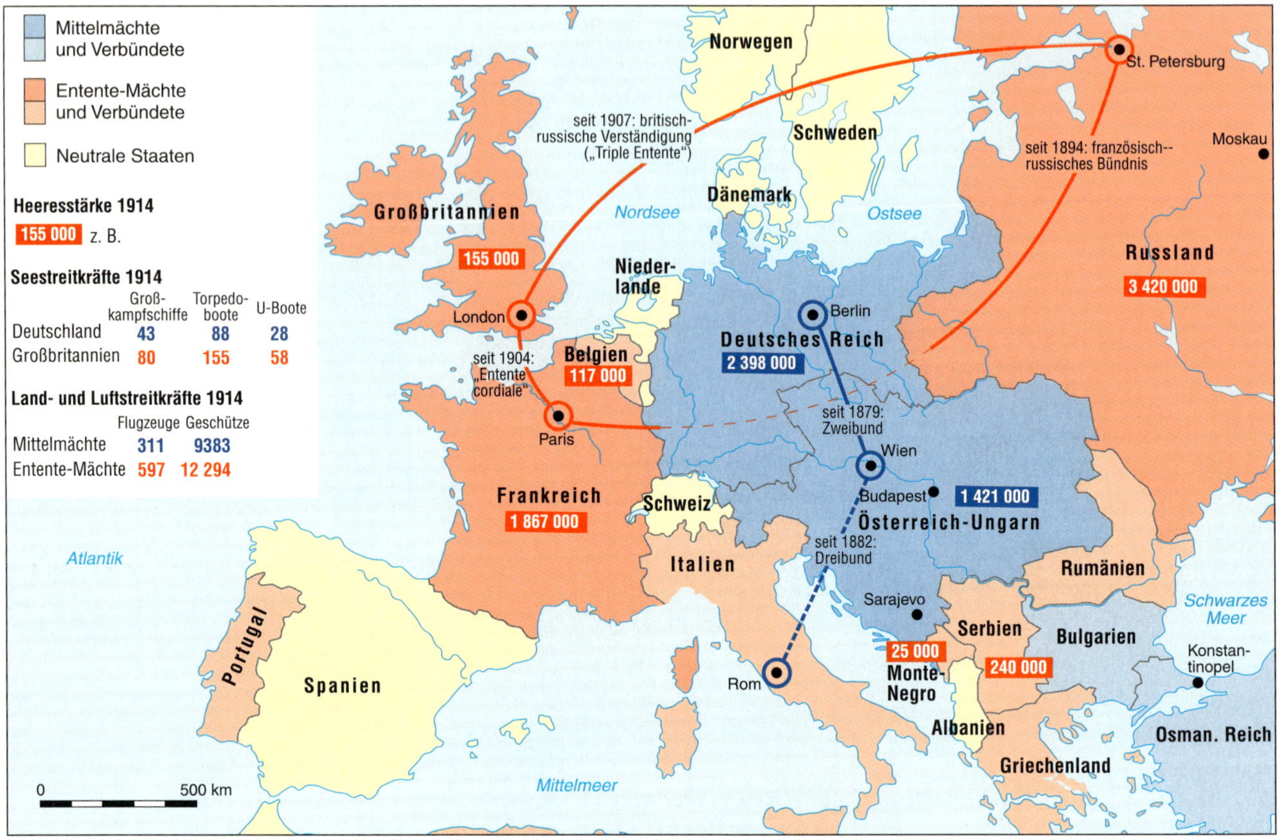

M 1 Die Gegner im Ersten Weltkrieg
Wer gegeneinander in den Krieg zog, das entschieden die Bündnisse, die zum Teil schon Jahre vor Kriegsbeginn geschlossen worden waren und Europa in zwei Blöcke teilten.
„Triple Entente" = Dreierbündnis, „Entete cordiale" = herzliches Bündnis.

Italien war mit Österreich und Deutschland verbündet (Dreibund), hatte aber auch einen Vertrag mit Frankreich geschlossen. Es erklärte 1914 seine Neutralität und verbündete sich 1915 mit den Entente-Mächten. Dasselbe taten 1916 Rumänien und 1917 Griechenland.

Das Osmanische Reich (Türkei), zu dem 1914 Teile der arabischen Halbinsel, die heutigen Staaten Libanon, Syrien, Israel, Jordanien, Irak, Saudi-Arabien und Jemen, gehörten, verbündete sich mit Deutschland und trat auf seiner Seite in den Krieg ein.

Bulgarien trat 1915 den Mittelmächten bei, die ihm dafür Gebietsgewinne in Serbien und Griechenland versprachen.

A 1 Erkläre die Begriffe „Mittelmächte" und „Entente-Mächte".

A 2 Fasse in einer Auflistung zusammen: die Heeresstärke (1914) der Mittel- und der Entente-Mächte, deren Schiffe (Kampfschiffe und Torpedoboote und U-Boote), Flugzeuge und Geschütze (M 1). Welche Schlussfolgerung kannst du daraus ziehen?

A 3 Benenne fünf Staaten, die im Krieg neutral blieben.

M 2 Diese Geschichtskarte zeigt die Bewegung der deutschen Armeen zu Beginn des Krieges und den Frontenverlauf am Ende des Krieges. „Hindenburg-Linie" wird die Frontlinie bezeichnet, auf die sich die deutschen Truppen unter dem Chef des Generalstabs, Paul von Hindenburg, zurückgezogen hatten.

Blitzkrieg gegen Frankreich? ▸ Die deutsche Generäle waren überzeugt, Frankreich in wenigen Wochen besiegen zu können. Die deutsch-französische Grenze war durch den Gebirgszug der Vogesen und durch Festungen geschutzt. Um Frankreich von Norden her anzugreifen, mussten deutsche Truppen durch das neutrale Belgien marschieren. Nach heftigen Kämpfen mit belgischen, französischen und britischen Verbänden kamen die Deutschen bis auf 20 Kilometer an Paris heran. Der Sieg schien zum Greifen nahe. Da gelang es den Franzosen, den deutschen Vormarsch aufzuhalten und die Front wieder zurückzuschieben. Aus dem Bewegungskrieg wurde ein Stellungskrieg, der bis 1918 dauerte. Schon im ersten Kriegsmonat erlebten die Soldaten auf beiden Seiten die verheerende Wirkung neuer Feuerwaffen. Bis Ende August wurden bereits 260 000 Tote gezählt.

A 4 Beschreibe die Bewegungen der deutschen Truppen, wie sie in M 2 dargestellt sind.

Stellungskrieg ▸ Gegensatz zum Bewegungskrieg. Die Armeen gruben sich entlang einer 700 Kilometer langen Frontlinie von der Kanalküste bis zur Schweizer Grenze in die Erde ein.

Entente (sprich: [ã'tã:t] ▸ Französisches Wort für „Bündnis". Ihm gehörten Frankreich, Großbritannien und Russland an.

Völkerrecht ▸ Es regelt die Beziehungen selbstständiger Staaten untereinander. Dazu gehören die Unverletzlichkeit der Grenzen, das Recht, den Krieg zu erklären, das Recht in Konflikten neutral zu bleiben.

M 3 1914: „Auf zum Preisschießen nach Paris" steht auf dem Eisenbahnwaggon. Noch betrachten die Soldaten den Krieg als sportliches Ereignis.

Der Erste Weltkrieg im Osten

M 1 Der russische Zar Nikolaus II. im Krönungsornat. Nikolaus bestieg 1894 den Thron. Er führte sein Land 1914 in den Krieg und musste 1917 abdanken. 1918 wurden er und seine Familie von bolschewistischen Revolutionstruppen ermordet.

Erste Kämpfe an der Ostfront ▸ Von Anfang an befand sich Deutschland in einem Zweifrontenkrieg. Der Plan der deutschen Heeresleitung war es, Frankreich schnell zu besiegen und dann die frei werdenden militärischen Kräfte an die Ostfront zu bringen. Doch Zar Nikolaus II. durchkreuzte diesen Plan. Bereits Mitte August 1914 drangen russische Armeen mit einer Stärke von 650 000 Mann in Ostpreußen ein. Ihnen stand ein Heer von 170 000 Deutschen gegenüber. In der Zivilbevölkerung brach Panik aus, Tausende flüchteten vor den anrückenden Russen. Zur Verteidigung Ostpreußens wurde der General Paul von Hindenburg aus dem Ruhestand zurückgeholt. Ihm gelang es, mit seinen Truppen die Russen in den Schlachten bei Tannenberg und an den Masurischen Seen (M 3) zu besiegen. Hindenburg wurde fortan als „Russenschreck“ und „Retter des Vaterlandes“ gefeiert.

M 2 Zu Beginn des Ersten Weltkrieges existierte Polen als Staat nicht. Es war zwischen Deutschland, Österreich-Ungarn und Russland aufgeteilt.

M 3 Die Ostfront des Ersten Weltkrieges

M 4 Lenin spricht 1917 vor revolutionären Arbeitern, Soldaten und Bauern. Hinter ihm ist sein Nachfolger Stalin erkennbar. Ausschnitt aus einem Geschichtsbild von Wladimir Serow (1955).

Hohe Verluste auf beiden Seiten 1915 wurden die deutschen Truppen im Osten auf 600 000 Mann aufgestockt. Ihnen gelang es, den österreichischen und den russischen Teil Polens (M 2) und große Teile des Baltikums zu erobern. Die russischen Streitkräfte zerstörten während ihres Rückzugs alles, was den Deutschen nützlich sein konnte. Zwei Jahre lang wogten die Kämpfe hin und her. Hunderttausende Soldaten kamen dabei ums Leben, wurden verwundet oder gerieten in Gefangenschaft. Die Deutschen teilten das eroberte Land in Verwaltungsgebiete ein, die Getreide und andere Rohstoffe in das deutsche Reich liefern sollten.

Ende der Zarenherrschaft Im kalten Kriegswinter 1916/1917 wurden in Russland die Lebensmittel knapp. Die hungernde Bevölkerung begann zu streiken. Im Februar 1917 gingen in Petrograd (St. Petersburg) etwa 200 000 Arbeiter auf die Straße. Als der Zar Militär einsetzen ließ, verbrüderten sich die Soldaten mit den Arbeitern. Nikolaus II. sah ein, dass er keine Macht mehr besaß, und dankte ab.

Revolution in Russland Im April 1917 half die deutsche Reichsregierung mit, dass der Revolutionär Lenin, der in der Schweiz im Exil lebte, nach Petrograd zurückkehrte. Sie hoffte, Lenin werde eine Revolution durchführen und Russland werde dann aus dem Krieg ausscheiden. Im Herbst 1917 ging ihre Rechnung auf. Die Bolschewisten stürzten die Regierung und Lenin errichtete mithilfe des Militärs eine „Diktatur des Proletariats". Die neuen Machthaber begannen Friedensverhandlungen mit den Mittelmächten. Als diese ins Stocken gerieten, eroberten sie in kurzer Zeit große Gebiete bis zum Schwarzen Meer (M 3). Im März 1918 wurde endlich der Frieden in Brest-Litowsk unterzeichnet.

Lenin Wladimir Iljitsch Lenin (1870–1924), war Mitbegründer des „Kampfbundes zur Befreiung der Arbeiterklasse". 1897–1900 wurde er wegen „revolutionärer Umtriebe" nach Sibirien verbannt. Lenin gründete die Bolschewistische Partei. Er musste mehrmals ins Ausland flüchten, um der Verfolgung im zaristischen Russland zu entgehen.

Bolschewiken Mitglieder einer radikalen Partei mit kommunistischem Programm. Sie hatten innerhalb der von Bauern, Arbeitern und Soldaten gewählten Räte (Sowjets) die Mehrheit. Bolsche = russisch „mehr".

A 1 Beschreibe das Kriegsgeschehen, das in der Karte M 3 dargestellt ist.

A 2 Erkläre die Ausdrücke „österreichischer Teil Polens" und „russischer Teil Polens".

A 3 Beschreibe, wie der Krieg an der Ostfront beendet wurde.

M 5 „Genosse Lenin säubert die Welt vom Unrat". Karikatur von 1921.

Materialschlachten – Menschenopfer

A 1 Nenne Gründe für die hohen Menschenverluste im Ersten Weltkrieg.

A 2 Was versteht man unter einer „Materialschlacht“?

M 1 Symbol des Stellungskrieges: der Schützengraben. Eine gestaffelte Anlage von Gräben und Unterständen machte einen Durchbruch der Angreifer nahezu unmöglich. Gefürchtet waren Volltreffer gegnerischer Granaten, die die Schützengräben leicht zu Todesfallen werden ließen.

Verdun ▸ Das war die am stärksten ausgebaute Verteidigungsanlage Frankreichs. Um sie entbrannte 1916 eine viele Monate dauernde Schlacht, die den Deutschen lediglich 15 Kilometer Bodengewinn brachte, aber eine halbe Million Tote und Verwundete auf beiden Seiten kostete. Heute ist Verdun ein Symbol für die Aussöhnung Frankreichs und Deutschlands.

Im Ersten Weltkrieg starben neun Millionen Menschen an der Front, oft nach schlimmen Verwundungen und Qualen. Welche Gründe gibt es für diese hohen Verluste?

- Den Armeen auf beiden Seiten standen erstmals Waffen zur Verfügung, die eine Zerstörungskraft von bisher nicht gekanntem Ausmaß hatten: im Landkrieg Maschinengewehre, Flammenwerfer, Handgranaten, weit reichende Kanonen, Tanks (Panzer) und Giftgas; im Seekrieg Unterseeboote, Torpedos und Kriegsschiffe; im Luftkrieg Bomben und Maschinengewehre.
- Die von beiden Seiten eingesetzte Taktik zwang die Soldaten nach dem Trommelfeuer der Kanonen die Schützengräben zu verlassen und anzugreifen. Dabei wurden sie oft zu Hunderten von gegnerischen Maschinengewehren nieder gemäht.

M 2 Materialschlachten

Ein Historiker unserer Tage beschreibt die Schlacht an der Somme (1916):

▸ An der Somme wollte der britische Feldmarschall Douglas Haig die deutschen Linien durchbrechen. Der Angriff wurde mit einem sechs Tage dauernden Bombardement vorbereitet. In dessen Verlauf wurden zirka drei Millionen Granaten an einem schmalen Frontabschnitt von 20 Kilometern auf die deutschen Stellungen verschossen. Haig glaubte danach, die Deutschen in den Unterständen ausgeschaltet oder gar vernichtet zu haben. Doch als der britische Sturmangriff durch das Niemandsland begann, kamen die Deutschen, die keineswegs alle getötet worden waren, aus ihren Höhlenbauten hervor, pflanzten Maschinengewehre auf und setzten Flammenwerfer ein. Am Ende des Tages waren 60 000 Engländer gefallen [...]. Es folgten während der langen Schlacht an der Somme viele weitere Angriffe und Gegenangriffe dieser Art. Als sie schließlich abgebrochen wurde, waren 1,3 Millionen Männer verwundet oder gefallen.

M 3 Alles wird maschinenmäßig

Ein Soldat berichtet vom Schlachtfeld bei Verdun:

▸ Denn wenn man im Graben steht und sich nicht regen darf, wenn die Minen und Granaten kommen, so ist das wohl Kampf, aber keine lebendige Tat, sondern das grauenvolle Gegenteil davon. Das ist überhaupt das Scheußliche in dem jetzigen Krieg – alles wird maschinenmäßig, man könnte den Krieg eine Industrie gewerbsmäßigen Menschenschlachtens nennen.

M 4 Im Ersten Weltkrieg wurden die Geschütze der Artillerie erstmals aus verdeckter Stellung, das heißt ohne Sicht zum Ziel, eingesetzt. Ihr Geschossfeuer wurde über Telefon, Funk und über Flugzeuge geleitet.

Gaskrieg ▸ Den ersten Gasangriff unternahmen 1915 die Deutschen. Bald folgten die Briten und Franzosen, die ebenfalls an diesem Kampfstoff arbeiteten. Die Soldaten konnten sich vor der tödlichen Wirkung des Gases durch Gasmasken schützen. Man rechnet, dass während des Kriegs 20 000 Soldaten durch Gas ums Leben kamen und eine halbe Million verletzt wurde.

M 5 Deutsche Soldaten mit Maschinengewehr und Gasmasken. Maschinengewehre sind vollautomatische Handfeuerwaffen, die in der Minute bis zu 1200 Schuss abfeuern können.

M 6 Luftkampf. Ausschnitt aus dem Gemälde eines ehemaligen Piloten.

Zu Beginn des Krieges wurden Flugzeuge in erster Linie zur Beobachtung der Front und zur Lenkung des Artilleriefeuers eingesetzt. Später wurden sie mit Maschinengewehren und Bomben ausgestattet. Erstmals wurden auch gegnerische Städte bombardiert, um unter der Bevölkerung Angst und Schrecken zu verbreiten.

M 7 Eine neue Waffe ab 1916: Tanks (Panzer). Während die Franzosen und die Briten bis Kriegsende zirka 6000 Tanks zur Verfügung hatten, konnten die Deutschen nur 20 gepanzerte Kampfwagen einsetzen.

A 3 Im Bayerischen Armeemuseum in Ingolstadt gibt es eine Dauerausstellung zum Ersten Weltkrieg. Macht eine Exkursion dorthin, sucht euch einzelne Themen aus und präsentiert eure Ergebnisse.

Der Weltkrieg

Der Krieg zwischen 1914 und 1918 wird „Weltkrieg“ genannt, weil auf dem europäischen Kriegsschauplatz Soldaten aus allen Erdteilen eingesetzt wurden und auch in Asien und Afrika sowie auf den Weltmeeren gekämpft wurde.

Kanada ▸ hatte 1914 keine Wahl. Als britisches Dominion, das keine eigene Außenpolitik treiben konnte, musste es Truppen nach Europa entsenden. Von den 600 000 Kanadiern, die an der Westfront eingesetzt waren, fielen 60 000. Nach dem Krieg wurde Kanada ein selbstständiger Staat, blieb aber im Commonwealth.

Die USA ▸ hatten sich 1914 für neutral erklärt, was sie aber nicht davon abhielt, kriegswichtige Rohstoffe und Munition nach Großbritannien und Frankreich zu liefern. Um diese Transporte zu unterbinden, setzte Deutschland seine neuen U-Boote ein. 1915 traf ein deutsches Torpedo den britischen Luxusdampfer „Lusitania“, das 1200 Menschen, darunter auch 128 Amerikaner, und 5000 Kisten Munition mit in die Tiefe riss. Als auch amerikanische Schiffe versenkt wurden, erklärten die USA 1917 Deutschland den Krieg, und mit ihnen fast alle Staaten Mittel- und Südamerikas. Die USA schickten in den letzten beiden Kriegsjahren zwei Millionen Soldaten, die gegen die erschöpften deutschen Truppen kämpften und so den Krieg entschieden. 117 000 US-Amerikaner kamen an der Westfront ums Leben.

Das Osmanische Reich (Türkei) ▸ wollte den Krieg nutzen, um sein Reich um Gebiete Russlands im Kaukasus zu erweitern. Es hatte damit keinen Erfolg, wehrte sich aber erfolgreich gegen den Versuch britischer und australischer Truppen, den Zugang zum Schwarzen Meer und Konstantinopel (Istanbul) zu erobern.

Der Krieg tobte auch auf der arabischen Halbinsel. Britische und indische Verbände drangen 1914 vom Persischen Golf aus in das ölreiche Zweistromland (heute Irak) ein, konnten aber erst 1917 Bagdad einnehmen.
Auf der westlichen Seite der Halbinsel erhoben sich die Araber gegen die türkische Herrschaft. Die Briten eroberten 1917 Jerusalem, das 400 Jahre lang in türkischer Hand war.
Im Inneren führte die türkische Regierung einen Krieg gegen die christliche Minderheit der Armenier, denen sie eine größere kulturelle Eigenständigkeit verweigerte. Über eine Million Armenier kamen bei den Säuberungsmaßnahmen ums Leben. Das war der erste Völkermord des 20. Jahrhunderts. Der Verbündete Deutschland sah dabei tatenlos zu.
Deutschland unterstützte die Türken mit 18 000 Mann. Diese konnten aber nicht verhindern, dass der osmanische Vielvölkerstaat unter den Angriffen der Alliierten zerbrach.

M 1 Schauplätze des Weltkriege

U-Boot-Krieg

▸ Nachdem Großbritannien die Nordsee abriegelte (Seeblockade), setzte die deutsche Kriegsführung Unterseeboote ein, die ohne Vorwarnung auch alliierte Handelsschiffe angriffen. Auf diese Weise versenkten deutsche U-Boote im Atlantik und im Mittelmeer neben vielen Kriegsschiffen über 5000 Handelsschiffe.

Der ab 1917 verstärkte U-Boot-Einsatz brachte aber nicht die erhoffte Wende im Krieg, denn schnell hatten die Alliierten gelernt, die deutschen U-Boote wirkungsvoll zu bekämpfen. Deutschland verlor die Hälfte der insgesamt 380 eingesetzten U-Boote.

Der Seekrieg kostete 70 000 deutschen und britischen Seeleuten das Leben!

Die deutschen Kolonien

▸ wurden sofort nach Kriegsausbruch das Ziel der Alliierten und ihrer Verbündeten.

Im fernen Osten eroberten die Japaner Tsingtau. Mit den Australiern und Neuseeländern teilten sie sich die deutschen Inseln im Pazifik.

Die Kolonien in Afrika wurden von britischen, französischen und südafrikanischen Truppen angegriffen. Bereits im ersten Kriegsjahr mussten sich Togo, Kamerun und Südwestafrika ergeben. Ostafrika kapitulierte erst am Kriegsende 1918.

In den deutschen Kolonien in Afrika kämpften 15 000 afrikanische Soldaten gegen die alliierten Truppen. Soldaten aus den Kolonien der Alliierten starben zu Zehntausenden auf den Kriegsschauplätzen in Europa, Asien und Afrika.

Australien

▸ gehörte ebenfalls zum britischen Empire und schickte über 300 000 Soldaten zu den türkischen und europäischen Kriegsschauplätzen. Die Zahl der gefallenen Australier war besonders hoch, weil viele von ihnen schlecht ausgebildet waren.

M 2 Askari (Angehöriger einer Kolonialtruppe) aus Deutsch-Ostafrika (1916)

A 1 Beschreibe das Kräfteverhältnis der kriegführenden Staaten anhand der Karte M 1.

A 2 Wie viele außereuropäische Soldaten kämpften auf europäischen und türkischen Kriegsschauplätzen?

A 3 Warum kämpften Inder, Afrikaner, Australier und Kanadier an der Westfront?

A 4 Die Karte M 1 gibt Auskunft darüber, warum auf deutscher Seite keine Kolonialsoldaten an europäischen Fronten eingesetzt wurden.

Wir lesen Feldpostbriefe

M 1 Junger deutscher Soldat im Ersten Weltkrieg. Porträt (Bayerisches Armeemuseum Ingolstadt).

Feldpostbriefe ▸ Im Ersten Weltkrieg wurden täglich fast 17 Millionen Briefe und Postkarten hin und her geschickt. Ab 1917 gab es zwar eine Briefzensur, aber so viele Sendungen konnten gar nicht überprüft werden.

M 2 Das ist kein Krieg mehr

Aus dem Brief des Soldaten Andreas Probst, gefallen am 6. Juni 1915 an der Westfront:

▸ 5. Juni 1915: Liebe Eltern und Geschwister! Ein Lebenszeichen sollt ihr haben, kaum zu glauben, dass da noch ein Mensch leben kann, denn es sind furchtbare Kämpfe. Pfingsten, Fronleichnam und andere Tage waren grausam. Die Franzosen stürmten in Massen an. Das ist kein Krieg mehr, sondern Massenmord. Viele unserer Kameraden mussten wieder dran glauben. In drei Tagen habe ich keine Minute geschlafen, denn es war keine Zeit da. Wir hielten aus, alles war in einem Graben, Franzosen und Deutsche, jedoch haben wir uns aufs äußerste gewehrt. Zerfetzt und voll Dreck, ganz erschöpft kamen wir in Ruhe. Es war furchtbar, dieses Krachen und Zittern, Tösen. Einfach alles ging drunter und drüber, förmlich verschüttet waren wir. Viele sind noch verschüttet, dies ist hart. Da darf bald eine bessere Zeit kommen, denn was dieses Opfer kostet, ist unbeschreiblich.

Massen von Leichen liegen umher und dieser Geruch bei der Hitze, wenig zu trinken gibt es, viel Durst. Viele Steine und wenig Brot. Aber sie sollen nicht durchkommen mit ihrer Überzahl. Doch hatte ich wieder großes Glück und danke unserem Herrgott. Ihr dürft Gott danken, dass der Feind nicht in unserem schönen Vaterland ist, denn diese Verwüstungen, trostlos. Ihr habt tatsächlich den Himmel. In einer Hölle kann es nicht ärger zugehen, wie dieser Tage bei uns. Geht nur in die Kirche, betet, dass baldiger Friede kehrt. So kann es nicht fortgehen. [...] Für heute herzliche Grüße euer Andreas.

Schritte beim „Lesen" von Bildern:

1. Beschreiben ▸ Was ist zu sehen?

2. Deuten ▸ Was ist geschehen? Weshalb hat der Fotograf dieses Bild aufgenommen?

3. Den eigenen Empfindungen nachspüren ▸ Welche Gefühle und Gedanken weckt dieses Bild in mir?

M 3 Die Wirkung der neuen Fernwaffen

M 4 Britischer Soldatenfriedhof in Belgien

M 5 Es geht nicht um Einzelschicksale

Aus dem Brief des Soldaten Erwin Straßmann, in dem er seinen Eltern mitteilt, dass sein Bruder Helmut in der Schlacht an der Somme gefallen ist:

▸ 16. November 1916: Liebe Eltern! Was ihr seit zwei Jahren fürchten musstet, ist eingetroffen. Quält euch nicht zu sehr! Wir wollen wenigstens dankbar sein, dass wir ihn so lang hatten, dass er freudig und hoffnungsvoll bis zuletzt war und mit Herz und Seele den Krieg mitmachte, dass er schließlich ohne Schmerz und Bewusstsein den leichtesten, schnellsten Soldatentod erlitt. Wenn es droht, über euch zusammenzuschlagen, so denkt einmal, was Helmut dazu sagen würde:

„Ein solches Ende ist noch nicht das Schlechteste. Denn, sieh mal, mein bisheriges Leben war ungetrübt und voller Freuden. Es war ein ständiger Aufstieg; das Erlebnis des Krieges jetzt ist der Höhepunkt; von da kann es nur noch abwärts gehen. Zwar weiß ich bestimmt, dass ich etwas leisten werde, ganz gleich, was ich nach dem Kriege mache. Aber mehr als ich jetzt im Felde bin und leiste, wird es nie werden; man wird kümmerlich von seinen Erinnerungen leben und sich wie ein Fisch auf dem Trockenen vorkommen." […]

Hier, im dauernden Donner der Schlachten, ist es ein leiser Trost, ihn draußen [auf dem Friedhof] zu wissen, wo keine Granate mehr stört, denn unaufhörlich geht das Morden weiter. Wohl ihm, dass er die letzte Konsequenz, dem Vaterland alles zu opfern, schon zog! […] Wenn ihr sehen würdet, was da für Reihen von Gräbern ausgehoben werden, was an Menschen da täglich hinzugelegt wird, so würdet ihr in vollstem Maße empfinden: Es geht nicht um Einzelschicksale, es geht ums ganze Volk und zwar um dessen Existenz.

Schritte beim „Lesen" der Briefe

1. Schritt: Die Briefe lesen.

An wen sind sie gerichtet?
Was wird geschildert?

- Ereignisse an der Front
- eigene Erlebnisse
- Urteile über den Krieg

2. Schritt: Die Einstellung des Briefschreibers finden.

- Wie schildert er seine persönliche Lage? Detailliert, oberflächlich, begeistert, eher deprimiert …
- Was denkt er über den Sinn des Krieges? Katastrophe, Bewährungsprobe für den Einzelnen, Überlebenskampf des Volkes, Höhepunkt des eigenen Lebens …
- Was sagt er über das Sterben an der Front? Eher registrierend, eher mitfühlend, Angst vor dem eigenen Tod, Sterben für …

3. Schritt: Nachdenken und Diskutieren.

- Helfen die beiden Briefe, eine eigene Meinung zu finden? Wenn ja, wie könnte man sie formulieren?
- Sprecht über den Satz in Erwins Brief: „Wohl ihm, dass er die letzte Konsequenz, dem Vaterland alles zu opfern, schon zog!"

4. Schritt:

- Angenommen, du wärst der Empfänger eines der Briefe. Was würdest du Andreas beziehungsweise Erwin zurückschreiben?

Die deutschen Fronten brechen zusammen

Heimatfront ▸ Der im Ersten Weltkrieg entstandene Begriff bringt zum Ausdruck, dass nicht nur an der militärischen Front, sondern auch in der Heimat der Soldaten „gekämpft" werden musste. Beispiel: Materialschlachten konnten nur geführt werden, wenn in den Rüstungsfabriken genügend Waffen produziert wurden. Da die meisten Männer an der Front waren, mussten die Frauen deren Arbeit übernehmen.

M 1 Die Heimatfront im Jahr 1917

Berichte aus der Chronik des 20 Jahrhunderts, erschienen 1982:

Kohlrüben ▸ Die Missernte von 1916 führt zum Hungerwinter 1917. Mit Mühe wird im sogenannten „Kohlrübenwinter" die Ernährungskatastrophe verhindert. Alle Lebensmittel sind scharf rationiert. Zu allem Überfluss herrscht im Februar1917 sibirische Kälte im gesamten Reich. Die Temperaturen sinken auf minus 14 bis 16 Grad im Rheinland, in Berlin ist es noch kälter. Trotzdem steht für jede Familie nur ein Zentner Kohlen pro Woche zur Verfügung. Warme Kleidung gibt es nicht zu kaufen. Neue Schuhe erhält der Bürger nur, wenn er alte zum Tausch einlöst. Die öffentlichen Gebäude und die Schulen werden bis Ende März geschlossen. Auch der elektrische Strom wird knapp. Die Stromsperrzeiten werden immer länger. Die Preise steigen sprunghaft. Ein Pfund Butter kostet neun Mark (ein Jahr zuvor drei Mark). Die Versorgungsrationen werden gekürzt: Jede Woche erhält der Bürger drei Pfund Kartoffeln, ein Brot, 30 Gramm Butter, 75 Gramm Fleisch und pro Monat gibt es ein Ei. Der Nachschub an Kohle bleibt aus, da die Flüsse zugefroren sind.

M 2 Spendenaufruf im Ersten Weltkrieg. Haare sind temperatur- und feuchtigkeitsbeständig. Sie wurden nicht nur zu Treibriemen, sondern auch zu Dichtungsringen, Granatzündern und zu Filz verarbeitet.

Ersatzstoffe ▸ Die gesamte Wirtschaft produziert für den Krieg. Für den privaten Verbrauch steht nun mehr wenig zur Verfügung. Die Geschäfte führen keine Lederwaren, Kleider oder andere Gebrauchsgüter des Alltags mehr. Selbst Schuhe und Strümpfe fehlen. Mit Frühjahrsbeginn laufen die Kinder vielfach barfuß umher. Industriearbeiter erhalten eine Zuteilung Holzschuhe. Mit Holzsohlen versuchen Schuster defekte Sohlen zu flicken. Bindfäden und Stoffe werden aus Zellulose [Holzstoff] hergestellt. Statt Glasbecher kann der Bürger, wenn er Glück hat, Pappdosen kaufen. Strümpfe werden aus abgelegten Wollsachen und Lumpen produziert.

Altmaterial ▸ In Frankfurt setzt die Stadtverwaltung 50 000 Jungen und Mädchen im Alter von mindestens zehn Jahren zum Sammeln von Altmaterial ein. Das Sammeln soll Spaß machen. Deshalb erhält jedes Kind ein Sammelheft für 1000 Marken. Beim Abliefern von einem Kilo Altpapier, einer Weinflasche, einem Pfund Lumpen, 100 Gramm Metall, zehn Gramm Frauenhaar, 250 Gramm Gummi oder drei abgebrannten Glühlampen erhält das Kind eine Sammelmarke.

M 3 Herstellen von Granaten in der Rüstungsfirma MAN (um 1915). Der Anteil der Frauen in den Industriebetrieben kletterte während des Krieges auf 75 Prozent, in der Schwerindustrie, wie hier im Bild, auf 25 Prozent.

A 1 Berichte, welche Probleme an der Heimatfront entstanden und wie sie gelöst wurden.

A 2 Welche wichtigen Veränderungen rief die Ankündigung der militärischen Niederlage in Deutschland hervor?

Schluss mit dem Krieg! ▸ Bereits 1917 verlangten immer mehr Menschen in Deutschland die Beendigung des Krieges. Im Januar 1918 streikten allein in Berlin ein halbe Million Menschen, um ihrer Forderung nach Frieden Ausdruck zu verleihen. Millionen litten Hunger. Eine außergewöhnlich schwere Grippewelle schwächte die Menschen an der Front und in der Heimat.

Die Westfront ▸ Nach dem Ende des Krieges gegen Russland (Seite 127) wurden in der ersten Hälfte des Jahres 1918 alle verfügbaren Kräfte aufgeboten, um den Krieg auch im Westen zu gewinnen. Doch die Alliierten vereitelten dieses Vorhaben. Verstärkt durch amerikanische Verbände, gewannen sie im Laufe des Sommers die Oberhand. Noch einmal mussten 700 000 Soldaten auf beiden Seiten ihr Leben lassen. Der 8. August 1918 wurde zum „schwarzen Tag des deutschen Heeres", als Hunderte alliierter Panzer die deutsche Abwehrfront durchbrachen. Ende September war der Obersten Heeresleitung klar, dass der Krieg nicht mehr zu gewinnen war. Sie forderte die Regierung auf, die Alliierten um Waffenstillstand zu bitten. Von nun an überschlugen sich die Ereignisse:

- Das Deutsche Reich bekam eine neue Regierung, die nicht mehr vom Kaiser ernannt, sondern vom Reichstag gewählt wurde. Damit kam man den Forderungen der Alliierten entgegen, die nur mit einer demokratischen Regierung verhandeln wollten.
- Am 4. Oktober 1918 boten die Regierungen Deutschlands und Österreich-Ungarns den Alliierten den Waffenstillstand an.
- Am 9. November ging das 1871 gegründete Deutsche Kaiserreich unter.

M 4 Auch in anderen Ländern mussten Frauen nicht nur die Männer, sondern oft auch die Zugtiere ersetzen. Ein kanadisches Plakat, das zur Zeichnung von Kriegsanleihen aufruft

Wer ist schuld am Ausbruch des Krieges?

M 1 Die Siegermächte im Friedensvertrag von Versailles (1919): ▸ Deutschland und seine Verbündeten haben durch ihren Angriff den alliierten Regierungen und ihren Verbündeten den Krieg aufgezwungen. Sie sind für alle Schäden und Verluste, die die Alliierten erlitten haben, verantwortlich.

M 2 Ein deutscher Historiker (1980): ▸ Die Motive für die deutsche Reichsregierung lassen sich nach einem halben Jahrhundert sehr wohl verstehen: Der Mord in Sarajewo schien die Chance zu bieten, den lange ersehnten Durchbruch zur deutschen Weltmachtstellung zu erzwingen, sei es durch Androhung des Krieges oder durch den Krieg selbst.

A 1 Welche Antworten auf die Frage nach der Schuld am Ausbruch des Ersten Weltkrieges sind in den Texten (M 1, M 2, M 4 und M 5) zu finden? Wem wird jeweils die Schuld gegeben?

M 3 Karikatur auf den Friedensvertrag von Versailles aus dem Jahr 1919. Zu sehen sind neben dem personifizierten Deutschland die Staatsoberhäupter von Amerika, Frankreich und England. Kläre zunächst, wer Deutschland verkörpert. Beschreibe und erkläre dann das Geschehen auf dem Bild. In welchem Land erschien die Darstellung?

M 4 Ein britischer Diplomat (1920): ▸ In my own opinion, it is not possible to lay the entire responsibility for the war on any single nation.

M 5 Der deutsche Außenminister Hermann Müller (1919): ▸ Es wird von uns verlangt, dass wir uns als die allein Schuldigen bekennen; ein solches Bekenntnis wäre in meinem Munde eine Lüge. Wir sind fern davon, jede Verantwortung dafür, dass es zu diesem Weltkriege kam, und dass er so geführt wurde, von Deutschland abzuwälzen. Die Haltung der früheren Deutschen Regierung [...] mag zu dem Unheil beigetragen haben, aber wir bestreiten nachdrücklich, dass Deutschland, dessen Volk überzeugt war, einen Verteidigungskrieg zu führen, allein mit der Schuld belastet ist. Keiner von uns wird behaupten wollen, dass das Unheil seinen Lauf erst in dem verhängnisvollen Augenblick nahm, als der Thronfolger Österreich-Ungarns den Mörderhänden zum Opfer fiel. In den letzten 50 Jahren hat der Imperialismus aller europäischen Staaten die internationale Lage chronisch vergiftet.

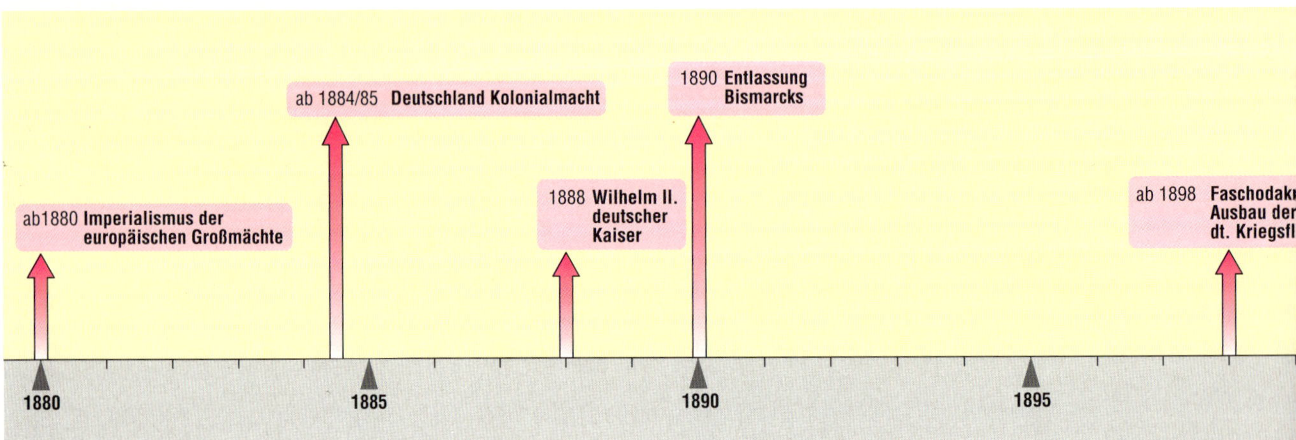

Merkmale der Zeit

Imperialismus ▸ In ihrem Bestreben, zu Weltmächten aufzusteigen, errichteten die europäischen Mächte in Afrika und in großen Teile Asiens Kolonien. Sie zwangen den Bewohnern dieser Erdteile ihre Herrschaft auf und nutzten deren Arbeitskraft. Sie holten Rohstoffe aus den Kolonien und errichteten dort Siedlungen für europäische Einwanderer. Der Höhepunkt des Wettlaufs um die Aufteilung der Welt fand zwischen 1880 und 1914 statt.

M 6 Militarismus in der Erziehung (Postkarte aus dem Kaiserreich)

	Gefallene Soldaten	Verwundete Soldaten
Deutschland	1 800 000	4 200 000
Großbrit.	900 000	2 100 000
Frankreich	1 400 000	3 000 000
USA	100 000	–
Russland	1 700 000	5 000 000
Italien	500 000	900 000
Türkei	300 000	4 000 000
Österr./Ung.	1 200 000	3 600 000

M 7 Verluste im Ersten Weltkrieg

Nationalismus ▸ Damit bezeichnet man eine Vaterlandsliebe, die die eigene Nation egoistisch als höchsten Wert betrachtet. Nationalisten glaubten, das Recht gehöre dem Stärkeren. Es war ihnen gleichgültig, ob sie dabei die Interessen anderer Völker verletzten. Die Nationalisten waren in der Regel auch Imperialisten. Sie verursachten immer wieder Spannungen unter den europäischen Staaten.

Militarismus ▸ Darunter wird ein in Gesellschaft und Politik vorherrschendes militärisches Denken verstanden: Wer im Kaiserreich beim Militär war, galt in der Gesellschaft mehr als ein gewöhnlicher Zivilist. Die Militaristen unter den Politikern verherrlichten die Gewalt als Mittel der Politik. Sie scheuten nicht davor zurück einen Krieg zu riskieren, wenn es galt, damit ihrem Land mehr Macht zu verschaffen.

1914 – 1918 Erster Weltkrieg ▸ Kurz vor Ausbruch des Krieges im Jahre 1914 sagte der britische Außenminister Edward Grey: „In ganz Europa gehen die Lichter aus. Wir werden es nicht mehr erleben, dass sie wieder angehen." Greys Prophezeiung wurde Wirklichkeit. 1918 wurde das Gemetzel auf den Schlachtfeldern zwar beendet, aber der „Krieg in den Köpfen" der Nationalisten und Militaristen ging weiter.

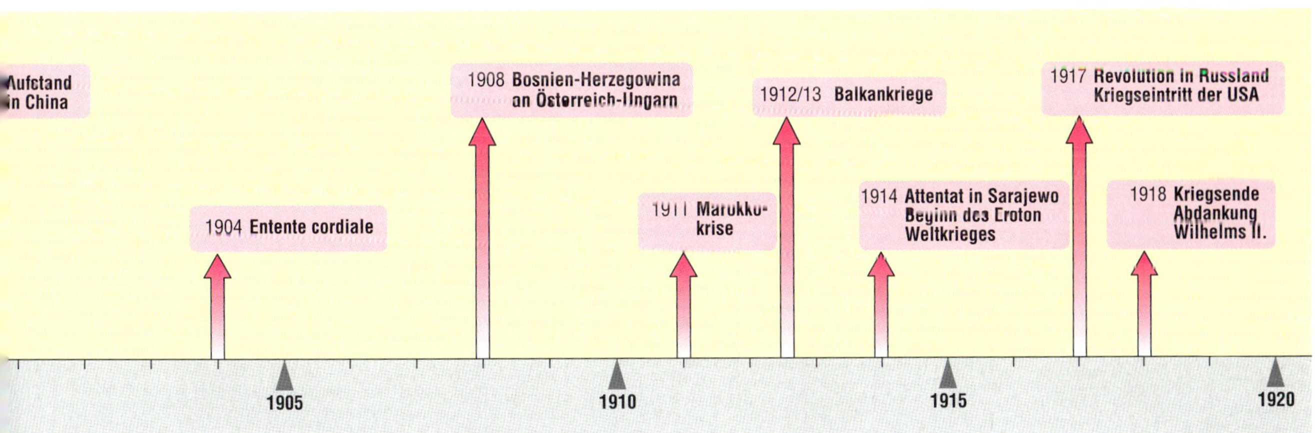

Deutsche Karikatur aus der Weimarer Republik (1919 bis 1933) mit dem Titel: Sie tragen die Buchstaben der Firma – aber wer trägt den Geist?

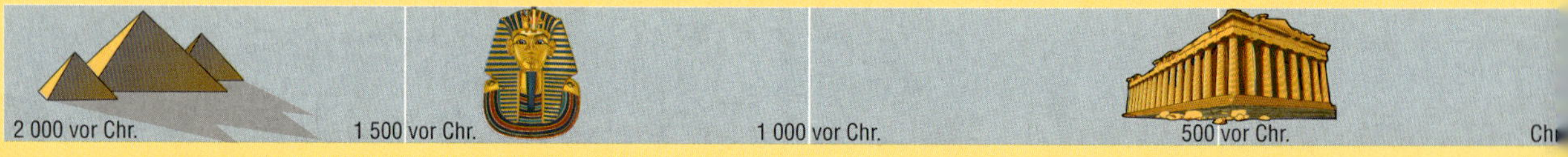

Demokratie und Diktatur

Britische Karikatur vom Juni 1933. Das Hakenkreuz der Nationalsozialisten steht für die von ihnen errichtete Diktatur. 1945 wurde Deutschland von seiner Last befreit.

Vom Kaiserreich zur Republik

M 1 Kaiser Wilhelm II. Fotografie (1921)
Die Alliierten beschuldigten ihn des Kriegsverbrechens. Er selbst war der Überzeugung: „Deutschlands Schuld am Krieg ist eine freche Lüge."

Der Krieg geht verloren ▸ Im Sommer 1918 scheiterte der letzte Versuch, den Krieg zugunsten Deutschlands zu wenden (Seite 135). Die Heeresleitung zögerte lange, die Niederlage einzugestehen. Der oberste Kriegsherr, Kaiser Wilhelm II., ließ sie gewähren. Erst die neu gebildete Regierung unter dem Reichskanzler Max von Baden bat Anfang Oktober die Alliierten um Waffenstillstand, der nach schwierigen Verhandlungen am 11. November unterzeichnet wurde und den Krieg beendete. Mittlerweile gab es keinen Kaiser mehr. In Deutschland war die Revolution ausgebrochen.

Der 9. November 1918 ▸ Am 28. Oktober 1918 meuterten in Kiel die Matrosen der deutschen Hochseeflotte und verhinderten ihr Auslaufen zu einer geplanten Schlacht gegen die britische Flotte. Die aufständischen Matrosen besetzten die Stadt und lösten die Verwaltung ab. Sie fanden schnell Nachahmer. In allen Ländern des Reiches rissen sozialistisch-kommunistische Soldaten-, Arbeiter- und Bauernräte die Regierungsgewalt an sich. Am 9. November 1918 brach die Revolution auch in Berlin aus. Streikende Arbeiter strömten in die Innenstadt, forderten den Rücktritt des Kaisers und die Beendigung des Krieges. Wilhelm II., der sich im Hauptquartier des Heeres in Belgien aufhielt, weigerte sich zurückzutreten. Da ergriff Reichskanzler Max von Baden die Initiative. Er verkündete eigenmächtig die Abdankung des Kaisers, ernannte den Sozialdemokraten Friedrich Ebert zum Reichskanzler und trat selbst zurück. Wilhelm II. fand in Holland Asyl, wo er 1941 starb.

Parlamentarische Republik oder Räterepublik? ▸ In Berlin war die Revolution aber noch nicht zu Ende: Am Nachmittag des 9. November wurden zwei Republiken ausgerufen. Die Sozialdemokraten (SPD) riefen eine parlamentarische Republik aus. Die Unabhängigen Sozialdemokraten (USPD) (Seite 145) und die Kommunisten riefen nach dem Vorbild der russischen Revolution eine Räterepublik aus. Um einen Bürgerkrieg zu vermeiden, einigten sich SPD und USPD auf eine vorläufige Regierung, die von Friedrich Ebert geführt wurde. Im Dezember 1918 beschloss der Reichskongress der Arbeiter- und Soldatenräte, in dem die Sozialdemokraten die Mehrheit besaßen, Wahlen zu einer Nationalversammlung abzuhalten. Sie sollte eine Verfassung ausarbeiten. Damit war die Entscheidung für die parlamentarische Demokratie und gegen die Rätedemokratie gefallen. Weil die Kommunisten dem nicht zustimmen konnten, griffen sie im Januar zu den Waffen, wurden aber von regierungstreuen Truppen besiegt.

A 1 Schildere anhand der Ereignisse im Jahr 1918, warum man von einer Revolution in Deutschland spricht.

A 2 Welche politischen Gruppen kämpften 1918/1919 um die Macht in der deutschen Republik? Welche Ziele verfolgten sie? Ziehe zur Beantwortung auch M 4 auf Seite 145 hinzu.

A 3 Schreibe aus der Proklamation (M 3) mindestens vier Ereignisse heraus, die es rechtfertigen, von einer Revolution in Bayern zu sprechen.

Bayern: Vom Königreich zum Freistaat

▸ In München fand die Revolution bereits am 7./8. November 1918 statt. Der Anführer der Unabhängigen Sozialdemokraten (USPD), Kurt Eisner, besetzte mit seinen Anhängern das Landtagsgebäude. Dort rief er die Republik aus und ernannte sich zum Ministerpräsidenten. Niemand hinderte ihn daran. König Ludwig III. war wenige Stunden zuvor aus der Stadt geflohen. Eisner war Anhänger der Räterepublik. Er verlor aber schnell die Macht, nachdem die USPD bei den Landtagswahlen im Januar 1919 von 180 Sitzen nur drei bekam. Bevor er seinen Rücktritt verkünden konnte, wurde Eisner von einem Anhänger der Monarchie ermordet. In München brachen nun Unruhen aus, bei denen es Tote und Verletzte gab. Der Landtag konnte erst im März eine neue Regierung unter dem Ministerpräsidenten Johannes Hoffmann (SPD) wählen. Sie musste aber schon bald aus München fliehen, weil linksradikale Revolutionäre Anfang April 1919 die „Räterepublik Bayern" und kurz darauf eine kommunistische Räterepublik ausriefen.

▸ Nach einem Aufruf des Ministerpräsidenten Hoffmann bildeten sich überall im Land Verbände von Freiwilligen. Zusammen mit Truppen der Reichswehr konnten sie die Rote Armee der Räterepublik besiegen. Eine Verfassung sicherte 1919 auch in Bayern die parlamentarische Republik. Artikel 1 lautet: „Bayern ist ein Freistaat und Mitglied des Deutschen Reiches".

M 2 Bayern ist seit 1918 Republik und nennt sich „Freistaat" (Staat, der von freien Bürgern regiert wird und nicht von einem König).

Proklamation.

Volksgenossen!

Um nach jahrelanger Vernichtung aufzubauen, hat das Volk die Macht der Zivil- und Militärbehörden gestürzt und die Regierung selbst in die Hand genommen. Die Bayerische Republik wird hierdurch proklamiert. Die oberste Behörde ist der von der Bevölkerung gewählte Arbeiter-, Soldaten- und Bauernrat, der provisorisch eingesetzt ist, bis eine endgültige Volksvertretung geschaffen werden wird. Er hat gesetzgeberische Gewalt. Die ganze Garnison hat sich der Republikanischen Regierung zur Verfügung gestellt. Generalkommando und Polizeidirektion stehen unter unserem Befehl. Die Dynastie Wittelsbach ist abgesetzt. Hoch die Republik!

Der Arbeiter- und Soldatenrat: Kurt Eisner.

M 3 Proklamation (Bekanntmachung) des Arbeiter-, Soldaten- und Bauernrats in München vom 8. November 1918

Parlamentarische Republik

▸ Die Republik ist eine Staatsform, in der das Staatsoberhaupt vom Volk oder seinen Vertretern gewählt wird. Parlamentarisch wird eine Republik genannt, wenn von Parteien aufgestellte und frei gewählte Abgeordnete ein Parlament bilden. Dieses hat die gesetzgebende Gewalt inne und wählt den Chef der Regierung, zum Beispiel den Bundeskanzler.

Räterepublik ▸ Das ist eine Staatsform, in der einzelne Bevölkerungsgruppen (Arbeiter, Soldaten, Bauern …) ihre politischen Vertreter direkt wählen. Diese – meist sozialistischen oder kommunistischen – Räte haben die uneingeschränkte gesetzgebende, ausführende und richterliche Gewalt inne. Räterepubliken gab es in Russland nach der Revolution 1917 und – oft nur für kurze Zeit – in Ländern, die den Krieg verloren hatten.

Die Sieger diktieren den Frieden

▸ Am 18. Januar 1919 eröffneten die Siegermächte im Spiegelsaal des Schlosses in Versailles (Seite 49) die Friedenskonferenz. Deutschland durfte daran nicht teilnehmen. Es musste den Friedensvertrag unterzeichnen, denn die Alliierten drohten den Krieg wieder aufzunehmen.

A 1 Liste auf, welche Gebiete 1919 von Deutschland abgetrennt wurden (M 1). Welche Staaten erhielten diese Gebiete?

A 2 Suche selbst Gründe, warum das linksrheinische Gebiet besetzt und drei „Brückenköpfe"errichtet wurden (M 1).

A 3 Der Brite Winston Churchill sagte: „Große Völker vergessen Leiden, nicht aber Demütigungen." Was meinte er damit?

A 4 Vergleiche die Karten M 2 und M 3 und erkläre die Unterschiede.

Der Versailler Friedensvertrag

Er legte unter anderem fest:

- Deutschland verliert ein Siebtel (70 000 Quadratkilometer) seines Staatsgebiets und ein Zehntel (7,3 Millionen) seiner Einwohner (M 1).
- Das Saarland wird vom Völkerbund verwaltet. Frankreich darf die Bodenschätze ausbeuten. Nach 15 Jahren können die Saarländer abstimmen, wohin sie gehören wollen.
- Das Rheinland wird in alliierte Besatzungszonen aufgeteilt. Ob sie nach 5, 10 oder 15 Jahren wieder geräumt werden, hängt davon ab, wie regelmäßig Deutschland die geforderten Reparationen (Wiedergutmachung von Kriegsschäden) bezahlt. Nach 1930 wird das Rheinland entmilitarisiertes Gebiet, das heißt: Es darf dort kein deutsches Militär stationiert werden.
- Deutschland verzichtet auf seine Kolonien.
- Alles Kriegsmaterial ist abzuliefern. Das Heer ist auf 100 000 Mann zu beschränken. Die Wehrpflicht wird abgeschafft.
- Der ehemalige Kaiser wird des Kriegsverbrechens angeklagt.
- Deutschland ist schuld am Krieg (Kriegsschuldparagraf 231). Es hat daher für alle entstandenen Verluste und Schäden aufzukommen, die in den alliierten Ländern entstanden sind. 1921 wurden die Reparationen auf 132 Milliarden Goldmark festgelegt.
- Die Vereinigung Deutschlands und Österreichs, das 1866 aus dem deutschen Bund ausgeschlossen wurde, wird untersagt.

M 1 Deutschland nach dem Versailler Friedensvertrag

M 2 Europa vor dem Ersten Weltkrieg

M 3 Europa nach dem Ersten Weltkrieg

Pläne für das Nachkriegs-Europa

Der amerikanische Präsident Wilson hatte zu Beginn des Jahres 1918 einen Friedensplan vorgelegt. Kernpunkte seiner Vorschläge waren: Das Europa der Nachkriegszeit muss nach den Grundsätzen der Selbstbestimmung der Völker und der Demokratie errichtet werden. Konflikte untereinander könnten durch einen Völkerbund friedlich gelöst werden. Dieser wurde 1919 gegründet. Deutschland wurde 1926 aufgenommen.

Neue Staaten in Europa

Der Grundsatz der Selbstbestimmung der Völker begünstigte die Gründung neuer Staaten in Europa:

- Polen wurde wieder gegründet. Es bekam mit Posen und Westpreußen auch deutsche Ostgebiete und damit einen Zugang zur Ostsee.
- Österreich-Ungarn wurde aufgelöst: Auf seinem Gebiet entstanden neben Österreich die Staaten Tschechoslowakei und Ungarn. Große österreichische Gebiete fielen an den neuen Staat Jugoslawien und an Rumänien. Südtirol kam zu Italien.
- Die baltischen Staaten Litauen, Lettland und Estland sowie Finnland erlangten ihre Unabhängigkeit nach dem Zerfall des russischen Zarenreiches.
- Das Osmanische Reich wurde großenteils von alliierten Streitkräften besetzt und nach dem Krieg aufgelöst. In seinem Kernland, der Türkei, wurde 1923 die Republik ausgerufen. Der letzte Sultan Mehmed VI. hatte zuvor das Land verlassen.

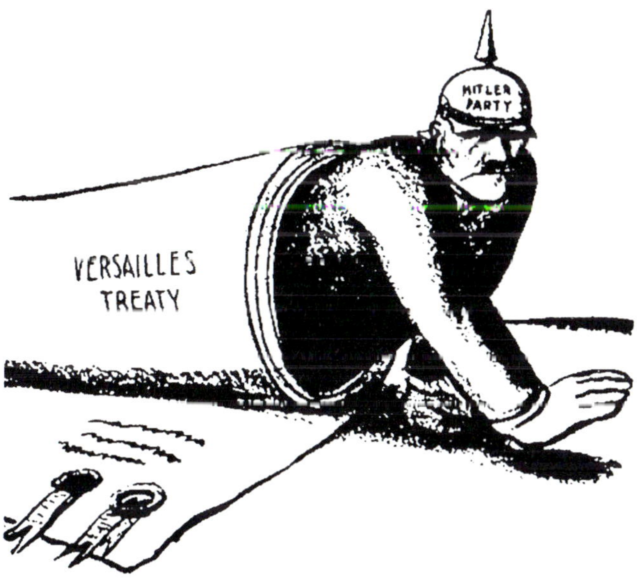

M 4 Der Versailler Vertrag (treaty) bildete einen Nährboden für Feinde der Weimarer Demokratie. Englische Karikatur.

Das Volk gibt sich eine Verfassung

M 1 Friedrich Ebert, der erste demokratisch gewählte Reichspräsident der Weimarer Republik, war von 1919 bis 1925 im Amt.

M 2 Artikel 3 der Weimarer Verfassung: „Die Reichsfarben sind schwarz-rot-gold."

Notverordnung ▸ Artikel 48 der Weimarer Verfassung gab dem Reichspräsidenten das Recht, eigenmächtig eine Verordnung (Gesetz) zu erlassen, wenn die Republik in Not geriet. Dazu benötigte er nicht die Zustimmung des Reichstags. Er musste die Verordnung aber wieder aufheben, wenn das Problem gelöst war.

Die Weimarer Republik ▸ Im Januar 1919 wurde die Nationalversammlung gewählt. Wegen der Unruhen in Berlin tagte sie in der Stadt Weimar in Thüringen. SPD, Zentrum und DDP, die zwei Drittel der Wählerstimmen erhalten hatten (Seite 145), schlossen sich zur Weimarer Koalition zusammen. Diese Koalition bildete die erste Regierung der Weimarer Republik. Zum Reichspräsidenten wurde Friedrich Ebert (SPD) gewählt. Am 11. August 1919 trat die von der Nationalversammlung verabschiedete Weimarer Verfassung in Kraft.
Das Besondere an der Weimarer Verfassung war:

Das Deutsche Reich ist ein demokratischer Staat

- „Das Deutsche Reich ist eine Republik. Die Staatsgewalt geht vom Volke aus." (Artikel 1).
- Das Deutsche Reich ist ein Bundesstaat von 18 Ländern.
- Die Grundrechte der Deutschen, wie sie bereits 1848 formuliert wurden, werden in die Verfassung aufgenommen.
- Es gilt das Verhältniswahlrecht, das heißt zum Beispiel: Erzielt eine Partei bei der Wahl ein Prozent der Stimmen, erhält sie auch ein Prozent der Parlamentssitze.
- Die Verfassung unterscheidet nicht zwischen verfassungstreuen und verfassungsfeindlichen Parteien. Das heißt: Parteien, die eine andere Staatsform als die Republik haben wollen, können in die Parlamente kommen.

Der Reichspräsident ist ein mächtiger Mann

- Der Reichspräsident wird vom deutschen Volk direkt gewählt. Er bleibt sieben Jahre im Amt. Er ist der Oberbefehlshaber der Reichswehr.
- Wenn ein politischer Umsturz droht oder die „öffentliche Sicherheit und Ordnung" gefährdet ist, kann der Reichspräsident Notverordnungen erlassen. Sie geben ihm die Macht, vorübergehend die Grundrechte außer Kraft zu setzen und Militär in die Unruhegebiete zu schicken.

Friedrich Ebert, der häufiger mit Notverordnungen eingreifen musste, hat die Macht, die ihm die Verfassung gab, nie missbraucht (Seite 147). Sein Nachfolger, Paul von Hindenburg, übertrug 1933 einem Feind der Republik die Kanzlerschaft. Hindenburg genehmigte eine Reihe von Notverordnungen, die diesem die Möglichkeit gaben, die Weimarer Republik zu beseitigen (Seite 156–159).

Die Frauen werden Staatsbürgerinnen

Die Novemberrevolution 1918 brachte den Frauen die politische Gleichberechtigung. Erstmals in der deutschen Geschichte durften auch sie zur Wahl gehen und gewählt werden. 82 Prozent der Frauen über 20 Jahre gaben bei der Wahl zur Nationalversammlung ihre Stimme ab. Das Ergebnis dieser überwältigenden Wahlbeteiligung war, dass 41 Frauen in die Nationalversammlung einziehen konnten. Das waren nahezu 10 Prozent aller Abgeordneten. Im Bundestag (2005) beträgt der Anteil der Frauen zirka 32 Prozent.

M 3 Briefmarke (2003): Marie Juchacz, Reichtagsabgeordnete der SPD von 1919 bis 1933. Sie ist die erste Frau, die 1919 in der Nationalversammlung eine Rede hielt. Noch im gleichen Jahr begann sie mit dem Aufbau der Arbeiterwohlfahrt (AWO), die noch heute besteht.

A 1 Erkläre, was unter dem Verhältniswahlrecht der Weimarer Verfassung verstanden wird. Vergleiche es mit dem Wahlrecht der Bundesrepublik Deutschland (Seite 206/207).

A 2 Die Weimarer Verfassung ließ alle Parteien zu. Welche Probleme ergaben sich daraus (M 4)? Vergleiche mit dem Grundgesetz (Art. 21 (2)).

A 3 Der Reichspräsident verfügte über Rechte, die der Bundespräsident (Seite 213) nicht hat. Nenne sie.

A 4 Warum bekam der Reichspräsident das Recht, Notverordnungen zu genehmigen?

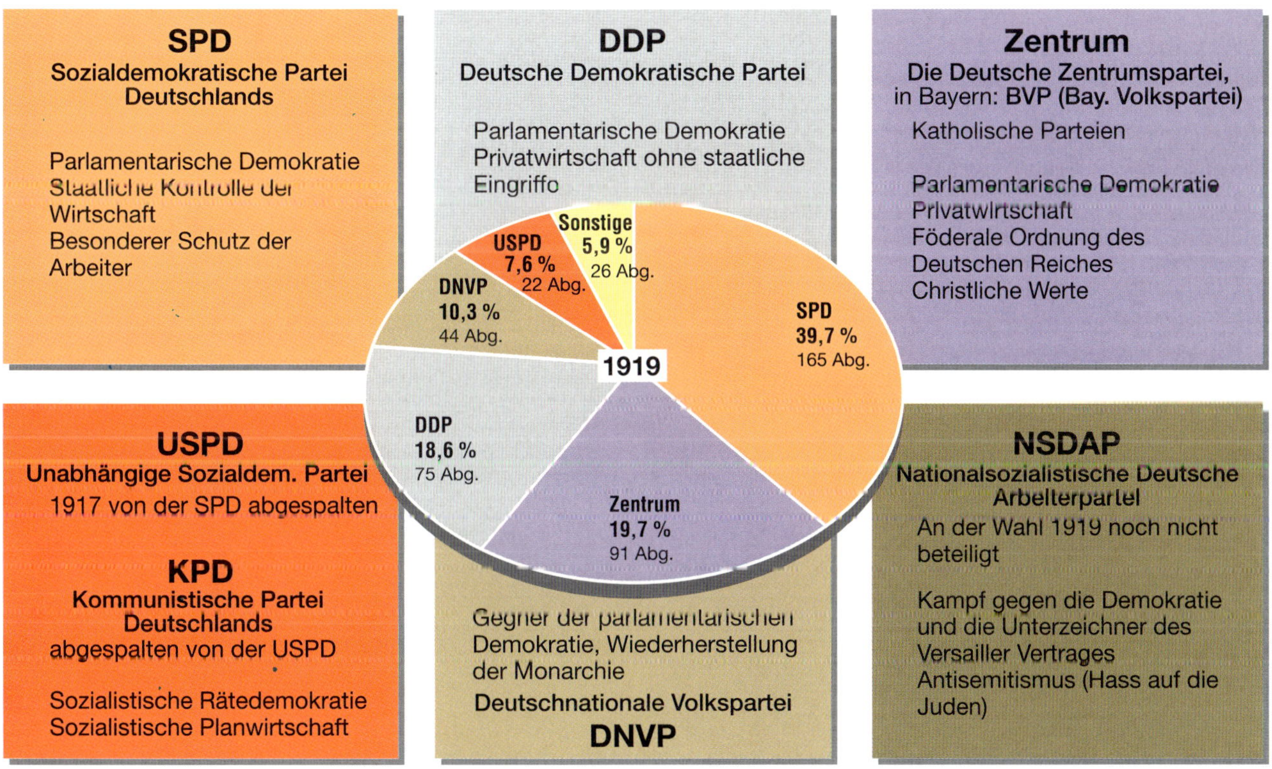

M 4 Die Ergebnisse der Wahlen zur Nationalversammlung 1919 (Mitte) und Schwerpunkte in den Parteiprogrammen der wichtigsten Parteien in der Weimarer Republik

Die Republik kämpft ums Überleben

Von Anfang an war die junge Republik mit großen innen- und außenpolitischen Problemen belastet. Weil sie nicht schnell genug gelöst werden konnten, verlor die Republik in allen Schichten der Gesellschaft schnell an Vertrauen. Ihre Feinde traten zum offenen Kampf gegen sie an.

M 1 Jeder war ein Millionär

Josef Baumann, Sohn eines Arbeiters aus München erinnert sich:

Mein Vater bekam 1923 seinen Lohn täglich ausbezahlt. Meine Mutter stand mit vielen anderen Frauen vor dem Fabriktor. Lastwagen mit Säcken voller Papiergeld kamen von den Banken, in denen das Geld nicht mehr gezählt, sondern die Dicke der Bündel mit dem Lineal gemessen wurde. Sobald der Lohn ausbezahlt war, liefen wir in den nächsten Laden und kauften ein, ehe die Preise wieder stiegen. […] Besonders schlimm war es, dass unser ganzes hart erspartes Geld völlig wertlos geworden war.

1923: Die Inflation galoppiert

Um den Krieg zu finanzieren, hatte die Reichsregierung schon 1914 die Notenpresse in Gang gesetzt. Bald gab es mehr Geld, aber nicht die Menge an Gütern, die man hätte kaufen können. Als Folge stiegen die Preise. Nach 1918 setzte die Regierung ihre Inflationspolitik fort, weil sie glaubte, damit die Schulden und Reparationen bezahlen zu können.

Im Januar 1923 besetzten etwa 100 000 französische Soldaten das Ruhrgebiet, weil Deutschland mit Reparationszahlungen in Rückstand geraten war. Die Antwort war ein Generalstreik an Rhein und Ruhr, der Monate dauerte. Jetzt begann die Inflation zu galoppieren (M 2). Im August trat die Reichsregierung zurück. Der neue Kanzler, Gustav Stresemann, stoppte den Streik und führte am 1. Dezember 1923 eine neue Währung ein: einer Billion „Papiermark“ wurde eine Reichsmark gleichgesetzt.

Jahr	Reichsmark
Dez. 1920	2,37
Dez. 1922	163,00
Juni 1923	1 428,00
Aug. 1923	69 000,00
Sept. 1923	1 512 000,00
Okt. 1923	1 745 000 000,00
Nov. 1923	201 000 000 000,00

M 2 Inflation: Preis für 1 Pfund Brot

Inflation Im Lateinischen heißt inflatio „Aufblähung“. Wir sprechen von Inflation, wenn man mit derselben Geldmenge immer weniger kaufen kann, weil die Preise steigen („sich aufblähen“). Preissteigerungen können verschiedene Gründe haben.

A 1 Versetze dich in die Lage von Josefs Familie (M 1). Welche Sorgen bedrückten sie?

A 2 Nenne Gründe für die steigende Inflation von 1914 bis 1923.

A 3 Was versteht man unter der „Dolchstoßlegende“ (M 4 und M 5)?

A 4 Warum unternahmen links- und rechtsradikale Gruppierungen Putschversuche gegen die Weimarer Regierung?

M 3 Geldschein, ausgegeben am 1. November 1923

Politische Morde ▸ Viele Deutsche wollten sich mit dem verlorenen Krieg und den harten Friedensbedingungen nicht abfinden. Deshalb glaubten sie der von General Hindenburg in die Welt gesetzten „Dolchstoßlegende". Sie richtete sich vor allem gegen demokratische Politiker, die als „Vaterlandsverräter" und „Erfüllungspolitiker" verleumdet wurden. Einige von ihnen wurden von rechtsradikalen Fanatikern ermordet, darunter Rosa Luxemburg und Karl Liebknecht (KPD), der Unterzeichner des Versailler Vertrags, Matthias Erzberger (Zentrum) und der Außenminister Walther Rathenau (DDP).

Aufstände gegen die Regierung ▸ 1920 wollte eine aufgelöste Marineeinheit die Reichsregierung in Berlin stürzen. Der selbst ernannte Reichskanzler Kapp musste jedoch schnell aufgeben, nachdem die geflüchtete Regierung den Generalstreik ausgerufen hatte. Während des Kapp-Putsches hatte sich die „Rote Ruhrarmee" gebildet, die in kurzer Zeit das gesamte Ruhrgebiet unter ihre Kontrolle brachte. Da sie sich nach dem Putsch in Berlin nicht auflösen wollte, setzte Reichspräsident Ebert die Reichswehr gegen sie ein. Das tat er auch, als im Krisenjahr 1923 linksradikale Kräfte in Sachsen und in Thüringen eine Revolution nach sowjetischem Vorbild anzetteln wollten.

Hitlerputsch ▸ In München drang am 8. November 1923 der Führer der NSDAP, Adolf Hitler, mit bewaffneten Anhängern in den Bürgerbräusaal ein, in dem eine politische Versammlung der Regierung stattfand. Er verschaffte sich mit einem Pistolenschuss in die Decke Gehör und erklärte die bayerische Regierung und die Reichsregierung für abgesetzt. Am 9. November stoppte die Münchener Polizei einen von Hitler organisierten Demonstrationszug. Dabei kam es zu einem Feuergefecht, bei dem 14 Demonstranten und drei Polizisten starben. Hitler konnte entkommen, wurde aber nach ein paar Tagen gefasst und im April 1924 zu einer fünfjährigen Haftstrafe verurteilt. Seine Partei wurde verboten. Hitler, der Ende 1924 wieder entlassen wurde, gründete die NSDAP 1925 neu.

M 4 Dolchstoßlegende. Ausschnitt aus einem Wahlplakat der DNVP (1924). Die Antwort auf die Frage nach der Schuld am Unglück Deutschlands wird im Bild gegeben: die rote Gestalt mit der Ballonmütze.

M 5 Die Dolchstoßlegende in der Version der NSDAP (1942): Schon 1918 wurde den Juden vorgeworfen, sie hätten sich um den Kampf an der Front gedrückt. Richtig ist, dass – prozentual gesehen – jüdische Familien ebenso viele Gefallene zu beklagen hatten wie christliche Familien.

Es geht wieder aufwärts

Völkerbund ▸ Im Versailler Friedensvertrag wurde die Gründung einer Organisation beschlossen, die den Frieden unter den Mitgliedsstaaten sichern sollte. Über 60 Staaten traten dem Völkerbund bei. Zu seinen Aufgaben gehörte die Verwaltung der ehemaligen deutschen Kolonien und die Schlichtung von Grenzstreitigkeiten in Europa. Bei der Lösung größerer Konflikte hatte er allerdings wenig Erfolg. Der Völkerbund wurde 1946 von der UNO abgelöst.

Reparationen ▸ Im lateinischen heißt reparare „wiederherstellen". Damit werden Geldzahlungen und die Sachlieferungen bezeichnet, die die Siegermächte von den Verlierern verlangt haben.

In der Beziehung zu Frankreich ▸ Zwischen 1924 und 1929 war in Deutschland Gustav Stresemann Außenminister. Sein politisches Ziel war, die gestörten Beziehungen zu Frankreich zu verbessern und dadurch die Isolierung Deutschlands in Europa aufzuheben. In dem französischen Außenminister Aristide Briand fand er einen Partner, der die Hand zur Aussöhnung bot. 1925 vereinbarten die beiden Länder, die Grenzen, die der Versailler Vertrag festlegte, zu achten und zukünftige Streitfragen friedlich zu lösen. Für ihre Aussöhnungspolitik erhielten Briand und Stresemann 1926 den Friedensnobelpreis. Im gleichen Jahr wurde Deutschland in den Völkerbund aufgenommen.

In der Wirtschaft ▸ Nach der Währungsreform 1923 wurde auch ein neuer Zahlungsplan für die Reparationen ausgehandelt. Er nahm Rücksicht auf die wirtschaftliche Entwicklung Deutschlands und brachte wesentliche Erleichterungen. Gleichzeitig gewährten die USA Kredite in Millionenhöhe, die die deutsche Wirtschaft belebten. Mit dem geliehenen Geld wurden Fabriken gebaut oder modernisiert, in die Forschung investiert und neue Produkte entwickelt. In der Elektroindustrie, in der optischen und chemischen Industrie wurde Deutschland sogar führend auf dem Weltmarkt.

M 1 Beleg für den wirtschaftlichen Aufschwung: Deutsche Automobil- und Motorradausstellung 1926 in Berlin

M 2 Sozialsiedlung „Rundling" bei Leipzig. Zu den großen Leistungen der Weimarer Republik gehört der Bau von Millionen Wohnungen.

M 3 Otto Dix (1891–1969): Die Großstadt (1927). Dix: „Ich bin Realist. Ich muss alles mit eigenen Augen sehen, um zu bestätigen: so ist das gewesen und nicht anders." Im Gegensatz zu Klee (M 4) gehört Dix der künstlerischen Richtung der „Neuen Sachlichkeit" an.

Kurz und klar

- Am 9. November 1918 beendete eine Revolution das 1871 gegründete Deutsche Kaiserreich. An seine Stelle trat ein demokratischer Staat, die Weimarer Republik. Die Deutschen wählten den Sozialdemokraten Friedrich Ebert zu ihrem Präsidenten.
- Der von den Siegern des Ersten Weltkriegs diktierte Versailler Frieden belastete Deutschland und trug dazu bei, dass die Republik Schwierigkeiten hatte, sich durchzusetzen.
- Nach dem Krisenjahr 1923 (Inflation, Hitlerputsch) folgten ruhigere Jahre, in denen die Wirtschaft und die Kultur der Weimarer Zeit aufblühen konnten.

A 1 Nenne Gründe dafür, dass es in Deutschland in der Wirtschaft und im sozialen Bereich wieder aufwärtsging.

In der Sozialpolitik ▸ Um die Lage der vielen Arbeitslosen zu verbessern, führte der Reichstag 1927 die Arbeitslosenversicherung ein. Nun hatte der Arbeitnehmer das Recht auf Unterstützung, Umschulung und Weiterbildung. Die Beiträge wurden zwischen Arbeitern und Unternehmern geteilt. Die Gewerkschaften wurden als Interessenvertreter der Arbeiter anerkannt. Sie konnten Tarifverträge für ihre Mitglieder abschließen. Darin wurden neben den Löhnen die Arbeitsbedingungen (Arbeitszeit, Urlaub, Mehrarbeit …) ausgehandelt. Weitere Gesetze verbesserten die Fürsorge für Kriegsversehrte, Witwen, Behinderte und Mütter.

In der Kultur ▸ Begünstigt durch die freiheitliche Verfassung entstand eine große Vielfalt von Werken im Bereich der bildenden Kunst, der Architektur und der Literatur. Die Künstler schufen neue Formen der Architektur (M 2). Bertolt Brecht erregte durch seine kritischen Theaterstücke Aufsehen. Weltruhm erlangte der Schriftsteller Thomas Mann, der für seine Romane 1929 den Nobelpreis erhielt. Berlin und München wurden zu Mittelpunkten der modernen Kunst und der neuen Massenmedien Tonfilm und Rundfunk.

M 4 Paul Klee (1879–1940): Der Rosengarten (1920, Städtische Galerie im Lenbachhaus, München). Klee zählt zu den Expressionisten (lateinisch expressio: Ausdruck), die mit der Malerei der Vergangenheit radikal brechen.

Der Rückschlag

A 1 Erkläre den Begriff „Schwarzer Freitag“.

A 2 Berichte, welche Folgen der Oktober Crash in den USA für Deutschland hatte. Berücksichtige auch M 1.

A 3 Erläutere die Ergebnisse der Wahlen von 1928 und 1932.

A 4 Warum musste in der Weimarer Republik der Reichskanzler nicht zurücktreten, wenn er die Mehrheit im Parlament verloren hatte? Wie regelt das Grundgesetz der Bundesrepublik dieses Problem?

A 5 Was heißt: Der Reichskanzler regiert mithilfe von Notverordnungen?

Der Oktober Crash 1929 ▸ Die USA erlebten nach dem Ersten Weltkrieg einen großen wirtschaftlichen Aufschwung. Viele Menschen wollten daran teilhaben und legten ihr Geld in Aktien an. Bald wurde in den USA mehr produziert als verkauft werden konnte. Deshalb sanken die Aktienkurse. Im Oktober 1929 wollten sehr viele Aktienbesitzer ihre Wertpapiere verkaufen, sie fanden aber keine Käufer. Aktien im Wert von weit mehr als 100 Dollar sackten auf einstellige Beträge ab. Als am 25. Oktober, dem „Schwarzen Freitag“, die Aktionäre an der New Yorker Börse Milliarden Dollar verloren, brach in den USA die Panik aus.

Die Folgen ▸ Der Oktober Crash löste in den USA eine Wirtschaftskrise aus, die schnell auf Europa und die übrige Welt übergriff. Man spricht deshalb von einer „Weltwirtschaftskrise“. In Deutschland wurde nach dem Krieg die Wirtschaft mit hohen amerikanischen Krediten wieder in Gang gebracht. 1929 betrugen sie an die 20 Milliarden Reichsmark. Als die US-Banken nach dem Crash in New York ihr Geld zurückforderten, gingen auch in Deutschland zahlreiche Banken und Firmen bankrott. Wie in den USA wurden Millionen Menschen arbeitslos.
1932 erreichte die Wirtschaftskrise in Deutschland ihren Höhepunkt. Die Produktion der Industrie und das Einkommen der Bevölkerung waren bis dahin um 40 Prozent zurückgegangen, die Zahl der Arbeitslosen auf 6 Millionen gestiegen. Das bedeutete: Jeder dritte Deutsche hatte seinen Arbeitsplatz verloren. In Europa waren 15 Millionen Menschen arbeitslos, weltweit 30 Millionen.

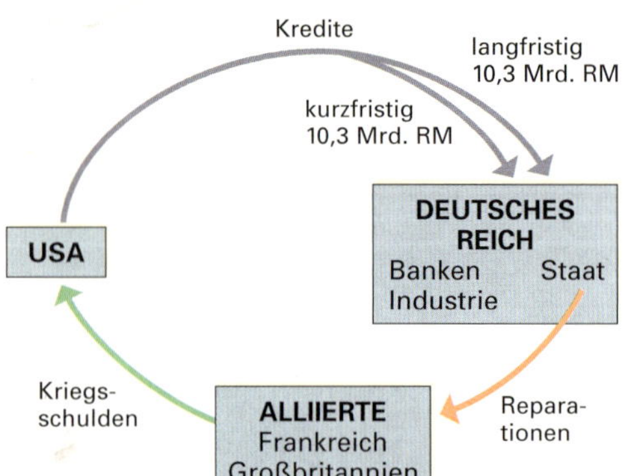

M 1 Internationaler Wirtschaftskreislauf 1924–1932

M 2 Suppenküche der Heilsarmee (christlich-soziale Bewegung) in einem Arbeiterviertel (1931)

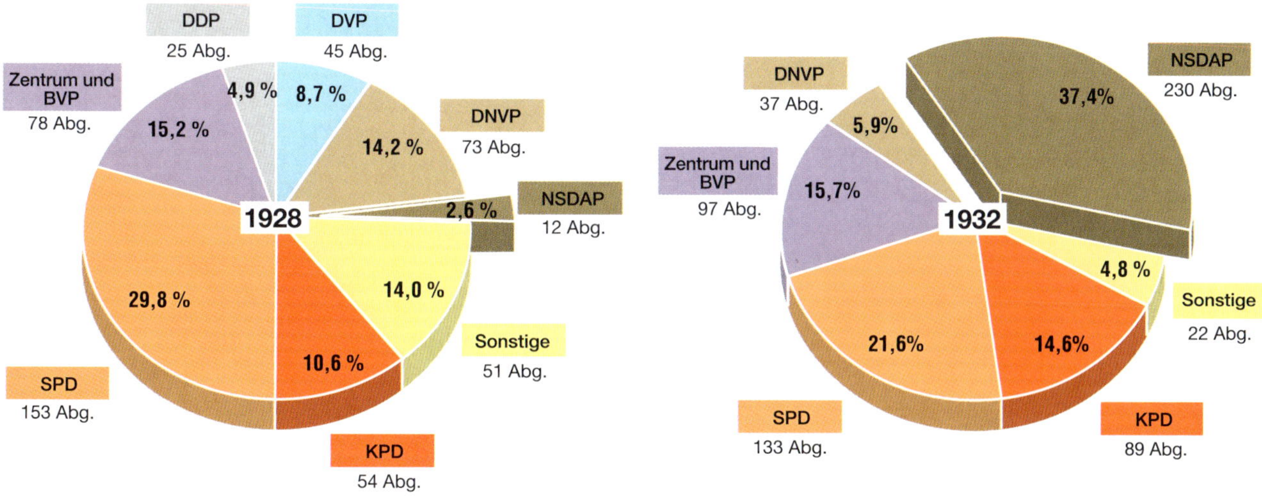

M 3 Ergebnisse der Reichstagswahlen in den Jahren 1928 (links) und Juli 1932 (rechts)

Wer meistert die Krise? ▸ Weder die Wirtschaftsfachleute noch die Reichsregierung wussten, wie man den Niedergang der deutschen Wirtschaft aufhalten konnte. In den öffentlichen Kassen sanken die Steuereinnahmen, während die Ausgaben für die Arbeitslosen immer weiter anstiegen. Im April 1930 zerbrach die Regierung der großen Koalition (SPD, DDP, DVP, Zentrum) an der Frage, wie man das Loch in der Arbeitslosenversicherung stopfen könnte. Reichspräsident Hindenburg ernannte den Zentrumspolitiker Heinrich Brüning zum neuen Kanzler. Weil die demokratischen Parteien keine gemeinsame Regierung mehr zustande brachten, musste Brüning mit Notverordnungen regieren.

Ist die Demokratie noch zu retten? ▸ Wenn der Reichstag Notverordnungen ablehnte, konnte ihn der Präsident auflösen und Neuwahlen anordnen. Das geschah 1930 einmal und 1932 zweimal. In der Zeit zwischen der Auflösung des Reichstags und den Neuwahlen regierte der Kanzler ohne das Parlament, nur mit der Zustimmung des Präsidenten. Brünings Nachfolger, der parteilose Franz von Papen, trat unverhohlen für die Abschaffung der parlamentarischen Demokratie ein.

Die Arbeitslosigkeit und die Unfähigkeit der demokratischen Parteien, die Krise zu lösen, führten dazu, dass die Deutschen radikalen Parteien, vor allem den Nationalsozialisten, zuliefen (M 3). 1932 wurden diese sogar die stärkste Partei im Reichstag. Auch Adolf Hitler, der sich für das Amt des Reichspräsidenten beworben hatte, bekam 1932 über ein Drittel der Stimmen. Viele fragten sich: Kann Hitler die Krise meistern?

M 4 Typisch für die Weimarer Republik: Gewaltanwendung bei politischen Auseinandersetzungen unter den radikalen Parteien, vor allem zwischen Kommunisten und Nationalsozialisten. SA-Mann bei einer Saalschlacht (Gemälde um 1930).

Was wollen die Nazis?

Hakenkreuz ▸ Es ist ein seit langem verwendetes Symbol, zum Beispiel für Sonne. Die Verwendung des Hakenkreuzes in der Öffentlichkeit ist seit 1945 verboten. Wer es dennoch verwendet, macht sich strafbar.

Hakenkreuzfahne ▸ Die Fahne der NSDAP wurde von Adolf Hitler selbst entworfen und beschrieben: „Rot ist sozial, das Weiß ist antisemitisch."

Braun ▸ Dies war die Hauptfarbe der uniformähnlichen Kleidung der NSDAP. Als „braun" wird heute jemand bezeichnet, der nationalsozialistisch eingestellt ist.

Novemberverbrecher ▸ Das ist ein Schimpfwort Hitlers für die Revolutionäre vom November 1918, aber auch für alle demokratischen Politiker der Weimarer Republik.

M 1 Hitler lehrt Hass!

Im März 1933 – Hitler war bereits an der Macht – beklagte sich der katholische Pfarrer Stefan Rugel in einer Predigt, dass so viele aus seiner bayerischen Kirchengemeinde Hitler und die Nationalsozialisten gewählt hatten. Noch einmal wollte er den Unterschied zwischen Nationalsozialismus und Christentum erklären:

▸ Die Nazis sagen: Die Rasse ist der Schlüssel zur Weltgeschichte und zur menschlichen Kultur überhaupt. Wie es Rinder- und Pferderassen gibt, so gibt es auch Menschenrassen. Es gibt – nach der NS-Weltanschauung – höhere und niedere Rassen. Der Wert des Menschen wird durch die Rasse bestimmt, der er angehört, ohne Rücksicht darauf, was er geistig und sittlich ist. Die Nazis sagen: Die höchste Rasse ist die arische oder germanische Rasse, ist der blonde und blauäugige Mensch. Wer ein reinblütiger Germane ist, der ist ein Edelmensch, ein Herrenmensch. [...]

Deutschlands Edelrasse ist nun bedroht von niederrassigen Schichten des Volkes und niederrassigen anderen Völkern. Deutschland weiß das nicht. Volksfremde Führer, Novemberverbrecher, wollen es in einem Schlafzustand erhalten durch Demokratie, Freiheit, Selbstbestimmung, Völkerversöhnung. Hitler sagt: Das Volk ist rassisch vergiftet. Darum: Deutschland erwache! Befreie dich von diesen Volksverderbern. Pflege deine rassischen Eigenschaften. Sie werden dich, sagt Hitler, eines Tages zum Herrn der Erde machen. [...]

M 2 Adolf Hitler (1889–1945) mit der Hakenkreuzfahne. Gemälde aus der Zeit 1930.

Adolf Hitler wurde als Sohn eines Zollbeamten in dem österreichischen Städtchen Braunau am Inn geboren. Nach dem Besuch der Realschule und dem Tod seiner Eltern ging er nach Wien, um Malerei zu studieren. Nachdem er die Aufnahmeprüfung an die Kunstakademie nicht schaffte, führte er mehrere Jahre lang ein unstetes Leben (Gelegenheitsmaler und Obdachloser).

1913 zog er nach München, wo er sich bei Kriegsbeginn zur bayerischen Armee meldete. Nach dem Krieg fand er in München Anschluss an die NSDAP („Nationalsozialistische Deutsche Arbeiterpartei"). Der talentierte Redner widmete sich ganz der Partei und gewann schnell Anhänger für ihre antidemokratischen und antisemitischen Ziele.

A 1 Beschreibe das Propagandabild (M 2). Mit welchen Mitteln arbeitete der Künstler, um Adolf Hitler als geeigneten „Retter" Deutschlands zu präsentieren?

Die schlimmste Rasse sind die Juden, denen die Nationalsozialisten alle Schlechtigkeit beilegen. Sie sagen: Diese Rasse ist total verkommen, entartet, ist eine satanische Rasse, der Gegenpol zur nordischen, göttlichen Rasse. Sie müssen ausgerottet werden. [...] Alle Völker, gegen die der Nationalsozialismus einen besonderen Hass hat, sind natürlich auch verjudet, in erster Linie die Polen und Franzosen. [...]

Der Nationalsozialismus will die Vernichtung des „unwerten" Lebens, will die Degenerierten [Entarteten] und die unheilbar Kranken beseitigen. [...] Der Begriff „lebensunwertes" Leben ist beim Nationalsozialismus gleichbedeutend mit Niederrassigkeit. [...] Dem deutschen Volk gebührt die Herrschaft über die anderen minderwertigen Völker. Dieser Wahn der Auserwähltheit erklärt auch die beispiellose Rohheit der Braunhemden, die wir bereits erlebt haben und noch erleben werden. Dieses nordische Barbarentum hindert jede Völkerversöhnung.

Wir sehen: Das Christentum stellt den schärfsten Gegensatz dar zur NS-Geisteswelt. Das Christentum lehrt Liebe, der Nationalsozialismus Hass; Hass gegen die Niederrassigen, Hass gegen die eigenen Volksgenossen, wenn sie nicht der NS-Partei angehören. [...] So wird der Nationalsozialismus Sprengmittel der Volksgemeinschaft. Hitler fordert rücksichtslosen, brutalen Fanatismus gegen Franzosen und Marxisten. [...] Die nationalsozialistische Weltanschauung kennt kein Mitleid und verachtet die Schwachen.

Pfarrer Rugel wurde am selben Tag verhaftet und wochenlang eingesperrt.

M 3 Der politische Hauptfeind der Nationalsozialisten. Plakat aus der Zeit um 1933.

Hitler wurde nicht müde zu erklären, dass die Juden die russische Revolution angezettelt und den Kommunismus eingeführt hätten. Ziel deutscher Politik müsse es sein, den Bolschewismus zu vernichten. Das „niederrassige" slawische Osteuropa sollte als Lebensraum für die germanische Herrenrasse erobert werden.

M 4 Der braune Besen. Karikatur um 1930.

Die Feinde der Nationalsozialisten sind hauptsächlich an ihren Kopfbedeckungen zu erkennen: Zylinder und „Judennase", Hut eines hohen Geistlichen, rote Mütze mit Sowjetstern, rote Ballonmütze der Sozialdemokraten.

A 2 Erkläre die Hakenkreuzfahne der Nationalsozialisten.

A 3 Erkläre die „Rassenlehre" der Nationalsozialisten.

A 4 Was beinhaltet der Ausdruck „lebensunwertes" Leben?

A 5 Mit welchen Argumenten verurteilt der Prediger das Gedankengut der Nazis (M 1)?

A 6 Nimm Stellung zu dem Satz: „Volksfremde Führer, Novemberverbrecher, wollen das deutsche Volk in einem Schlafzustand erhalten durch Demokratie, Freiheit, Selbstbestimmung, Völkerversöhnung" (M 1).

Wir werten politische Plakate aus

A 1 Werte die Plakate M 2 bis M 4 und M 6 bis M 8 nach den auf dieser Doppelseite beschriebenen Schritten aus.

A 2 Welche Plakate zeigen eher Gewalt und Aggression? Welche Mittel werden auf den anderen Plakaten verwendet?

A 3 Betrachte die politischen Plakate auf Seite 204. Welche Unterschiede zur Plakatgestaltung in der Weimarer Zeit kannst du feststellen?

Plakatkrieg ▸ In der Weimarer Zeit, in der es noch kein Fernsehen gab, war das politische Plakat das wichtigste Werbemittel der Parteien. Plakate warben für die Programme der Parteien, wobei sie den Wählern in erster Linie klarmachten, wie sie zur Weimarer Republik standen. Besonders gegen Ende der Republik wurden die Wahlkämpfe zu richtigen Plakatkriegen, in denen der politische Gegner angegriffen, verhöhnt und oft auch erniedrigt wurde.

M 1 Grundsätze zur Gestaltung politischer Plakate

- Plakate müssen provozieren!
- Plakate müssen einen kämpferischen Schwung ausstrahlen!
- Der konkrete Feind muss sichtbar werden!
- Je größer das Plakat, desto größer der Erfolg!
- Wichtig sind knapp formulierte Parolen!
- Die besten Plakate kommen ohne Text aus!
- Die Aussage des Plakats muss schnell erfasst werden!
- Texte und Bilder auf den Plakaten müssen unter die Haut gehen!

M 2 1932: Drei Feinden der Demokratie sollen keine Stimmen gegeben werden. Sie sind zu erkennen an ihren Kopfbedeckungen (Stern, Hakenkreuz, Stahlhelm).

M 3 1932: Die politischen Gegner sind an ihrer Kopfbedeckung erkennbar: Zylinder, Pickelhaube, Stahlhelm, SA-Mütze. Nur Hitler ist barhäuptig dargestellt.

M 4 1932: Das Plakat verzichtet auf Symbole der Gewalt. Es nennt durch die Bildsymbole (zum Beispiel die Sonne) Gründe, eine bestimmte Person zu wählen.

M 5 Plakat zur Reichstagswahl von 1928

1. Was wird bildlich dargestellt? ▸ Ein fetter, hässlicher, rot eingefärbter Mann sitzt auf einem Zwerg, der schwarz-weiß-rot gekleidet ist und sich auf ein Buch mit der Aufschrift Rei[chs]-Ver-Fass[ung] stützt.

2. Wie lautet der Text? ▸ Er fordert auf, die NSDAP (Hitler-Bewegung) mit dem Listenplatz 10 zu wählen. Eine Frage wird gestellt und verneint.

3. Was man wissen muss ▸
Rot = sozialistisch / kommunistisch;
Schwarz-Rot-Gold = Republik / Demokratie;
Schwarz-Weiß-Rot = Kaiserreich;
Reichsverfassung = Weimarer Verfassung;
Zwerg = der deutsche Michel = Deutschland;
große krumme Nase = Jude;
Zigarre, Schmuck, fetter Bauch = Kapitalist.

4. Was will das Plakat aussagen? ▸ Die Weimarer Republik ist ein sozialistisch-demokratisch-jüdisches Ungeheuer, das es sich auf Kosten der Deutschen gut gehen lässt. Dieser Zustand muss beendet werden.

5. Abschließende Bewertung ▸ Das Plakat ist antisemitisch und antidemokratisch. Es verleumdet die Weimarer Republik und alle Deutschen, die nicht die Hitler-Bewegung wählen.

M 6 1932: Reichskanzler Brüning wird hier als Turm dargestellt, um den herum es brennt. Das Geschehen im Vordergrund zeigt, wer als Brandstifter angesehen wird.

M 7 1932: Dieses Plakat richtet sich an bestimmte Gruppen der Gesellschaft und verspricht Hilfe. Die Gestaltung weicht von anderen Wahlplakaten dieses Jahres ab.

M 8 1932: Die dargestellte Person kämpft energisch gegen den politischen Feind. Die Partei will verhindern, dass die politischen Gegner an die Macht kommen.

Ermächtigung für die Diktatur

„Hier bringt mich lebend niemand mehr heraus!", sagte Adolf Hitler beim Betreten der Reichskanzlei am 30. Januar 1933 zum Propagandaleiter der NSDAP, Joseph Goebbels.

Adolf Hitler wird Reichskanzler ▸ Die beiden Wahlen des Jahres 1932 brachten den republikfeindlichen Parteien die Mehrheit der Sitze im Reichstag. Lange sträubte sich der Reichspräsident Hindenburg, den „Führer" der NSDAP mit der Regierungsbildung zu beauftragen: „Der ist doch kein Staatsmann, Postminister meinetwegen!" Seine politischen Berater redeten ihm jedoch ein, man werde Hitler in einer Koalitionsregierung aus Ministern der NSDAP, DNVP und Parteilosen schon bändigen.

Am 30. Januar 1933 ernannte Hindenburg Adolf Hitler zum neuen Reichskanzler. Hitler legte den Eid auf die Weimarer Verfassung ab. Neben dem Kanzler stellten die Nationalsozialisten nur zwei Minister. Schon bald zeigte sich aber, dass sich Hitler auf seinem Weg zur „Machtergreifung" von niemandem mehr aufhalten ließ.

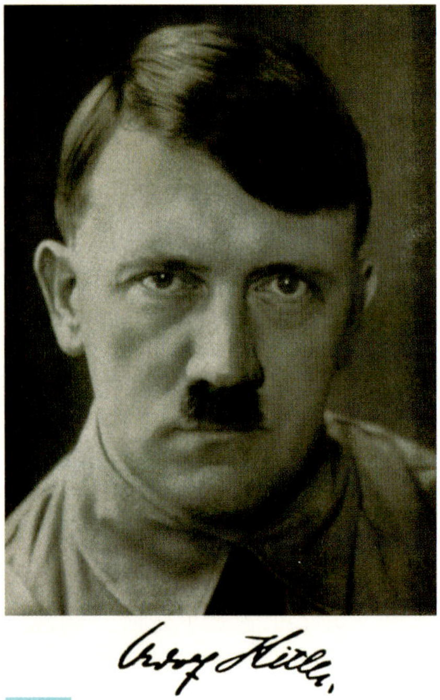

M 1 Offizielles Porträt des Reichskanzlers Adolf Hitler mit seiner Unterschrift. Diese Fotografie hing in allen Büros und Schulzimmern.

M 2 „Das Verhängnis", Karikatur des deutschen Zeichners Paul A. Weber aus dem Jahr 1932. Der Künstler prophezeit das Schicksal, das die Deutschen unter der nationalsozialisitischen Herrschaft erwartet.

M 3 Der 30. Januar 1933

Die amerikanische Zeitung New York Times schrieb am 31.1.1933:

▸ Es wäre sinnlos, wollte man versuchen, das tiefe Unbehagen zu verbergen, das die Nachricht aus Berlin bei allen Freunden Deutschlands hervorrufen muss. An die Spitze der deutschen Republik ist ein Mann gestellt worden, der sie öffentlich verhöhnt und geschworen hat, sie zu vernichten.

Erste Schritte in den Polizeistaat ▸ Am 31. Januar 1933 erwirkte Hitler beim Reichspräsidenten die erneute Auflösung des Reichstages und Neuwahlen. Kurz darauf genehmigte Hindenburg Eingriffe in die Presse- und Versammlungsfreiheit. Damit sollten Kommunisten und Sozialdemokraten getroffen werden, die gegen Hitler demonstriert hatten. Einen willkommenen Anlass, mit ihnen noch gründlicher abzurechnen, lieferte der junge Holländer Marinus van der Lubbe, ein ehemaliger Kommunist, der am Abend des 27. Februar 1933 im Reichstagsgebäude Feuer legte und dabei erwischt wurde. Am nächsten Tag setzte eine Notverordnung die Grundrechte der Weimarer Verfassung außer Kraft. Von nun an konnte jeder ohne richterliche Verfügung verhaftet und beliebig lange eingesperrt werden. Behörden durften die Post öffnen, Telefonate abhören und das Eigentum beschlagnahmen. Diese „Reichstagsbrandverordnung" vom 28. Februar 1933 blieb bis 1945 bestehen.

A 1 Hitler konnte Reichskanzler werden, obwohl er ein erklärter Gegner der Demokratie war. Wie war das möglich?

A 2 Warum war die „Reichstagsbrandverordnung" ein großer Schritt in Richtung Polizeistaat?

A 3 Beschreibe und deute die Karikatur „Wohin?" (M 2).

A 4 Erläutere die Überschrift im „Völkischen Beobachter" vom 1. März 1933 (M 4). Welche Maßnahmen sind bereits durchgeführt?

Norddeutsche Ausgabe / Ausgabe A

Ausgabe A / Norddeutsche Ausgabe

VÖLKISCHER BEOBACHTER

Die Brennessel

Das Maß ist voll!

Jetzt wird rücksichtslos durchgegriffen

Kommunistische Brandstifter zünden das Reichstagsgebäude an – Der Mitteltrakt mit dem großen Sitzungssaal vernichtet – Kommunistischer Brandstifter verhaftet – Das Zeichen zur Entfesselung des kommunistischen Aufruhrs – Schärfste Maßnahmen gegen die Terroristen – Alle kommunistischen Abgeordneten in Haft – Alle marxistischen Zeitungen verboten

Der Wallot-Bau in Flammen | Das Fanal!

M 4 Die Zeitung der NSDAP meldet den Reichstagsbrand am 1. März 1933: Kommunistische Brandstifter zünden das Reichstagsgebäude an – Der Mitteltrakt mit dem großen Sitzungssaal vernichtet – kommunistischer Brandstifter verhaftet – Das Zeichen zur Entfesselung des kommunistischen Aufruhrs – Schärfste Maßnahmen gegen die Terroristen – Alle kommunistischen Abgeordneten in Haft – Alle marxistischen Zeitungen verboten.

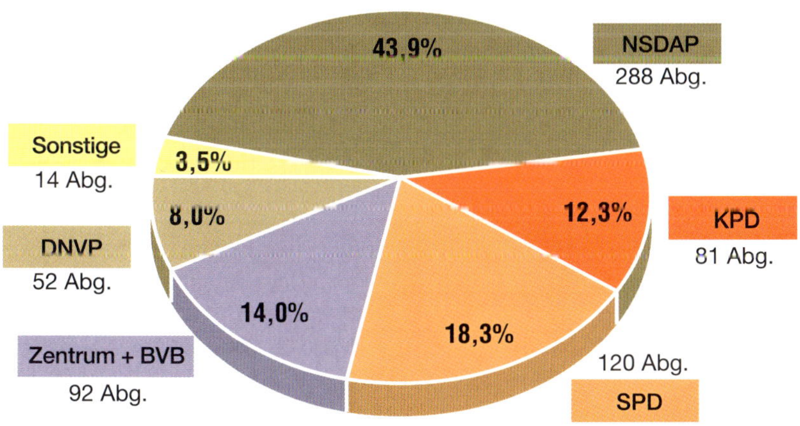

M 5 Zusammensetzung des Reichstags nach den Neuwahlen am 5. März 1933. Nach einem hitzigen Wahlkampf, in dem die KPD und die SPD massiv behindert wurden, erhoffte sich Hitler die Zweidrittelmehrheit der Stimmen, die er zur Änderung der Verfassung benötigte. Vergebens, wie das Wahlergebnis zeigt.

Ermächtigung für die Diktatur

Nach der Reichstagsbrandverordnung errichtete Adolf Hitler im März 1933 einen weiteren Grundpfeiler für seine Diktatur: Das Ermächtigungsgesetz war eine von der Verfassung erlaubte Verordnung auf Zeit. Es wurde vom Reichstag nicht mehr außer Kraft gesetzt.

M 2 Hitler-Bildnis aus dem Jahr 1938. So ließen sich Herrscher seit mehreren Jahrhunderten darstellen.

A 1 Man sagt: Hitler sei legal (auf einem Weg, den die Verfassung zulässt) an die Macht gekommen. Erkläre.

A 2 Warum spricht der amerikanische Journalist Shirer vom „Selbstmord“, den die parlamentarische Demokratie begangen haben soll?

A 3 Erkläre den Titel „Führer und Reichskanzler“, den Hitler sich 1934 zulegte.

A 4 Was sagt der Spruch „Ein Volk, ein Reich, ein Führer“ aus?

M 1 „Ermächtigungsgesetz“

Auszug aus dem „Gesetz zur Behebung der Not von Volk und Reich“ vom 24. März 1933:

Artikel 1 Reichsgesetze können außer in dem in der Verfassung vorgesehenen Verfahren auch durch die Reichsregierung beschlossen werden. [...]

Artikel 2 Die von der Reichsregierung beschlossenen Reichsgesetze können von der Reichsverfassung abweichen, soweit sie nicht die Einrichtung des Reichstags [...] zum Gegenstand haben. Die Rechte des Reichspräsidenten bleiben unberührt.

M 3 Selbstmord verübt

Aus dem Tagebuch des amerikanischen Journalisten W. L. Shirer (24. März 1933):

In Deutschland ist die parlamentarische Demokratie endgültig begraben. Das Parlament hat seine verfassungsmäßigen Befugnisse an Hitler übertragen und damit Selbstmord verübt. 441 Stimmen für und 94 (sämtlich Sozialdemokraten) gegen das Ermächtigungsgesetz. Die Abgeordneten der NSDAP sprangen von ihren Sitzen auf, trampelten vor Freude und stimmten dann mit den Braunhemden, die in den Mittelgängen standen, das Horst-Wessel-Lied an: „Die Fahne hoch! Die Reihen fest geschlossen! SA marschiert mit ruhig festem Schritt.“

„Oberster Gerichtsherr“ Im Sommer 1934 ließ Hitler den langjährigen Freund und Chef der Parteiarmee (SA), Ernst Röhm, und 150 weitere Personen ermorden. Röhm hatte verlangt, die versprochene NS-Revolution fortzuführen, zum Beispiel die Großbetriebe zu verstaatlichen und die Arbeiter am Gewinn zu beteiligen. Außerdem wollte er die drei Millionen SA-Mitglieder mit der Reichswehr vereinigen. Hitler rechtfertigte sich vor dem Reichstag: „In dieser Stunde war ich verantwortlich für das Schicksal der deutschen Nation und damit des deutschen Volkes oberster Gerichtsherr.“

„Führer und Reichskanzler“ Als der Reichspräsident Paul von Hindenburg am 2. August 1934 starb, übernahm Hitler dessen Amt. Damit wurde er auch Oberbefehlshaber der Reichswehr. Fortan nannte er sich „Führer und Reichskanzler“. Hitler ließ sich noch im August die Häufung dieser Ämter vom Volk bestätigen. 38 Millionen Deutsche stimmten mit „Ja“, nur 4 Millionen mit „Nein“. Der Alleinherrscher konnte sich weiterhin darauf berufen, dass er die Zustimmung seines Volkes hatte.

Das Dritte Reich macht alle gleich

Joseph Goebbels schrieb 1933 ▸ „Die nationalsozialistische Revolution erobert das Volk und das öffentliche Leben, drückt der Kultur, der Wirtschaft, der Politik und dem privaten Dasein seinen Stempel auf.“ Die Nazis nannten diese Politik „Gleichschaltung“.

M 4 Beispiele für die „Gleichschaltung“:

▸ Im Juli 1933 verkündete ein Gesetz, dass es in Deutschland nur mehr eine politische Partei geben darf, die NSDAP. Danach saßen nur noch Nationalsozialisten in den Parlamenten der Länder und der Kommunen. Deutschland war zum Einparteienstaat geworden.

▸ Das oberste Parlament des Reiches, der „braune“ Reichstag, trat nur noch zusammen, um Hitlers Reden anzuhören und vorformulierten Entschließungen zuzustimmen. Von den im März 1933 gewählten 647 Abgeordneten verbrachten 311 eine jahrelange KZ-Haft, 186 starben in der Haft oder wurden hingerichtet.

▸ Einen Tag nach den Feiern des 1. Mai 1933 wurden die Häuser der Gewerkschaften besetzt, ihr Vermögen eingezogen und führende Funktionäre verhaftet. Die Arbeiter mussten in die neu gegründete Deutsche Arbeitsfront übertreten. 1934 wurden auch die Verbände der Unternehmer in die Arbeitsfront eingegliedert.

Drittes Reich

Aus Knaurs Lexikon A–Z (1938):

▸ Volkstümlich gewordene Bezeichnung für ein starkes, einheitliches, großes Deutsches Reich, das den Gedanken des mittelalterlichen Kaisertums [Erstes Reich] und des Bismarckschen Reiches [Zweites Reich] in neuer Form weiterführt. Bezeichnung von den Nationalsozialisten übernommen für die eigene Reichsgründung, begonnen 1933.

A 5 Erläutere den Begriff „Gleichschaltung“ an den aufgeführten Beispielen (M 4).

A 6 Welche Bedeutung spielte das „Ermächtigungsgesetz“ für die „Gleichschaltung“?

M 5 Der gleichgeschaltete Reichstag während einer Hitlerrede. Aufnahme aus dem Jahr 1939

Kurz und klar

- Im August 1934 beseitigten die Nationalsozialisten den letzten Rest rechtsstaatlicher Ordnung: die Gewaltenteilung. Hitler vereinigte in seiner Person die Legislative (gesetzgebende Gewalt), die Exekutive (ausführende Gewalt) und die Judikative (richterliche Gewalt).
- Der Führer und Reichskanzler Adolf Hitler gab diese Machtfülle nicht mehr aus der Hand.

Das Dritte Reich macht alle gleich

Alle sollten
das Gleiche denken,
das Gleiche fühlen,
das Gleiche wollen,
das Gleiche tun!
Nämlich das,
was von oben
eingehämmert wurde.

Gleichgeschaltete Kultur und Wissenschaft ▸ Im März 1933 wurde das „Reichsministerium für Volksaufklärung und Propaganda" geschaffen, das der Propagandaleiter der NSDAP, Joseph Goebbels, führte. Er errichtete die Reichskulturkammer, in der die bildenden Künstler, Wissenschaftler, Journalisten, Schriftsteller, Schauspieler und Musiker, die in Deutschland arbeiteten, zusammengeschlossen wurden, um sie nationalsozialistisch „auszurichten". Wer Jude war oder politisch nicht dazugehören wollte, durfte seinen Beruf nicht mehr ausüben. Tausende Betroffene verließen Deutschland. Darunter waren Persönlichkeiten von internationalem Ansehen, wie die Schriftsteller Thomas Mann, Bertolt Brecht, Kurt Tucholsky, der Maler Oskar Kokoschka, die Schauspielerin Marlene Dietrich, der Sänger Richard Tauber, der Komponist Paul Hindemith, der Physiker und Nobelpreisträger Albert Einstein, der die Grundlagen der modernen Atomphysik geschaffen hat. Mit ihm emigrierten 23 weitere Nobelpreisträger.

A 1 Was versteht man unter „Gleichschaltung von Kultur und Wissenschaft"?

„Heil Hitler!" ▸ Der Hitler-Gruß war zwar nicht gesetzlich verordnet, wer ihn aber unterließ, wurde verdächtigt, ein Gegner der Nazis zu sein. Hitler persönlich musste mit „Heil, mein Führer!" begrüßt werden.

„Entartete Kunst" ▸ Schriftsteller und bildende Künstler, deren Werke den Nationalsozialisten nicht genehm waren, wurden in aller Öffentlichkeit verleumdet. Zehntausende Bücher jüdischer und anderer unerwünschter Schriftsteller wurden verbrannt. An die 16 000 „entartete" Kunstwerke, darunter bekannte Werke der modernen Malerei und Plastik, wurden aus den Museen geholt oder den Künstlern weggenommen. Viele Kunstwerke wurden öffentlich verbrannt oder ins Ausland verkauft.

Vorschlag für ein Projekt

▸ „Entartete Kunst": Sammelt Abbildungen von Kunstwerken ausgewählter „entarteter" Künstler, informiert euch über deren Schicksal im Dritten Reich und sprecht auch im Kunstunterricht darüber. Stellt diesen Kunstwerken Abbildungen von Kunstwerken gegenüber, die die Nazis bevorzugten.

M 1 „Florenz" von Oskar Kokoschka (1886–1980). Seine Kunst wurde von den Nazis als „Idiotenkunst" bezeichnet. Der Künstler emigrierte 1934 nach Prag und floh, als deutsche Soldaten 1939 die Stadt besetzten, nach London. Auch Otto Dix und Paul Klee (Seite 149) wurden zu den „entarteten" Künstlern gerechnet.

M 2 Werbeplakate für die Hitlerjugend

„Jugend dient dem Führer" ▸ Die Hitlerjugend (HJ) war zunächst die Jugendorganisation der NSDAP. Nach der Gleichschaltung aller Jugendverbände wurde sie 1936 zur Staatsjugend erklärt. Seit 1939 mussten alle Jugendlichen im Alter von 10 bis 18 Jahren der Hitlerjugend beitreten. Die Jungen kamen mit 10 Jahren in das „Deutsche Jungvolk". Mit 14 Jahren wurden sie in die eigentliche HJ überführt und erhielten hier auch eine militärische Ausbildung. Die Mädchen wurden zuerst „Jungmädel" und mit 14 Jahren Mitglieder des „Bundes Deutscher Mädel" (BDM).

A 2 Beschreibe die Plakate (M 2). Für welche politischen Ziele des nationalsozialistischen Staates wollen sie die Jugendlichen gewinnen (M 3)? Was denken wir heute über diese Ziele?

A 3 Verfasse einen kurzen Beitrag zum Begriff „Gleichschaltung". Verwende dabei auch die Ausschnitte aus der Hitler-Rede (M 3).

M 3 … und sie werden nicht mehr frei

Aus einer Rede Adolf Hitlers im Dezember 1938:

▸ Diese Jugend, die lernt ja nichts anderes als deutsch denken, deutsch handeln. Die Knaben kommen vom Jungvolk in die Hitlerjugend und dort behalten wir sie wieder vier Jahre. Und dann geben wir sie erst recht nicht zurück in die Hände unserer alten Klassen- und Standeserzeuger, sondern dann nehmen wir sie sofort in die Partei oder in die Arbeitsfront, in die SA oder in die SS, in das NSKK [Nationalsozialistische Kraftfahrerkorps] und so weiter. Und wenn sie dort […] noch nicht ganz Nationalsozialisten geworden sein sollten, dann kommen sie in den Arbeitsdienst und werden dort wieder sechs und sieben Monate geschliffen. Und was dann noch an Klassenbewusstsein oder Standesdünkel da oder dort noch vorhanden sein sollte, das übernimmt die Wehrmacht. Und dann nehmen wir sie, damit sie auf keinen Fall rückfällig werden, sofort wieder in die SA, SS und so weiter, und sie werden nicht mehr frei, ihr ganzes Leben.

Kurz und klar

- Die Nazis unterwarfen nicht nur den gesamten politischen Bereich, zum Beispiel die Parlamente in den Ländern und Kommunen, ihrer Parteilinie (Ideologie), sondern auch den kulturellen Bereich.
- Nationalsozialistisch ausgerichtet werden sollten auch die Jugendlichen und die Erwachsenen.
- Alle sollten so denken und handeln, wie die Nazis dies vorgaben.

Schikaniert und entrechtet: die Juden

„Die Juden sind schuld“, war die Zauberformel, mit der Adolf Hitler Missstände in Deutschland und Europa erklärte. In den Jahren nach der „Machtergreifung“ wurden etwa 2000 Gesetze und Verordnungen erlassen. Die Juden in Deutschland waren zum allergrößten Teil Deutsche, deren Familien oft seit Jahrhunderten hier lebten.

Judenboykott 1933 Der Propagandaminister Joseph Goebbels ließ am 1. April im ganzen Reich jüdische Ärzte, Rechtsanwälte und Geschäftsinhaber boykottieren [wirtschaftlich schädigen]. SA-Leute postierten sich vor deren Büros und Geschäften, um Kunden vom Betreten abzuhalten. Im Mai 1933 verbrannten die Nazis in Berlin die Bücher von jüdischen Schriftstellern und von Autoren, die sie nicht als deutsch akzeptierten. Für Hitler waren bald alle politischen Gegner „Juden“ oder „Judenknechte“.

Nürnberger Gesetze 1935 Im Sommer des Jahres 1935 tauchten überall vor Bädern, Restaurants, ja vor ganzen Ortschaften Schilder auf, die den Juden verkündeten, sie seien hier nicht erwünscht. Damit wurden die antisemitischen Gesetze vorbereitet, die auf dem Reichsparteitag in Nürnberg im September 1935 verkündet wurden:
Das Blutschutzgesetz legte fest, wer als Jude, Arier oder als Mischling galt. Es betrachtete Eheschließungen und außereheliche sexuelle Kontakte zwischen Juden und Ariern als „Rassenschande“ und stellte sie unter Strafe.
Das Reichsbürgergesetz entzog den Juden das Wahlrecht, schloss sie aus den öffentlichen Ämtern aus und entzog ihnen die Renten.

A 1 Erstelle eine Zeitleiste und trage die wichtigsten Stationen der Judenverfolgung ein.

A 2 Erkläre die Nürnberger Gesetze und die Ereignisse der Reichskristallnacht.

A 3 Woran erkennt man heute antisemitische Äußerungen und wie kann man ihnen entgegentreten?

A 4 Beschreibe und deute das antisemitische Bild M 3.

M 1 Sie waren feige!

Ken J. Berger, ein Opfer der Kristallnacht berichtet:

Alle wussten, was vor sich ging. Und alle schauten weg: Unsere Nachbarn standen hinter ihren Gardinen und schauten weg, als SS-Männer meine Familie und mich, an Händen, Beinen und Haaren packend, auf Laster warfen. Sie schauten weg, denn sie hätten ihr eigenes Leben aufs Spiel gesetzt. „Juden unerwünscht!“ stand beim Friseur, beim Bäcker, beim Lebensmittelhändler. Die ganze Brutalität wurde den Leuten ständig vor Augen geführt, aber was konnten sie tun? Sie hatten Angst, sie waren feige. Ebenso feige, wie ich an ihrer Stelle gewesen wäre.

M 2 Jüdisches Geschäft in Berlin am 1. April 1933, bewacht von einem SA-Posten

Reichskristallnacht 9./10. November 1938 ▸ Die Entrechtung der Juden wurde nach 1935 fortgesetzt. Alle Jüdinnen mussten den Zwangsnamen „Sara", alle Juden den Zwangsnamen „Israel" tragen. Sie erhielten den Stempel „J" in ihren Reisepass. Jüdische Ärzte durften nur noch jüdische Patienten behandeln, jüdische Rechtsanwälte nur noch Juden vor Gericht vertreten.
Als 1700 Juden polnischer Staatsangehörigkeit aus Deutschland ausgewiesen wurden, verübte ein junger Jude in Paris ein Attentat auf einen Angehörigen der deutschen Botschaft. Dieses Ereignis diente als Anlass für die von oben organisierte Reichskristallnacht vom 9./10. November 1938, in der 267 Synagogen und etwa 7500 jüdische Geschäfte zerstört wurden. Dabei wurden 91 Menschen getötet und etwa 26 000 Juden in Konzentrationslager gesperrt. Der Sachschaden betrug mehrere hundert Millionen Reichsmark.

Endgültiger Ausschluss aus der Gesellschaft ▸ Nach der Reichskristallnacht mussten die Juden eine Milliarde Reichsmark „Sühne" zahlen. Sie durften keine Theater und Kinos mehr besuchen und keine Autos mehr fahren. Jüdische Kinder mussten die Schulen verlassen. Jüdische Betriebe und Geschäfte wurden geschlossen oder mussten an Arier verkauft werden.
Die Reichskristallnacht löste unter den Juden eine Auswanderungswelle aus. Von 562 000 Juden, die 1933 in Deutschland lebten, hatten bis Ende 1938 220 000 Deutschland verlassen.

Antisemitismus ▸ Bezeichnung für den Judenhass, der sich auf eine irrationale Rassenlehre stützt. Die „niederrassigen" Juden wurden zu Sündenböcken gestempelt, denen man alles anlastete, was in der Politik oder in der Gesellschaft schief ging. Die Diskriminierung der Juden wurde nicht von Hitler „erfunden", sie war in Deutschland und in Europa seit dem Mittelalter weit verbreitet. Der Antisemitismus verstößt gegen die Menschenrechte.

Arier ▸ Die nationalsozialistische Rassenlehre bezeichnete Angehörige nordischer Völker als „Arier". Juden gehörten nicht dazu. Sie wurden zu den Semiten gerechnet. Das Wort „Arier" bedeutete ursprünglich „Edler" oder auch Mitglied der indogermanischen Sprachgemeinschaft.

Reichskristallnacht ▸ Bezeichnung für die von der Reichsregierung angestifteten Übergriffe auf jüdische Geschäfte und Synagogen am 9./10. November 1938. Dabei ging eine Unmenge von Glas (Kristall) zu Bruch.

Kurz und klar

- Sobald die Nazis an der Macht waren, setzten sie ihr antisemitisches Programm in die Tat um: Die Boykotte am 1. April 1933 sollten die Juden wirtschaftlich schädigen.
- Die Nürnberger Gesetze machten die Juden zu Bürgern zweiter Klasse.
- In der Reichskristallnacht 1938 erreichten die Gewaltmaßnahmen gegen Juden ihren ersten Höhepunkt.

M 3 „Einbahnstraße tempo tempo ⟶ Die Juden sind unser Unglück!". Aus einem Kinderbuch, das 1936 im Verlag der antisemitischen Wochenzeitung „Der Stürmer" erschien.

Propaganda nach Art des „Führers"

Ministerium für die NS-Propaganda ▸ Zur Verwirklichung der von Adolf Hitler entworfenen Grundsätze der Propaganda wurde das Reichsministerium für Volksaufklärung und Propaganda geschaffen, das Joseph Goebbels leitete (Seite 160). Das Ministerium bekam die Kontrolle über alle Massenmedien (Presse, Rundfunk, Film, Fernsehen ab 1935), über alle Einrichtungen der Kultur (Musik, Theater, Literatur, Kunst) und über die Gestaltung von NS-Feiern, zum Beispiel der Reichsparteitage in Nürnberg.

M 1 Was Hitler unter Propaganda versteht

Auszüge aus dem von Adolf Hitlers geschriebenen Buch „Mein Kampf", in dem er viele Seiten den Mitteln und Zielen der politischen Propaganda widmet:

▸ An wen hat sich die Propaganda zu wenden? An die wissenschaftliche Intelligenz oder an die weniger gebildete Masse? Sie hat sich ewig nur an die Masse zu richten!

▸ Jede Propaganda hat volkstümlich zu sein und ihr geistiges Niveau einzustellen nach der Aufnahmefähigkeit des Beschränktesten unter denen, an die sie sich zu richten gedenkt.

▸ Es war grundfalsch, die Schuld am Kriege [Erster Weltkrieg] von dem Standpunkt aus zu erörtern, dass nicht nur Deutschland allein verantwortlich gemacht werden könnte für den Ausbruch dieser Katastrophe, sondern es wäre richtig gewesen, diese Schuld restlos dem Gegner aufzubürden, selbst wenn dies wirklich nicht so dem wahren Hergange entsprochen hätte […].

▸ Das Volk ist in seiner überwiegenden Mehrheit so feminin [fraulich] veranlagt und eingestellt, dass weniger nüchterne Überlegung, als vielmehr gefühlsmäßige Empfindung sein Denken und Handeln bestimmt.

▸ Wenn er [der noch unsichere Sympathisant der NS-Bewegung] aus seiner kleinen Arbeitsstätte oder aus dem großen Betriebe, in dem er sich recht klein fühlt, zum ersten Male in die Massenversammlung hineintritt und nun Tausende und Tausende von Menschen gleicher Gesinnung um sich hat,
- wenn er als Suchender in die gewaltige Wirkung des suggestiven Rausches und der Begeisterung von drei- bis viertausend anderen mitgerissen wird,
- wenn der sichtbare Erfolg und die Zustimmung von Tausenden ihm die Richtigkeit der neuen Lehre bestätigen […],
- dann unterliegt er selbst dem zauberhaften Einfluss dessen, was wir mit dem Wort Massensuggestion bezeichnen. […]

Der Mann, der zweifelnd und schwankend eine solche Versammlung betritt, verlässt sie innerlich gefestigt: er ist zum Glied unserer Gemeinschaft geworden.

M 2 Hauptmedium der Propaganda war ein einfaches Rundfunkgerät, mit dem man nur den deutschen Sender hören konnte. 1939 hatten 90 Prozent der deutschen Haushalte ein Radio, mehr als in einem anderen Land Europas.

M 3 Führerkult auf den Reichsparteitagen in Nürnberg

M 4 „Heil, mein Führer!"

Ein Historiker berichtet:

Auf dem Reichsparteitag 1936 in Nürnberg sah eine halbe Million Menschen auf den Zuschauertribünen 200 000 uniformierte Mitglieder aller möglichen NS-Organisationen, die mit einem Meer von Fahnen und Standarten vor dem auf erhobenem Podest stehenden Führer vorbei marschierten. [...] Fanfaren erklangen und Musikzüge spielten Hitlers Lieblingsmarsch, als der Führer das Podium betrat. Seine Leibstandarte wurde enthüllt und plötzlich, auf ein lautes Kommando hin, senkten sich grüßend 30 000 Fahnen. Mittelpunkt der Zeremonie war das Podium des Führers, wo der „Mann der Vorsehung" allein mit erhobenem Arm stand. Dann sprach er über Lautsprecher zur Menge, eine Rede, die manchmal eine Stunde lang dauerte und sich zum Schluss zur Hysterie steigerte. [...]
Nach Ende der Rede wurden die Fahnen nochmals gesenkt. Ein halbe Million Menschen sangen das Deutschlandlied und als zweite „Nationalhymne" das Horst-Wessel-Lied. In die eintretende Stille rief Hitler: „Heil, meine Männer!" Und die Menge rief zurück: „Heil, mein Führer!" Das Wörtchen „mein" gab jedem das Gefühl, persönlich von seinem Führer angesprochen worden zu sein.

A 1 Im Mittelpunkt der NS-Propaganda standen Massenveranstaltungen, wie die Reichsparteitage in Nürnberg (M 3 und M 4). Wie begründet Hitler ihre Gestaltung (M 1)?

A 2 Fasst die wichtigsten Grundsätze Hitlers über die politische Propaganda (M 1) zusammen, zum Beispiel auf einem Plakat.

A 3 Ladet eine Journalistin, einen Journalisten ein. Sprecht über Maßnahmen der NS-Regierung und über die Pressearbeit heute.

Menschen mit Zivilcourage

A 1 In welchen der geschilderten Beispiele (M 1, M 3, M 4 – M 8) wurde aktiver Widerstand geleistet?

A 2 Mit welchen Mitteln ging die Polizei gegen die Menschen (M 1, M 3, M 4 – M 7) vor, die aktiven oder passiven Widerstand leisteten?

A 3 Welche Aussage macht Käthe Kollwitz mit ihrem Bild (M 7)? Beachte auch den Titel des Bildes.

A 4 Erkundigt euch, ob es an eurem Schulort Menschen gab, die damals ins Visier der Polizei gelangt waren, weil sie sich dem NS-Staat verweigert hatten. Berichtet darüber.

Widerstand gegen die Nazis (1933 – 1939) Nach der Machtergreifung begannen die Nationalsozialisten ihre Diktatur zu errichten. Die meisten Deutschen nahmen dies widerstandslos hin oder waren sogar begeistert, denn die NS-Regierung konnte Erfolge vorweisen (Seite 168/169). Wer sich allerdings den Maßnahmen der Gleichschaltung nicht fügte, bekam es schnell mit der Polizei zu tun. Diese griff nicht nur zu, wenn man aktiv gegen die Nazis arbeitete, zum Beispiel heimlich Flugblätter verteilte und den Sturz der Regierung plante, sondern auch, wenn eine Person nicht mitmachte, zum Beispiel bei den NS-Organisationen. Gleichgültig, ob jemand aktiv oder eher passiv Widerstand leistete, das NS-Regime reagierte mit äußerster Härte.

M 1 Judenfreundlichkeit

Ein Bürgermeister aus Unterfranken berichtet (1937):

Das Landratsamt verlangt von den Bürgermeistern, diejenigen Bauern zu nennen, die noch ihre Viehhandelsgeschäfte mit jüdischen Händlern abschließen. Dies ist sehr schwierig zu machen, weil fast alle Bauern mit jüdischen Viehhändlern Geschäfte machen. Bei den Bauern ist also die erwartete ablehnende Haltung gegenüber den Juden nicht vorhanden. Einige fallen sogar durch ihre Judenfreundlichkeit besonders auf.

M 2 Briefmarke aus dem Jahr 2003. Es dauerte viele Jahre, bis Georg Elser als Widerstandskämpfer anerkannt wurde.

M 3 „Ich habe den Krieg verhindern wollen"

Aus der Internetseite von Radio Bremen:

Am 8. November 1939 versuchte der Schreiner Georg Elser, Hitler durch ein Attentat im Münchner Bürgerbräukeller zu töten und so die Ausweitung des am 1. September 1939 von Deutschland begonnenen Krieges zu verhindern. Seit Herbst 1938 plante Elser diese Tat gegen den Diktator. Er erfuhr, dass Hitler am 8. November 1939 zum Jahrestag des Hitlerputsches von 1923 im Bürgerbräukeller sprechen werde. Elser verschaffte sich Zugang zum Veranstaltungsraum und installierte dort in nächtelanger Arbeit einen Sprengkörper mit Zeitzünder. Hitler verließ am 8. November 1939 allerdings wenige Minuten vor der Explosion den Versammlungssaal.

Bei dem Attentatsversuch kamen acht Menschen ums Leben und 63 wurden verletzt. Georg Elser wurde gefasst und im April 1945 im KZ Dachau hingerichtet.

M 4 Redereien

Aus der Bekanntmachung eines bayerischen Landratsamtes (1934):

▸ In letzter Zeit mehren sich die Meldungen über solche Personen, die in der Öffentlichkeit abfällige Bemerkungen über das Winterhilfswerk [wohltätige Sammlung] machen. Nicht selten wird sogar aufgefordert, in Zukunft keinen Pfennig für das Winterhilfswerk mehr zu geben. Das Landratsamt ist nicht gewillt, solche Redereien und Verhetzungen weiterhin zu dulden. Es wird von jetzt ab gegen solche Personen mit den schärfsten Mitteln vorgegangen.

M 6 Stummer Gottesdienst

Aus einer Meldung der Polizeistation Schiltberg bei Aichach (1935):

▸ Es scheint, dass der Pfarrer von Rappertszell von seiner früheren Einstellung gegen den Nationalsozialismus immer noch nicht ablässt. Das bringt er allerdings in offener Aussprache nicht mehr zum Ausdruck. Am Heldengedenksonntag hielt er nur eine stille Messe, vermutlich deswegen, weil die HJ in Uniform zum Gottesdienst aufmarschiert ist. Das Verhalten des Pfarrers hat bei mehreren Leuten von Rappertszell Verärgerung ausgelöst.

M 8 „Heil Moskau"

Aus dem Monatsbericht des Regierungspräsidenten von Oberbayern (1937):

▸ Die Stimmung unter den Bergarbeitern in Penzberg ist nach wie vor schlecht. Dies äußert sich sichtbar in erster Linie in der Verweigerung des Hitler-Grußes. Der ledige Bergarbeiter Alois Lechner wurde in das Konzentrationslager Dachau eingeliefert, weil er wieder holt mit anderen Arbeitskameraden den Moskauer Sender abgehört hat. Gegen ihn und andere ist ein Strafverfahren wegen Vorbereitung zum Hochverrat anhängig. Ein Penzberger Bauhilfsarbeiter musste gleichfalls in Schutzhaft genommen werden, da er beim Betreten einer Wirtschaft „Heil Moskau" rief.

M 5 „Rote Hilfe" ▸ Die kommunistische Gruppe „Rote Hilfe" in Augsburg unterstützte die Familien inhaftierter Parteifreunde, bis die Gestapo sie durch Spitzel unterwanderte. 26 Hauptangeklagte mussten nach Verbüßung einer Gefängnisstrafe für Jahre ins Konzentrationslager. Mehrere von ihnen, darunter die jugendliche Leiterin der Gruppe, kamen dort ums Leben.

M 7 „Saatfrüchte dürfen nicht vermahlen werden", Lithographie von Käthe Kollwitz (1867–1945) aus dem Jahr 1942. Die Künstlerin und Pazifistin, die gegen die Nazis war, musste 1933 die Akademie der Künste in Berlin verlassen, wo sie Lehrerin war. Ab 1936 durfte sie keine Bilder mehr ausstellen.

Zivilcourage ▸ Das Wort setzt sich aus civilis (lateinisch „bürgerlich") und dem französischen courage (Mut, Schneid) zusammen. Damit wird der Mut eines Menschen bezeichnet, der öffentlich für Werte eintritt, die verletzt werden. Das können persönliche Werte (Ehrlichkeit, Freundschaft ...) sein oder Werte der Allgemeinheit (Demokratie, Menschenrechte ...).

Hochverrat ▸ Damit wird ein Verbrechen bezeichnet, das den Bestand des Staates gefährdet. Die Nationalsozialisten beschuldigten ihre politischen Gegner des Hochverrats. Die Reichstagsbrandverordnung vom 28. Februar 1933 gab ihnen das Recht, „Hochverräter" hinzurichten, ohne ein Gericht einschalten zu müssen.

Scheinbar gute Jahre der NS-Zeit

▸ Manchmal hört man Leute sagen: Hitler hat die Arbeitslosigkeit beseitigt und den Armen geholfen. Er hat die Autobahnen gebaut und viele haben sich eine Kreuzfahrt leisten können. Die Zeit zwischen 1935 und 1938 gehört zu den scheinbar „guten" Jahren der NS-Herrschaft. Menschen, die den Nazis nicht genehm waren, spürten von diesen „guten" Zeiten allerdings nichts!

KdF ▸ „Kraft durch Freude" war eine von der Deutschen Arbeitsfront ins Leben gerufene Freizeitorganisation. Sie ermöglichte Millionen Deutschen, einen preisgünstigen Urlaub zu machen. 1938 konnte bei der KdF auch der Volkswagen bestellt werden. Für seine Produktion wurde in Wolfsburg (Niedersachsen) ein eigenes Werk errichtet.

A 1 Warum spricht man von den „guten Jahren" des Dritten Reiches?

Adolf Hitler beseitigte innerhalb von vier Jahren die Arbeitslosigkeit weitgehend. Mit welchen Mitteln wurde dies geschafft?

▸ Zur Arbeitsbeschaffung wurden 1,5 Milliarden Reichsmark bereitgestellt. In Angriff genommen wurden Großprojekte, wie
- die Reichsautobahn, wobei ein Plan aus dem Jahre 1927 übernommen wurde;
- monumentale Partei- und Staatsbauten in Berlin (Olympiastadion, Neue Reichskanzlei), München (Haus der Kunst) und Nürnberg (Reichsparteitagsgelände).

▸ Jungen Ehepaaren wurde ein zinsloses Darlehen angeboten. Als Gegenleistung mussten die Frauen ihren Beruf aufgeben. 1933 nahmen über 100 000 Ehepaare die Vergünstigung in Anspruch. Die Schuld konnte „abgekindert" werden. Mit vier Kindern war sie getilgt.

▸ 1935 wurde der Reichsarbeitsdienst eingeführt. Er beschäftigte ständig bis zu 300 000 Männer und Frauen.

▸ 1935 wurde die allgemeine Wehrpflicht wieder eingeführt, die alljährlich Hunderttausende Männer in die Kasernen holte. 1939 waren 4,6 Millionen Mann bei der Wehrmacht.

▸ Immer mehr Geld des Staates floss in die Aufrüstung. 1938/1939 erreichte der Rüstungsetat 60 Prozent des Staatshaushaltes. Die Staatsverschuldung stieg dabei rapide an.

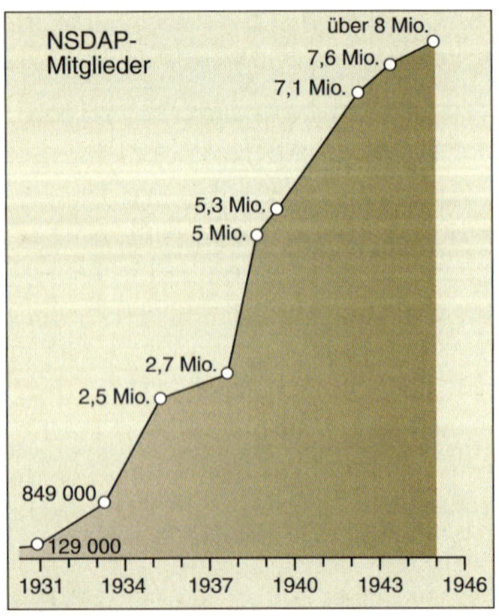

M 1 Die Mitglieder der NSDAP

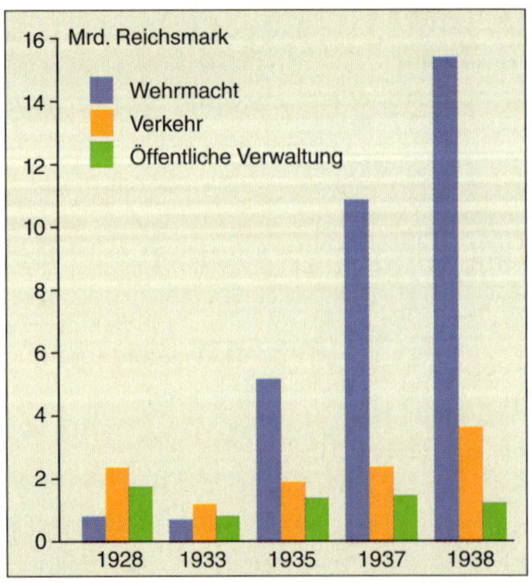

M 2 Die staatlichen Investitionen

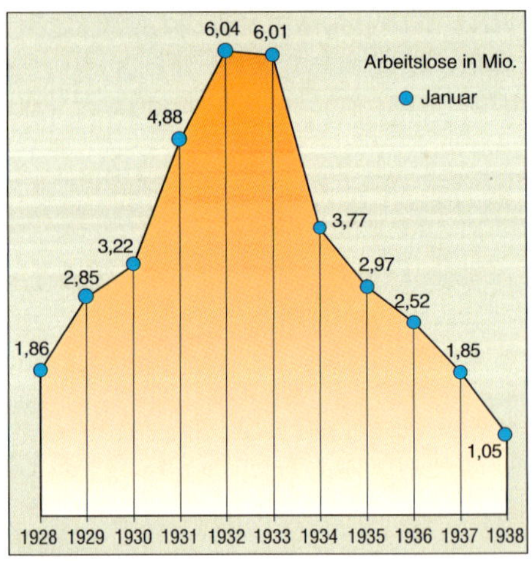

M 3 Die Arbeitslosen

M 4 Modell der „Großen Halle" (290 Meter hoch) in Berlin. Unter ihrer Kuppel sollte Platz für 180 000 Menschen sein. Hitlers Architekt Albert Speer sollte Berlin bis 1950 in eine Welthauptstadt umbauen. Fertiggestellt wurden aber nur die Pläne und Modelle einer monumentalen Prachtstraße.

M 5 Werbung für den KdF-Wagen

M 6 Touristen-Werbung

M 7 Werbung für die Olympischen Spiele, die 1936 in Deutschland stattfanden. Hitler benutzte sie, um Deutschlands Bedeutung in der Welt zu zeigen. Deutsche Sportler errangen die meisten Medaillen. Die Winterspiele fanden in Garmisch-Partenkirchen statt.

Solidarität mit den Armen ▸ Die Reichsregierung verpflichtete alle deutschen Familien, jeweils am ersten Sonntag der Monate Oktober bis März ein billiges Eintopfgericht zu essen. Es sollte nicht mehr als 50 Pfennig zu Hause und 1 Mark im Gasthaus kosten. Der eingesparte Betrag musste gespendet werden. Das Eintopfessen sollte die Solidarität mit den Arbeitslosen und Armen zum Ausdruck bringen, aber auch den „Gemeinschaftssinn" des Volkes stärken, nach dem Motto „80 Millionen eint das Eintopfessen".

A 2 Wie hat Hitler es geschafft, die Arbeitslosenzahlen zu senken?

A 3 Erkläre den Zusammenhang von M 1, M 2 und M 3.

M 1 Plakat zum 60. Jahrestag der Befreiung des KZ Dachau 2005. Welche Botschaft wollen die ehemaligen Häftlinge damit vermitteln?

„… sonst kommst du nach Dachau!" (Drohung in der NS-Zeit)

Das KZ Dachau ▸ Am 22. März 1933 ließ Heinrich Himmler auf dem Gelände einer ehemaligen Munitionsfabrik bei Dachau ein Konzentrationslager für 5000 Häftlinge eröffnen. 1937/1938 mussten die Gefangenen das Lager abbrechen und ein größeres bauen. Bis 1945 waren zeitweilig 200 000 Menschen im KZ Dachau und in den zahlreichen Außenlagern inhaftiert. Das zweite Konzentrationslager in Bayern wurde in Flossenbürg (Oberpfalz) 1938 eröffnet. Es zählte bis 1945 100 000 Häftlinge.

Wer kam nach Dachau? ▸ Das KZ Dachau diente anfangs dazu, politische Gegner der Nazis wegzusperren. Das waren vor allem führende Mitglieder der verbotenen Parteien. Außer ihnen wurden Menschen in das KZ geschafft, die die Nazis aus der „Volksgemeinschaft" ausschließen wollten: Juden; Zeugen Jehovas, die aus religiösen Gründen den Wehrdienst verweigerten; aber auch „Asoziale", Kriminelle, Homosexuelle, Sinti und Roma. Nach Dachau konnte jeder kommen, der etwas Kritisches gegen die NS-Regierung sagte.
Nach der Reichskristallnacht wurden in Dachau 10 000 Juden eingeliefert. Während des Zweiten Weltkriegs (1939–1945) wurden Menschen aus allen besetzten Ländern nach Dachau verschleppt. Die größten Gruppen kamen aus der Sowjetunion (35 000), Frankreich (15 000) und Polen (7000).

„Arbeit macht frei" ▸ Im KZ Dachau und in anderen Konzentrationslagern mussten die Häftlinge schwere körperliche Arbeit leisten: Straßen bauen, Gebäude für die SS-Wachmannschaften errichten, auf der Plantage (Großgärtnerei) und in Steinbrüchen arbeiten. Wenn sie dabei starben, war das der Lagerleitung nur recht, denn eines ihrer Ziele war, missliebige Personen durch Arbeit zu „vernichten".

A 1 Bereitet einen Besuch in der KZ Gedenkstätte Dachau vor. Benutzt das Internet (zum Beispiel: www. kz-gedenkstaette-dachau.de).

M 2 Zeichnungen von Dachauer Häftlingen: Häftlinge ziehen eine Straßenwalze (links). Ständiger Hunger beschleunigte ihren körperlichen Verfall (Mitte). Viele starben an Entkräftung oder wurden vom Wachpersonal getötet (rechts).

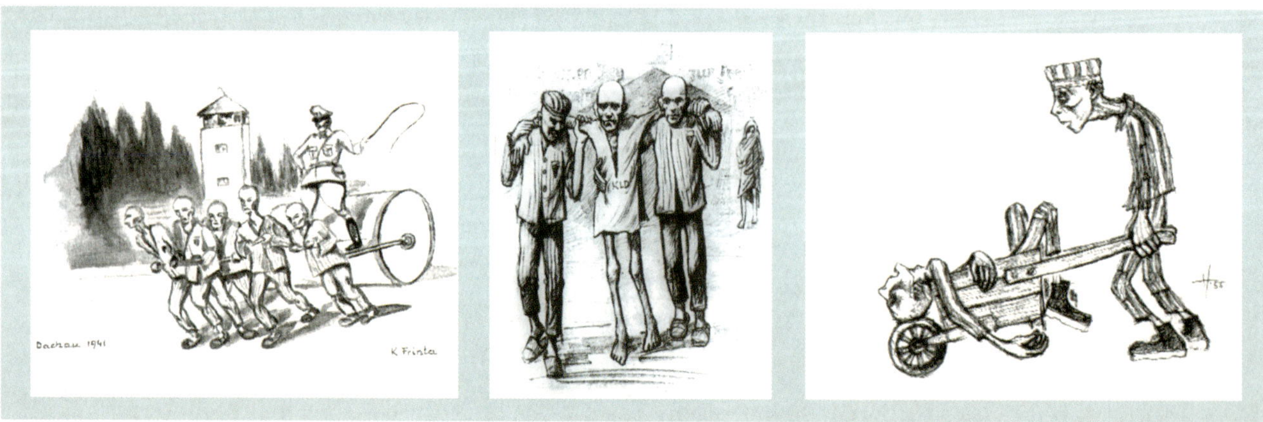

M 3 Modell des Lagers in der KZ Gedenkstätte Dachau mit Blick auf das Lagergelände und das Mahnmal, das an den Tod von über 30 000 Dachauer Häftlingen erinnert. Das KZ bestand aus dem rot umrandeten Lager der Häftlinge und dem Lager der SS mit Unterkünften, Schulungsräumen, Werkstätten, Garagen.

Ort des Terrors ▸ Die allermeisten KZ-Häftlinge wurden nach Dachau gebracht, ohne von einem Richter verurteilt worden zu sein. Häufig wurden sie bereits bei ihrer Ankunft verspottet und geschlagen. Fortan unterstanden sie einer Lagerordnung, die schon für geringe Vergehen schwere Strafen androhte. So konnte aufgehängt werden, wer Nachrichten aus dem Lager schmuggelte oder anderen zur Flucht verhalf. Wer einen Wachposten angriff oder die Arbeit verweigerte, konnte auf der Stelle erschossen werden. „Halt's Maul, sonst kommst' nach Dachau", war ein geflügeltes Wort. Es belegt, dass der Name Dachau überall Angst und Schrecken verbreitete.

Menschenversuche ▸ Im KZ Dachau wurden medizinische Versuche gemacht, bei denen Hunderte Häftlinge ums Leben kamen. Beispiele: Über 1000 Häftlinge wurden mit Malaria infiziert, um ein Medikament gegen diese Krankheit zu finden. Andere wurden eisigem Meerwasser ausgesetzt oder mussten Tage lang Meerwasser trinken. Damit sollte erkundet werden, wie groß die Überlebenschancen abgeschossener Piloten waren.

Heinrich Himmler (1900–1945) ▸ Er war ein enger Mitarbeiter Hitlers, leitete die SS und war seit 1936 Chef der deutschen Polizei. Himmler ließ zahlreiche KZ errichten und war mitverantwortlich für die Ermordung der europäischen Juden in den Vernichtungslagern in Polen.

Konzentrationslager (KZ) ▸ Gefangenenlager, in dem der NS-Staat Schutzhäftlinge aus Deutschland und den eroberten Ländern zusammenzog (konzentrierte). Das KZ Dachau wurde zum Muster für weitere 20 Konzentrationslager (Stand: 1944). Ihnen waren mehr als 150 Arbeitslager angeschlossen.

„Versailles" muss weg!

1933 Die Abrüstungskonferenz der europäischen Mächte lehnt die von Hitler geforderte militärische Gleichberechtigung Deutschlands ab. Deshalb tritt Deutschland aus dem Völkerbund aus und isoliert sich somit in Europa.

1934 Hitler demonstriert seinen „Friedenswillen", indem er 1934 mit dem ehemaligen Gegner Polen einen Nichtangriffspakt abschließt.

1935 Nach einer Volksabstimmung kehrt das Saarland zum Deutschen Reich zurück. Dieser politische Erfolg bestärkt Hitler in seinem Vorhaben, die allgemeine Wehrpflicht einzuführen, was eindeutig gegen den Versailler Vertrag verstößt. Zwar protestieren die Siegermächte dagegen, unternehmen aber nichts.
Auch Großbritannien hält sich nicht an den Vertrag, denn es schließt mit dem Deutschen Reich ein Flottenabkommen, das der deutschen Marine die Aufrüstung bis zu 35 Prozent der britischen Flotte zubilligt.

1936 1935/1936 lässt der italienische Diktator Mussolini das Kaiserreich Äthiopien in Afrika erobern. Der Völkerbund verhängt zwar wirtschaftliche Strafen gegen Italien, kann aber wenig ausrichten. Hitler unterstützt Mussolini und gewinnt so einen wichtigen Bündnispartner.

M 1 Plakat zur Volksabstimmung 1938

1936 Im März lässt Hitler die Reichswehr in die entmilitarisierte Zone des Rheinlandes einmarschieren. Der größte Teil der deutschen Bevölkerung ist begeistert vom Mut seines „Führers". Mussolini und Hitler unterstützen den rechtsgerichteten General Franco im spanischen Bürgerkrieg (1936–1939).

1937 Im Januar widerruft Hitler im Reichstag die deutsche Unterschrift unter den Artikel 231 des Versailler Vertrages. In den Augen der Nazis ist Deutschland wieder „frei".

1938 Am 12. März lässt Hitler deutsche Truppen in Österreich einmarschieren, wo sie von der Bevölkerung großenteils begeistert empfangen werden. Seine Heimat wird damit Teil Deutschlands, zu dem es bis 1866 gehört hat.
Vor dem Einmarsch hat der österreichische Bundeskanzler Schuschnigg versucht, die Unabhängigkeit seines Landes zu retten, doch Hitler hatte ihm mit dem Einsatz militärischer Gewalt gedroht. Als Schuschnigg zurücktrat, haben die österreichischen Nationalsozialisten die Regierung übernommen.

1938 Frankreich und Großbritannien schicken Protestschreiben, dulden aber das Vorgehen Hitlers, zumal der „Anschluss" von der Mehrheit der österreichischen Bevölkerung gewünscht wurde. Das Deutsche Reich ist damit zum „Großdeutschland" geworden.

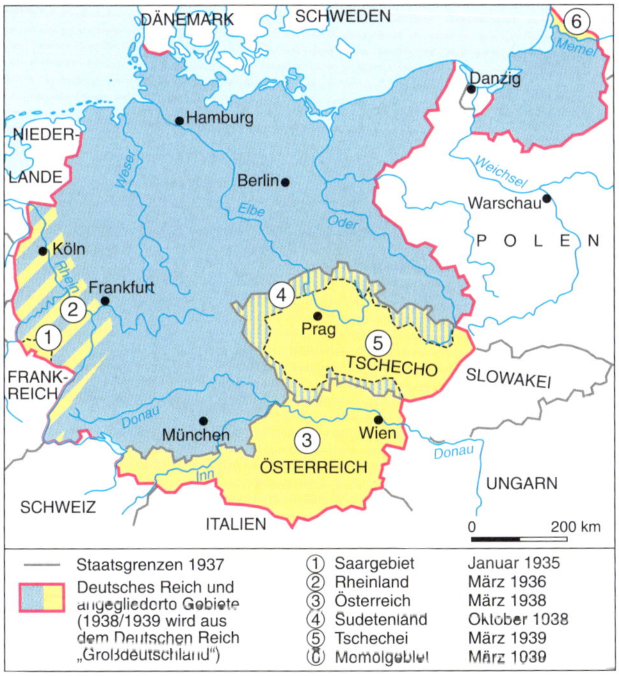

M 2 1938/1939 wird aus dem Deutschen Reich „Großdeutschland".

M 3 Einmarsch deutscher Truppen in Prag 1939

A 1 Beschreibe die Reaktion der Prager Bevölkerung beim Einmarsch deutscher Truppen (M 3). Versetze dich in die Lage eines Zuschauers und formuliere, was in ihm vorgehen könnte.

Die Deutschen „heim ins Reich"! ▸ 1918 wurde die Tschechoslowakei gegründet. In ihr lebten 3,2 Millionen Deutsche (22 Prozent der Bevölkerung), die meisten im Sudentenland (M 2). Nach dem Anschluss Österreichs verlangte Hitler die Abtretung des Sudetenlandes an Deutschland und gab Anweisung, die militärische Besetzung vorzubereiten.

Großbritannien und Frankreich wollten nicht mehr tatenlos zusehen, aber auch keinen Krieg riskieren. Auf ihr Drängen verzichtete die Prager Regierung auf das Sudetenland. Doch Hitler wollte mehr! Zunächst drängte er die Slowaken, sich von der Tschechei zu trennen (M 2), was im März 1939 auch geschah. Zugleich erpresste Hitler vom tschechischen Staatspräsidenten die Erklärung, dass er sein Land „vertrauensvoll in die Hände des Führers" lege. Am 15. März begannen deutsche Soldaten mit der Besetzung der „Rest-Tschechei". Sie wurde unter der Bezeichnung „Böhmen und Mähren" an „Großdeutschland" angeschlossen.

Neuer „Lebensraum" im Osten! ▸ Im April 1939 befahl Hitler die militärische Vorbereitung zum Angriff auf Polen. In einer Besprechung mit hohen Offizieren erklärte er, dass es ihm gar nicht um den Anschluss der Stadt Danzig und des Memelgebietes gehe, sondern um die Erweiterung des „Lebensraumes" der Deutschen im Osten. Hitler wusste, dass er damit den Krieg mit der Sowjetunion und mit den Westmächten riskierte.

Um die Sowjetunion als Gegner auszuschließen, ließ er – zum Staunen der Weltöffentlichkeit – mit seinem „Erzfeind", dem kommunistischen Diktator Stalin, einen Nichtangriffspakt aushandeln. Er wurde am 23. August 1939 unterzeichnet. Dieser „Hitler-Stalin-Pakt" enthielt ein geheimes Zusatzprotokoll, in dem Hitler die Osthälfte Polens an die Sowjetunion abtrat und ihr Osteuropa als Interessensgebiet überließ. Damit war die Aufteilung Polens beschlossene Sache. Hitler hatte freie Bahn, Polen zu überfallen.

Der Zweite Weltkrieg – ein Überblick bis 1942

Blitzkrieg gegen Polen ▸ Der deutsch-sowjetische Nichtangriffspakt gab Adolf Hitler grünes Licht, den längst geplanten Überfall auf Polen durchzuführen. Am 1. September 1939 überschritten deutsche Truppen die Grenze. Nur drei Wochen benötigten sie, die polnischen Streitkräfte zur Kapitulation zu zwingen. Am 17. September griffen die Russen an und eroberten den östlichen Teil Polens, so wie es Hitler mit Stalin vereinbart hatte.

Blitzkrieg im Norden ▸ Im Frühjahr 1940 ließ Hitler Dänemark und Norwegen überfallen, um zu verhindern, dass Großbritannien die Zufuhr des schwedischen Eisenerzes über den Hafen Narvik versperrte.

Blitzkrieg im Westen ▸ Am 10. Mai 1940 begann der Krieg gegen Frankreich, das zusammen mit Großbritannien am 3. September 1939 den Überfall auf Polen mit der Kriegserklärung beantwortet hatte. Die deutschen Streitkräfte stießen über die neutralen Länder Luxemburg, Belgien und die Niederlande bis zur Kanalküste vor, durchbrachen dann die französischen Verteidigungslinien und nahmen am 14. Juni kampflos Paris ein.

Im August 1940 befahl Hitler den Luftkrieg gegen Großbritannien. Die deutsche Luftflotte richtete in britischen Häfen und Städten zwar große Bombenschäden an, einen Sieg konnte sie jedoch nicht erringen. Hitler musste sein Vorhaben, in England zu landen, aufgeben.

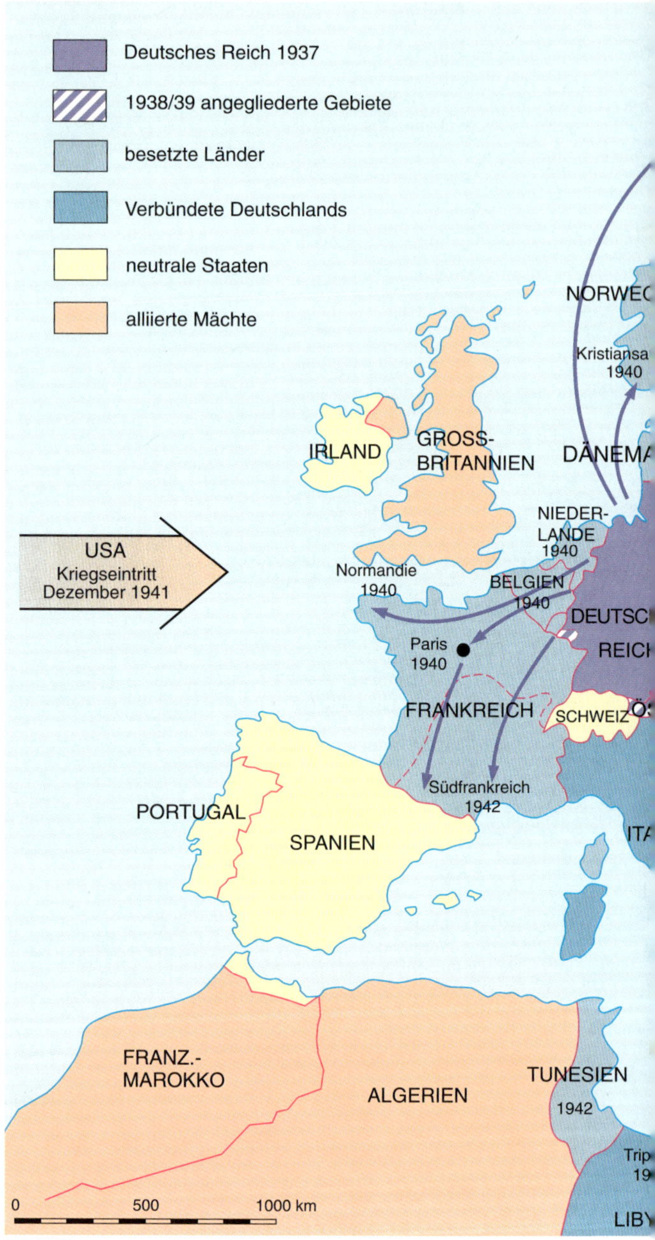

M 1 Deutsche Eroberungen 1939 bis 1942

Blitzkrieg auf dem Balkan und in Afrika ▸ Im Juni 1940 erklärte der italienische Diktator Mussolini Großbritannien und Frankreich den Krieg. Nach anfänglichen Erfolgen mussten seine Streitkräfte aber in Nordafrika kapitulieren. Als auch der italienische Angriff auf Griechenland fehlschlug, schickte Hitler deutsche Soldaten an die beiden Kriegsschauplätze. Im April 1941 eroberten sie Jugoslawien und Griechenland. Sie sicherten damit die Ölzufuhr aus dem verbündeten Rumänien, aber auch die gesamte Südostflanke des deutschen Machtbereiches. Auch in Nordafrika gelang es ihnen, das von den Italienern verlorene Gebiet wieder zurückzuerobern.

Krieg gegen die Sowjetunion ▸ Auf dem Höhepunkt seines Erfolges beschloss Hitler am 22. Juni 1941, die Sowjetunion anzugreifen. Sei-

ie Erwartungen auf einen Blitzkrieg auch im Osten schienen anfangs aufzugehen. Die eindringenden Heeresgruppen konnten rasch vorrücken und Hunderttausende sowjetischer Soldaten gefangen nehmen. Doch kurz vor Moskau wurden die Deutschen durch einen sowjetischen Gegenangriff und den hereinbrechenden Winter gestoppt. Im Sommer 1942 sollten die Industrie- und Ölgebiete im Süden

M 2 Folgen eines deutschen Luftangriffs auf London am 29. Dezember 1940. Die St. Paul's Kathedrale blieb verschont.

der UdSSR erobert werden. Dabei wurde die 6. Armee in Stalingrad eingeschlossen und im Winter 1942/1943 aufgerieben.

Krieg gegen die USA ▸ In Ostasien führte Japan, der Bündnispartner Deutschlands, seit 1937 Krieg gegen China. Um Japan zu stoppen, verhängten die USA und Großbritannien einen Wirtschaftsboykott gegen den Inselstaat. Japan antwortete – ohne vorherige Kriegserklärung – am 7. Dezember 1941 mit einem Luftangriff auf die amerikanische Flotte im Hafen von Pearl Harbor. Tags darauf erklärte der amerikanische Präsident Roosevelt Japan den Krieg. Am 11. Dezember 1941 schickten Hitler und Mussolini den USA ihre Kriegserklärungen.

A 1 Stelle eine Tabelle der wichtigsten Kriegsereignisse von 1939 bis 1942 zusammen.

A 2 Berichte anhand der Karte M 1 über die deutschen Eroberungen bis 1942.

Der Anfang vom Ende

Stalingrad ▸ In der Schlacht um Stalingrad starben zirka 150 000 deutsche Soldaten, 91 000 gerieten in sowjetische Kriegsgefangenschaft. Nur 6000 von ihnen kehrten heim. Die Zahl der sowjetischen Gefallenen ist nicht bekannt, sie dürfte aber höher sein als die der deutschen.
Die meisten der 600 000 Einwohner Stalingrads konnten fliehen, 43 000 kamen um. 65 000 wurden von den Deutschen als Zwangsarbeiter verschleppt. 30 000 Stalingrader überlebten in den Ruinen ihrer Stadt.

Zwischen 1939 und 1942 hatte Deutschland große Gebiete Europas und Nordafrikas erobert. Seit 1943 gingen sie wieder verloren. An allen Fronten bekamen die Alliierten die Oberhand.

In Afrika ▸ Im Herbst 1942 begann in Afrika die britische Gegenoffensive, die Monate dauerte. Im März 1943 musste die deutsche Afrika-Armee kapitulieren. 250 000 deutsche und italienische Soldaten gingen in die Gefangenschaft.

In der Sowjetunion ▸ Beim Kampf um die Industriestadt Stalingrad wurden die Deutschen im Winter 1942/1943 eingekesselt. Da Hitler einen Rückzug aus der Stadt nicht erlaubte, mussten die Soldaten bis zur Kapitulation am 31. Januar 1943 weiterkämpfen. Die Schlacht um Stalingrad bildete den militärischen Wendepunkt des Krieges. Schritt für Schritt mussten sich die deutschen Truppen zurückziehen.

In Italien und Frankreich ▸ Im Juli 1943 landeten alliierte Truppen auf Sizilien. In Italien wurde Mussolini abgesetzt und ein Waffenstillstand mit den Alliierten geschlossen. Die Deutschen besetzten das Land, konnten den Vormarsch der Alliierten zwar verzögern, aber nicht aufhalten. Ende 1944 gehörte ganz Italien den Alliierten.
Am 6. Juni 1944 landeten die alliierten Truppen an der Küste der Normandie in Frankreich. Trotz heftigen Widerstands der Deutschen waren am Abend des D-Day (Decision Day) 150 000 alliierte Soldaten an Land. Ende August marschierten amerikanische und französische Truppen in Paris ein.

A 1 Ergänze deine Tabelle der wichtigsten Kriegsereignisse nach 1942.

A 2 Sucht die Kriegsschauplätze, über die auf dieser Seite berichtet wird, auf der Karte (Seite 174/175).

In Südostasien ▸ In „Blitzkriegen" hatten japanische Truppen die Inselgruppen zwischen Asien und Australien erobert. Im Juni 1942 gelang es den Amerikanern, die japanische Flotte in einer umfassenden See-Luft-Schlacht zum ersten Mal zu schlagen. Seitdem konnten sie die Rückeroberung der von Japan besetzten Gebiete durchführen.

M 1 Eines der bekanntesten Fotos des Zweiten Weltkriegs: Amerikanische Soldaten nach der Eroberung der Insel Iwo Jima südlich von Japan. Die Szene wurde nach der Schlacht für das Foto nachgestellt.

„Wollt ihr den totalen Krieg?" ▸ Die Katastrophe in Stalingrad beantwortete Joseph Goebbels am 18. Februar 1943 mit einer Propagandaveranstaltung, die über Funk und Film in ganz Deutschland verbreitet wurde. 3000 ausgewählte Teilnehmer gelobten Hitler die Treue und bejubelten Goebbels Aufruf zum „totalen Krieg". Seine Frage „Wollt ihr den totalen Krieg? Wollt ihr ihn, wenn nötig, totaler und radikaler, als wir ihn uns heute überhaupt erst vorstellen können?" beantworteten die Anwesenden begeistert mit „Ja".

Unter „totalem Krieg" verstand Goebbels:

- Der Ostfront die Soldaten und Waffen zur Verfügung zu stellen, die für den Sieg notwendig sind, das heißt vor allem mehr Rüstungsgüter herzustellen.
- Bis zu 16 Stunden täglich zu arbeiten und das Letzte für den Sieg herzugeben, wenn der Führer dies verlangt.
- Den vollen Arbeitseinsatz der Frauen, um Männer für die Front freizustellen.

Was Goebbels verschwieg ▸ Seinen Zuhörern sagte Goebbels aber nicht, dass der „totale Krieg", wie er ihn verkündete, ohne die Arbeitskraft von Menschen aus dem Ausland gar nicht möglich war. Es waren vor allem Zwangsarbeiter aus den besetzten Gebieten des Ostens und Häftlinge aus den Konzentrationslagern, die überall da, wo Deutsche fehlten, eingesetzt wurden. So mussten 1944/1945 30000 jüdische Häftlinge am Bau einer unterirdischen Flugzeugfabrik bei Landsberg am Lech mitarbeiten. 15000 kamen dabei ums Leben. Die Zahl der Zwangsarbeiter stieg in Deutschland bis 1944 auf sieben Millionen.

M 2 Ins Bild gesetzter Aufruf zum „totalen Krieg". Mit dem aufgedruckten Satz hat Goebbels am 18. Februar 1943 seine Rede beendet.

A 3 Erkläre: „Totaler Krieg".

A 4 Beschreibe und deute das Plakat M 2. Was hat es mit dem „totalen Krieg" zu tun?

Kindersoldaten ▸ 1943 wurde die „SS-Panzerdivision Hitlerjugend" aufgestellt, der auch Jugendliche unter 17 Jahren angehörten. Bei ihrem Einsatz an der Westfront erlitt die schlecht ausgebildete Truppe schwere Verluste.

1944 wurden Hitlerjungen und Männer bis zu 60 Jahren zum „Volkssturm" verpflichtet. Sie sollten den Heimatort verteidigen.

M 3 Hitler zeichnet kurz vor Kriegsende Hitlerjungen für ihren Einsatz an der Front mit dem Eisernen Kreuz aus.

Vom Eroberungskrieg zum Vernichtungskrieg

M 1 Plakat der Reichsprogagandaleitung der NSDAP, erschienen unmittelbar nach der Schlacht bei Stalingrad. Der Krieg wird der Bevölkerung als Verteidigungskrieg gegen den Bolschewismus dargestellt. Die wirklichen Kriegsziele werden nicht erwähnt.

M 2 Sklaven für unsere Kultur

Aus einer Rede Heinrich Himmlers vor SS-Leuten in Posen (1943):

Ein Grundsatz muss für den SS-Mann absolut gelten: ehrlich, anständig, treu und kameradschaftlich haben wir zu Angehörigen unseres eigenen Blutes zu sein und zu sonst niemandem. Wie es den Russen geht, wie es den Tschechen geht, ist mir total gleichgültig.

Das, was in den Völkern an gutem Blut unserer Art vorhanden ist, werden wir uns holen, indem wir ihnen, wenn notwendig, die Kinder rauben und sie bei uns großziehen. Ob die anderen Völker in Wohlstand leben oder ob sie verrecken vor Hunger, das interessiert mich nur soweit, als wir sie als Sklaven für unsere Kultur brauchen, anders interessiert mich das nicht. Ob bei dem Bau eines Panzergrabens 10 000 russische Weiber an Entkräftung umfallen oder nicht, interessiert mich nur insoweit, als der Panzergraben für Deutschland fertig wird. Wir werden niemals roh und herzlos sein, wo es nicht sein muss; das ist klar.

Wir Deutsche, die wir als einzige auf der Welt eine anständige Einstellung zum Tier haben, werden ja auch zu diesen Menschentieren eine anständige Einstellung einnehmen, aber es ist ein Verbrechen gegen unser eigenes Blut, uns um sie Sorge zu machen und ihnen Ideale zu bringen, damit unsere Söhne und Enkel es noch schwerer haben mit ihnen.

„Wir sind das Herrenvolk“ Von Hitler und den Nationalsozialisten wurde der Wert des Menschen nach rassischen Gesichtspunkten festgelegt. Wer als „niederrassig“ oder „lebensunwert“ eingestuft wurde, dem drohten Versklavung oder Tod. Zu den „Niederrassigen“ gehörten vor allem die Juden, die Sinti und Roma und die Slawen. Der Krieg bot die Gelegenheit, die Vernichtungsziele Hitlers in die Tat umzusetzen. Dies wäre ohne Unterstützung zahlloser Mittäter und Mitläufer nicht möglich gewesen.

Euthanasie Kurz nach der Entfesselung des Krieges verfügte Hitler, dass unheilbar Kranken der „Gnadentod“ gewährt werden kann. Damit gab er den Weg frei zum systematischen Töten von Geisteskranken und Behinderten durch Spritzen und durch Gas. Nach Protesten aus den Kirchen wurde die Euthanasie-Aktion 1941 gestoppt. 120 000 Menschen sind dieser Aktion zum Opfer gefallen. In den Konzentrationslagern wurde die Aktion aber weitergeführt.

A 1 Mit welchen Argumenten rechtfertigt Himmler die Behandlung der in Mittel- und Osteuropa lebenden Menschen (M 2)? Nimm Stellung dazu.

A 2 Gib Kernaussagen der NS- Rassenlehre wieder.

Neuer „Lebensraum“

In Polen und in dem eroberten Teil der Sowjetunion ließ Hitler seine Lebensraum-Fantasien verwirklichen:

- Der polnische Staat wurde zerschlagen. Die westlichen Teile wurden dem Großdeutschen Reich eingefügt und Deutsche aus ost- und südosteuropäischen Staaten angesiedelt. Über eine Million Polen wurden zwangsweise in das Generalgouvernement („Hauptverwaltungsgebiet“) umgesiedelt.
- Die deutsche Besatzungsmacht behandelte die Polen im Generalgouvernement wie Sklaven. Sie tötete einen Großteil der polnische Elite (Politiker, Wissenschaftler, Geistliche und Wirtschaftsführer). Sie verbot höhere Schulen und Universitäten und schreckte nicht vor Massenerschießungen zurück, wenn Widerstand geleistet wurde.

Rücksichtslose Kriegsführung ▸ Hinter den Fronten mussten sich die deutschen Truppen immer wieder gegen Partisanenangriffe wehren. Die Partisanen waren schwer zu fassen. Daher rächten sich die Deutschen an den Menschen, die sie gerade erwischten. Sie erschossen Geiseln und rotteten ganze Siedlungen aus, wobei Frauen und Kinder nicht ausgenommen wurden. Hinter der Ostfront wurde die Partisanenbekämpfung zum Anlass genommen, die Bewohner ganzer Landstriche zu töten. Vor allem hatten es die Einsatzgruppen der SS und der Wehrmacht auf Kommunisten, Juden und „Zigeuner“ (Sinti und Roma) abgesehen.

M 3 Die Aufteilung Polens im Zweiten Weltkrieg

A 1 Was versteht man unter Euthanasie? Wie haben sie die Nationalsozialisten praktiziert?

A 2 Erläutere die erneute Aufteilung Polens nach 1939.

A 3 Welche Kriegsziele verfolgte Hitler im Osten?

M 4 Geiselerschießung in dem serbischen Ort Pancevo bei Belgrad.

In Pancevo wurden 1941 zwei SS-Soldaten erschossen. Zur „Sühne“ trieben Wehrmachtssoldaten wahllos Einwohner der Stadt zusammen. 18 Personen wurden erhängt, 18 vor der Friedhofmauer erschossen.

Die Aufnahme stammt von einem offiziellen Fotografen der Wehrmacht, der sie seiner vorgesetzten Behörde aber verheimlichte. Deshalb ist sie erhalten geblieben.

Der Holocaust

M 1 Ich habe es gesehen

Der deutsche Zivilist Friedrich Gräbe wurde 1942 Zeuge, wie in Dubno (Ukraine) Juden getötet wurden:

Die von den Lastwagen abgestiegenen Menschen mussten sich auf Aufforderung eines SS-Mannes, der in der Hand eine Reit- oder Hundepeitsche hielt, ausziehen und ihre Kleidung nach Schuhen, Ober- und Unterkleidung getrennt an bestimmte Stellen ablegen. Ohne Geschrei oder Weinen zogen sich diese Menschen aus, standen in Familiengruppen beisammen, küssten und verabschiedeten sich und warteten auf den Wink eines anderen SS-Mannes, der an der Grube stand. [...] Dicht aneinandergepresst lagen die Menschen in der Grube so aufeinander, dass nur die Köpfe zu sehen waren. Von fast allen Köpfen rann Blut über die Schultern. Ein Teil der Erschossenen bewegte sich noch. Einige hoben ihre Arme und drehten den Kopf, um zu zeigen, dass sie noch lebten. Die Grube war bereits dreiviertel voll. Nach meiner Schätzung lagen darin bereits ungefähr 1000 Menschen.

Holocaust Bezeichnung für die massenhafte Vernichtung von zirka sechs Millionen Juden im Zweiten Weltkrieg. Das Wort hat griechisch-lateinische Wurzeln und bedeutet wörtlich „Brandopfer" oder „ganz verbrannt".

A 1 Erkläre, was mit dem NS-Begriff „Endlösung" ausgesagt werden soll.

A 2 Warum wird die Tötung der europäischen Juden „Holocaust" genannt?

1939 Am 30. Januar drohte Hitler mit der Vernichtung der europäischen Juden, sollte es zu einem Weltkrieg kommen. Nach der Eroberung Polens wurden die Juden des Landes in Ghettos (geschlossene Wohnbezirke) im Generalgouvernement zusammengezogen. Im Herbst und Winter kamen österreichische und tschechische Juden hinzu.

1941 Nach dem Angriff auf die Sowjetunion begannen Einsatzgruppen der Polizei und der SS mit Massenerschießungen von Juden, kommunistischen Funktionären sowie Sinti und Roma. Die Bilanz nach einem Jahr: Eine Million Tote.
In den Vernichtungslagern Chelmno und Majdanek (M 3) wurde erstmals Gas zur massenhaften Tötung eingesetzt. In Chelmno wurden 150 000 polnische Juden umgebracht. In Majdanek starben bis 1944 100 000 Juden und über 100 000 polnische Widerstandskämpfer.

1942 Auf der „Wannsee-Konferenz" in Berlin (Januar) wurde der Befehl zur Deportation in den Osten auf die 11 Millionen Juden ausgedehnt, die in den eroberten Ländern Europas lebten. Zur Verwirklichung dieser „Endlösung der Judenfrage" wurden in Belsec, Sobibor und Treblinka (M 3) neue Vernichtungslager errichtet. Allein in diesen drei Lagern wurden innerhalb eines Jahres über eineinhalb Millionen Menschen getötet. Im 1940 gegründeten Lager Auschwitz trafen im März 1942 die ersten Judentransporte aus Westeuropa und aus Deutschland ein. Im Juni begannen die Anlagen zur Massenvergasung zu arbeiten. Im Oktober befahl Himmler den Transport aller Juden aus deutschen Konzentrationslagern nach Auschwitz.

1943 Nach dem Abtransport von 300 000 Juden aus dem Warschauer Ghetto nach Treblinka brach im Ghetto der Aufstand aus. Er wurde nach mehreren Wochen Widerstand von der SS und von Polizeiverbänden niedergeschlagen (M 2). 50 000 Juden wurden dabei getötet.
Im Oktober sollten die 8000 dänischen Juden verhaftet werden. Doch der König und die Bevölkerung sorgten dafür, dass sie rechtzeitig nach Schweden flüchten konnten. Am Widerstand der Bevölkerung und des bulgarischen Zaren scheiterte auch der Abtransport der Juden aus Bulgarien.

1944 Massentransporte von griechischen und ungarischen Juden erreichten Auschwitz. Allein von den 400 000 ungarischen Juden wurden in acht Wochen 250 000 vergast. Im November befahl Himmler, die Vergasungen in Auschwitz einzustellen und die Spuren zu verwischen (Seite 182). Das Lager wurde am 27. Januar 1945 von der sowjetischen Armee befreit.

M 2 Aufstand im Warschauer Ghetto. Am 16. Mai 1943 trieben Waffen-SS und Polizei die letzten Bewohner des Ghettos zusammen und brachten sie in das Vernichtungslager Treblinka. Der Junge im Vordergrund hat den Holocaust überlebt.

A 3 Versetze dich in die Lage eines der in M 2 gezeigten Opfer. Erzähle, was du siehst, denkst und fühlst.

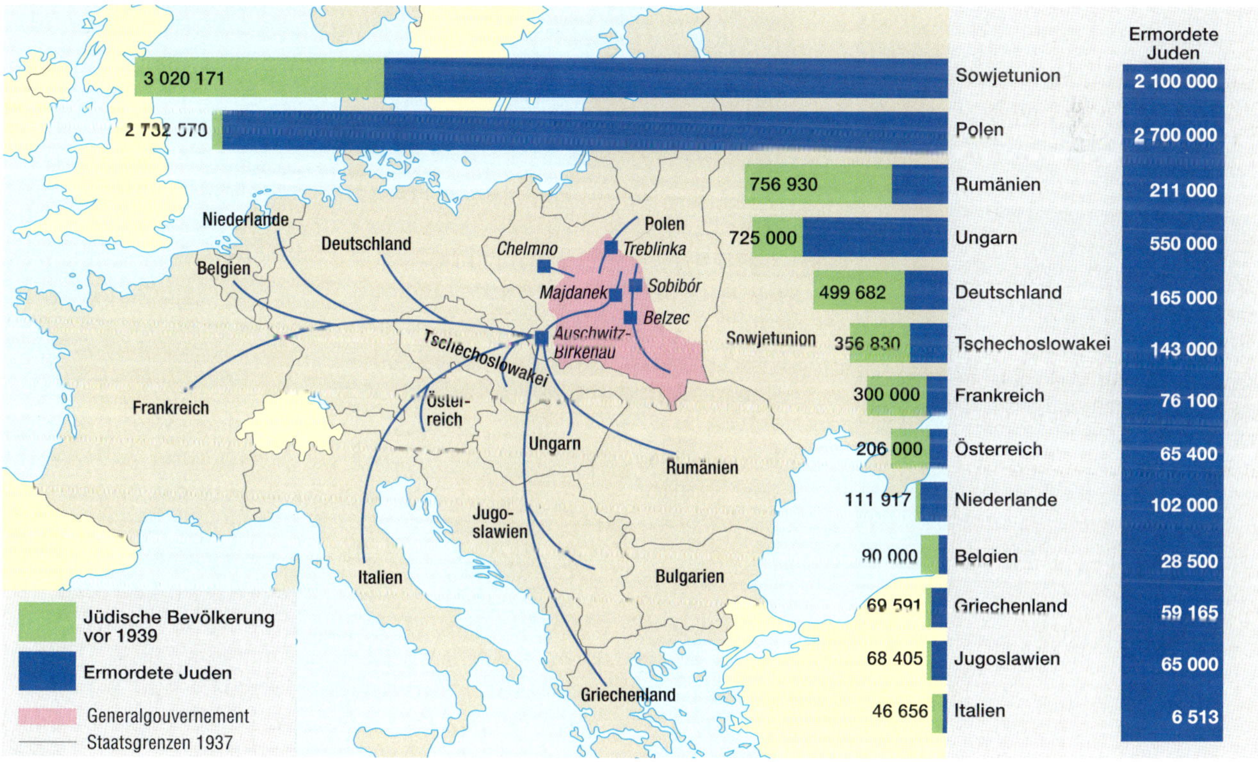

M 3 Holocaust der zirka sechs Millionen europäischen Juden

Auschwitz

A 1 Es gab Konzentrationslager und Vernichtungslager. Erkläre den Unterschied.

A 2 Warum wurden die Ankommenden an der Bahnrampe in Auschwitz-Birkenau in verschiedene Gruppen geteilt?

A 3 Suche im Lageplan M 6 den Schauplatz, der im Bild M 3 zu sehen ist und beschreibe weitere Teile des Plans.

A 4 Informiert euch, was in der so genannten „Auschwitz-Lüge" behauptet wird. Sprecht darüber, mit welchen Argumenten man sie widerlegen kann.

Das 1940 errichtete Konzentrationslager Auschwitz war bei Weitem das größte Vernichtungslager in Polen. Wie viele Menschen dort starben oder umgebracht wurden, ist nicht genau bekannt. Niemand hat die Menschen, die sofort nach ihrer Ankunft in die Gaskammern getrieben wurden, registriert. Man rechnet, dass in Auschwitz 1–1,5 Millionen Häftlinge ums Leben gekommen sind. Seit Herbst 1944 wurde das Lager aufgelöst, die Gaskammern und Krematorien wurden gesprengt. Kurz bevor es von russischen Soldaten am 27. Januar 1945 befreit wurde, mussten über 50 000 Häftlinge das Lager in Richtung Westen verlassen. 7600 blieben zurück.

M 1 Der Daumen ging nach oben

Der Berliner Alfred Stirner wurde im März 1943 mit seiner Frau Lena und seinem dreijährigen Sohn Jacob nach Auschwitz deportiert, weil er Jude war. Über die Ankunft im Vernichtungslager berichtet er (in der dritten Person):

Jeder musste sein Handgepäck auf einen großen Haufen werfen. Dann schrie ein Offizier, dass man sich nach Gruppen aufstellen sollte, kräftige Männer links, Frauen ohne Kinder in der Mitte und Frauen mit Kindern, alte Leute und Kranke rechts. [...]

Alle kräftigen Männer wurden in Fünfergruppen eingeteilt und diese Gruppen marschierten langsam an einem hünenhaften Offizier vorbei. Er stellte jedem Mann zwei Fragen und hielt den Daumen, je nach der Antwort, nach oben oder nach unten. Als Stirner vor ihm stand, fragte der Hüne: „Wie alt sind Sie?" – „Neunundzwanzig." – „Welchen Beruf haben Sie?" – „Schweißer." Der Daumen ging nach oben. [...]

Dann bemerkte Stirner, dass Lastkraftwagen mit den Menschen aus der Gruppe mit den Frauen und Kindern, den Alten und Kranken sowie mit den Männern und Frauen aus der Gruppe, für die der Daumen nach unten gegangen war, beladen wurden. Er verrenkte den Hals, um seine Frau Lena zu sehen, und als ein Lkw losfuhr, sah er, dass sie sich einen Platz hinten auf dem Lkw erkämpft hatte. Sie sah ihn. Sie winkte und machte ihm irgendwie flehende Zeichen, obwohl sie zu lächeln schien. Sie ließ Jacob winken, jedoch konnte der Junge seinen Vater in der Menge nicht sehen.

Alfred Stirner hat Lena und Jacob nie wiedergesehen; er selbst überlebte und wurde im Januar 1945 befreit.

M 2 Alte und kranke Menschen sowie Frauen mit Kindern wurden unmittelbar nach ihrer Ankunft in Auschwitz durch Gas getötet. Den gelben Stern mussten alle Juden seit September 1941 tragen.

M 3 Selektion (Aussonderung) der Arbeitsfähigen aus dem soeben eingetroffenen Transport an der Rampe von Auschwitz II (Birkenau)

M 4 Eingangstor und Selektionsrampe in Birkenau heute

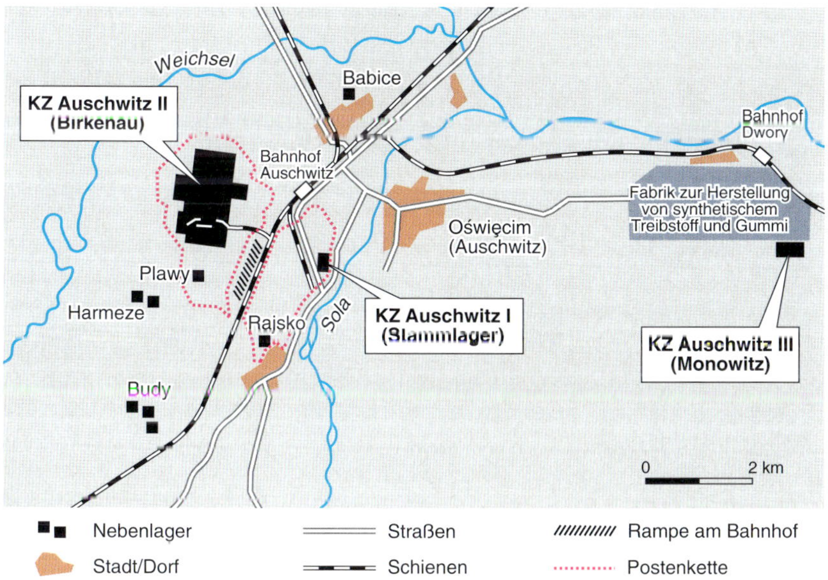

M 5 Auschwitz bestand aus drei Lagern: Auschwitz I, das Stammlager (das ursprüngliche Lager), errichtet 1940 in einer ehemaligen polnischen Kaserne; 1943 belegt mit 20 000 Häftlingen, die in den umliegenden SS-Betrieben arbeiten mussten; Auschwitz II (Birkenau) und Auschwitz III (Monowitz), errichtet 1941 als Arbeitslager für einen Rüstungsbetrieb.

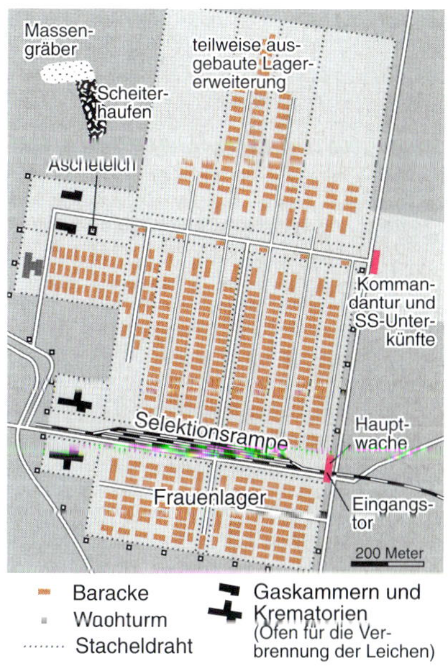

M 6 Auschwitz II (Birkenau), erbaut 1941/1942, 175 Hektar groß (= 170 Fußballplätze), für 100 000 Häftlinge, mit Teillagern für Männer, Frauen, Sinti und Roma usw.

Die Weiße Rose

Mut zum Widerstand ▸ Während des Krieges fanden sich nur wenige Einzelpersonen und Gruppen, die sich gegen die NS-Diktatur und die Brutalität der Kriegsführung auflehnten. Zwei Widerstandsgruppen sind besonders bekannt geworden: die Weiße Rose und der Widerstandskreis um den Oberst Stauffenberg. Er versuchte am 20. Juli 1944 Hitler zu töten und damit den Krieg zu beenden.

A 1 Welche Ziele verfolgten die Mitglieder der Weißen Rose?

A 2 Erkläre, warum das Verfassen und Verteilen von Flugblättern die Todesstrafe zur Folge hatte.

M 1 Mitglieder der Weißen Rose: Sophie Scholl, ihr Bruder Hans (links) und Christoph Probst. Hans Scholl trägt eine Uniform, weil er als Sanitäter an der Front eingesetzt war.

Geschwister Scholl ▸ An der Münchner Universität bildete sich eine studentische Widerstandsgruppe, die sich Weiße Rose nannte. Zum engeren Kreis der Weißen Rose gehörten die Medizinstudenten Hans Scholl, Willi Graf und Alexander Schmorell sowie der Hochschullehrer Kurt Huber, der Student Christoph Probst und die Studentin Sophie Scholl, die Schwester von Hans Scholl. Nach langen Diskussionen waren sie sich einig: Man kann nicht nur fordern „Es muss etwas geschehen!“, sondern „Ich muss selbst etwas tun.“

Passiver Widerstand ▸ Die Mitglieder der Weißen Rose verbreiteten in mehreren Städten Deutschlands heimlich selbst verfasste und vervielfältigte Flugblätter. In ihnen riefen sie die Bevölkerung zum passiven Widerstand gegen die verbrecherische Kriegsführung auf: Die Deutschen sollten die Produktion von Rüstungsgütern stören, ihre Mitarbeit in den NS-Organisationen einstellen und nicht mehr an Parteiveranstaltungen teilnehmen.

Das Todesurteil ▸ Am 18. Februar 1943, nachdem bekannt wurde, dass die Schlacht in Stalingrad verloren war, legten Hans und Sophie Scholl Flugblätter in der Universität aus. Einen Teil davon warfen sie vom oberen Stockwerk in die Eingangshalle hinunter. Dabei wurden sie entdeckt und verhaftet. Vier Tage danach wurden Hans und Sophie wegen „Vorbereitung zum Hochverrat“ zusammen mit Christoph Probst zum Tode verurteilt und hingerichtet. Etwas später folgten ihnen Professor Huber und andere Mitglieder der Weißen Rose.

M 2 Flugblätter der Weißen Rose (Bodendenkmal vor der Münchner Universität)

Der 20. Juli 1944

M 3 „Es ist etwas Furchtbares geschehen: Der Führer lebt!“

Als hoher Offizier hatte Stauffenberg Zutritt zu den Lagebesprechungen mit Hitler im Führerhauptquartier „Wolfsschanze“ in Ostpreußen. Am 20. Juli 1944 stellte er eine Aktentasche mit einer Bombe in der Nähe Hitlers ab und verließ dann den Raum. Ein Historiker berichtet:

Die Explosion im Besprechungsraum, die etwa um 12.50 Uhr erfolgte, wurde von den meisten der 24 Anwesenden, von denen 20 überlebten, als ohrenbetäubender Knall mit grellgelber Stichflamme wahrgenommen. Sie wurden zu Boden geworfen, versengt, geprellt, geschürft und durch große Holzsplitter zum Teil schwer verletzt. Fast allen sind die Trommelfelle geplatzt. Hitler hatte sich gerade weit über den Kartentisch vorgebeugt und auf seinen rechten Ellbogen gestützt, als der Tisch vom Explosionsdruck hochgehoben wurde und ihm eine erhebliche Prellung mit Bluterguss einbrachte. Auch seine Trommelfelle waren geplatzt, Ohrenbluten und einige Schürfwunden kamen hinzu. Die lange schwarze Hose und die ebenfalls lange Unterhose hingen in dünnen Streifen herunter. Sonst aber hatte er die Sache recht gut überstanden und konnte am Nachmittag wie vorgesehen Mussolini empfangen.

Wenige Minuten nach der Explosion kam General Fellgiebel [ein Vertrauter Stauffenbergs] heran, um sich über Hitlers Befinden zu vergewissern. Er fand ihn lebend, gratulierte ihm und ging zum Telefonieren, um den Mitverschwörern in Berlin mitzuteilen: „Es ist etwas Furchtbares passiert: Der Führer lebt!“

Hitlers Rache Stauffenberg konnte die Sperrzonen um die „Wolfsschanze“ verlassen und nach Berlin fliegen, um dort die vorbereiteten Maßnahmen zur Machtübernahme zu überwachen. Nachdem er in Berlin gelandet war, erfuhr er, dass Hitler lebte. Trotzdem versuchte er die Putschpläne zu verwirklichen. In Paris wurde die gesamte Gestapo verhaftet. In Wien wurde der stellvertretende Gauleiter festgenommen. In Berlin besetzte ein Wachbataillon die Rundfunkanlagen und das Regierungsviertel. Vielerorts aber passierte gar nichts, weil in den Dienststellen schon Feierabend war oder weil die ersten Meldungen vom Überleben Hitlers eintrafen.

Hitler ordnete eine gnadenlose Jagd auf die Verschwörer an. Stauffenberg und drei Mitverschworene wurden noch am Abend des 20. Juli erschossen. An die 200 Beteiligte verurteilte der Volksgerichtshof zum Tode.

M 4 Oberst Claus Schenk Graf von Stauffenberg war Berufsoffizier, der an mehreren Fronten eingesetzt war, bis er 1943 schwer verwundet wurde. Seit Anfang Juli 1944 hatte er eine hohe Stellung beim Ersatzheer inne. Stauffenberg hatte Verbindungen zu zivilen Widerstandsgruppen, darunter zu gewerkschaftlichen, sozialdemokratischen und kirchlichen Gruppen.

A 3 Im Kreis um Stauffenberg wurde lange diskutiert, ob man einen Diktator töten darf. Suche nach Argumenten, die dagegen und die dafür sprechen.

A 4 Warum ist der Umsturzversuch Stauffenbergs gescheitert?

A 5 Vor dem 20. Juli 1944 gab es schon Versuche, Hitler zu töten. Suche nach Beispielen in Sachbüchern und CD-ROMs.

Wir untersuchen einen historischen Spielfilm

M 1 Sophie Scholl, dargestellt von der Schauspielerin Julia Jentsch in dem historischen Spielfilm „Sophie Scholl – Die letzten Tage" aus dem Jahr 2005.

▸ Spielfilme, die einen historischen Stoff zum Inhalt haben und lange nach der Zeit, in die sie uns versetzen wollen, gedreht wurden, werden „Geschichtsfilme" oder „historische Spielfilme" genannt. Viele Geschichtsfilme nehmen es mit der historischen Wirklichkeit nicht sehr genau. Sie bieten uns oft nur eine unterhaltsame Handlung in historischen Kulissen und Kostümen. Es gibt aber auch Spielfilme, die bemüht sind, Ereignisse und Personen von früher möglichst wirklichkeitsnah (authentisch) zu schildern. Am Beispiel des Films „Sophie Scholl – Die letzten Tage" wird gezeigt, wie historische Spielfilme ausgewertet werden können:

Wir beschaffen uns Informationen über den Film

Welche Geschichte erzählt er? Passt er vom Thema her in unseren Unterricht? Oft ist auch wichtig zu wissen: Wann kam der Film in die Kinos? Wie wurde er vom Publikum und von der Filmkritik aufgenommen?

▸ Antworten auf diese Fragen sind – bei neueren Filmen – leicht im Internet zu finden: Der 2005 in die Kinos gekommene Film „Sophie Scholl" behandelt das Schicksal der Studentin in den letzten Tagen vor ihrer Hinrichtung am 22. Februar 1943 (Seite 184). Bei den Internationalen Filmfestspielen Berlin 2005 hat die Darstellerin der Sophie die Auszeichnung „Beste Hauptdarstellerin" bekommen. Ein Filmkritiker schreibt: „Das Faszinierende an dem Film ist, dass er nicht wie ein verstaubtes Historienepos (Geschichtsdrama) inszeniert ist, sondern als zeitlose Geschichte. Denn natürlich ist das Schicksal von Sophie Scholl auch 62 Jahre nach ihrem Tod aktuell: Wann muss man auf sein Gewissen hören?"

Wir sehen uns den Film an

Dabei achten wir auf die Schauplätze und den Gang der Handlung. Welche Szenen sind Schlüsselszenen des Films? Welche berühren uns besonders?

▸ Die wichtigsten Schauplätze des Films zeigt M 2. Im Mittelpunkt des Films steht das lange Verhör Sophies durch den Kriminalbeamten Mohr. Sophie kritisiert offen die verbrecherische Kriegsführung des NS-Regimes. Dabei erklärt sie, warum sie und die anderen Mitglieder der Weißen Rose so und nicht anders gehandelt haben. Das Todesurteil trifft sie hart, sie bricht aber nicht zusammen, sondern geht aufrecht ihren Weg zu Ende, nachdem sie sich von ihren Eltern verabschiedet hat.

Dokumentarfilm ▸ Dieser Filmtyp verwendet – wenn möglich – Filme und Bilder aus früherer Zeit, lässt Augenzeugen oder Experten zu Wort kommen und verbindet die Einzelteile durch Erklärungen. Er will in erster Linie dokumentieren und informieren. Werden die dokumentarischen Teile mit erfundenen Spielszenen gemischt, spricht man von einem Doku-Drama.

Wir überprüfen die Wirklichkeitsnähe des Films

Auch wenn sie die Geschichte möglichst wirklichkeitsgetreu wiedergeben wollen, setzen sich historische Spielfilme aus einer Reihe erfundener Szenen, Personen und Gesprächen zusammen. Entscheidend ist, ob das, was dargestellt wird, auch glaubwürdig ist. Die Glaubwürdigkeit lässt sich am einfachsten überprüfen, wenn es schriftliche Zeugnisse, Abbildungen und Schilderungen von Zeitzeugen gibt.

▸ Welcher Mensch die Sophie war, das wurde von Freunden und Verwandten niedergeschrieben, zum Beispiel von ihrer jüngeren Schwester Inge Scholl. Über das Verhör bei der Gestapo und über die Gerichtsverhandlung gibt es ein Protokoll, aus dem im Film wörtlich zitiert wird. Die Argumente, mit denen Sophie das NS-Regime kritisiert, stehen in den Flugblattern, die sie verteilt hat. Ihr Verhalten im Untersuchungsgefängnis hat eine Mitgefangene in einem Brief an Sophies Eltern ausführlich geschildert. Alle diese Dokumente sind über das Internet oder die DVD-Fassung des Films zugänglich.

Wir fragen nach der Botschaft des Films

Historische Spielfilme sind keine Dokumentarfilme. Sie wollen uns einerseits eine wirklichkeitsnahe Geschichte erzählen, andererseits Stoff zum Nachdenken liefern.

▸ Sprecht in der Klasse darüber, inwieweit der Spielfilm „Sophie Scholl – Die letzten Tage" noch heute aktuell ist.

M 2 Schauplätze des historischen Spielfilms „Sophie Scholl – Die letzten Tage": der Lichthof der Münchener Universität, wo die Geschwister Scholl verhaftet wurden; der Justizpalast, in dem der Volksgerichtshof tagte; das Gefängnis, in das Sophie nach dem Todesurteil gebracht wurde und wo sie Abschied von ihren Eltern nahm.

Menschen im Bombenkrieg

Bombenkrieg ▸ Die deutsche Luftwaffe bombardierte 1939 polnische und 1940/1941 britische Städte. Ab 1942 griffen alliierte Luftstreitkräfte vermehrt deutsche Städte an. Bis 1945 blieb keine größere deutsche Stadt verschont.

Bei den Bombenangriffen während des Krieges starben in Deutschland etwa 600 000 Menschen. Über drei Millionen Wohnungen wurden zerstört. Bei den Luftangriffen starben in Großbritannien 40 000 Menschen, in Polen 10 000, in Stalingrad 10 000.

Terrorangriff ▸ So wurde in Deutschland ein alliierter Luftangriff bezeichnet. Darin versteckt sich die Anklage, dass alliierte Angriffe Angst und Schrecken (Terror) in der Zivilbevölkerung verbreiteten.

M 1 The Raid on Coventry

Auszug aus dem englischen Jugendbuch „THE BLITZ" (1990):

▸ By late October 1940, Germany had given up the idea of invading Britain. It seemed more important now to bomb the British towns where aeroplanes, tanks and guns were made.

On november 14th the Germans attacked Coventry. Coventry was a small, compact city compared to London. There was a bright moon that night. The german bombers came in waves all through the night. The whole centre of the city was burnt out. That night in Coventry 568 people were killed, and 863 seriously injured. Nothing was left. Shops and pubs were closed. There was no water; the drains were damaged. [...] There were no buses or trains, no telephones. No one knew what was happening. This was one of the most frightening things – the collapse of people's ordinary lives.

M 2 Es war die Hölle

Was der Augenzeuge aus Heilbronn berichtet, das erlebten viele Menschen während der Bombardierung ihres Heimatortes:

▸ 4. Dezember 1944: Das Schlimmste war, dass um die Zeit des Angriffs ein lebhafter Wind herrschte, der zu einem starken Sturm anwuchs und die Flammen durch die Straßen und über die Dächer jagte. [...] Das gewaltige Feuer fand immer wieder neue Nahrung in dem Sauerstoff, der aus den Kellern und Bunkern herausgezogen wurde. Die Menschen, die in ihnen Schutz gesucht hatten, mussten aus Mangel an Sauerstoff elend zu Grunde gehen. Die alten Keller der Heilbronner Weingärtner waren wohl tief und stark gemauert und zudem waren sie durch Mauerdurchbrüche verbunden, aber an den Sauerstoffentzug hatte man nicht gedacht. [...]

Bei der Öffnung der Keller bot sich ein grauenhafter Anblick. Die Insassen, oft hundert oder mehr, hatten die Türen und Notausstiege zu stürmen versucht und lagen in Schichten übereinander, viele mögen buchstäblich erdrückt worden sein. Viele, die aus den Kellern herausgekommen waren und sich gerettet glaubten, wurden noch auf den Straßen und Plätzen vom Tod ereilt. Die ungeheure Hitze im Freien raubte den Atem und tötete sie. Denn die ringsum brennenden Häuser entfachten selbst auf den freien Plätzen eine solche Gluthitze, dass den Schutzsuchenden die Kleider auf dem Leibe in Brand gerieten und man die Unglücklichen später nur als kleine Aschehäufchen fand. Tod und Verderben überall, dazu ein Höllenlärm durch die einstürzenden Häuser, die Angstschreie dahin rasender Menschen, die Hilferufe der Kinder und über allem das Dröhnen der Flugzeuge, das Krachen der Bomben. Heilbronn war eine Hölle.

A 1 In allen Städten, die bombardiert worden sind, gibt es Gedenkstätten, Übersichten über die Zerstörungen und niedergeschriebene Berichte von Zeitzeugen. Informiert euch, besucht die Gedenkstätten und stellt das Ergebnis zu einer Broschüre zusammen.

A 2 Stelle selbst Nachforschungen an über Städte, die von deutschen Luftangriffen betroffen wurden, zum Beispiel London, Coventry, Rotterdam, Warschau und Belgrad (Internet, Bücher), und berichte darüber in der Klasse.

Kreszentia Schwenkreis

Geboren am 15. November 1873
in Kühlenthal

Gefallen am 25. Februar 1944
bei dem
Terrorangriff auf Haunstetten

Josef Schwenkreis
geboren am 17. März 1910

Maria Schwenkreis, geb. Weigl
geboren am 13. September 1912

Marianne Schwenkreis
geboren am 10. Juli 1934

Elfriede Schwenkreis
geboren am 27. Juli 1935

Fritz Schwenkreis
geboren am 31. 10. 1940

Sämtliche gefallen am 25. Februar 1944 bei dem Terrorangriff auf Haunstetten

M 3 Sterbebild der Familie Schwenkreis, die während eines Bombenangriffs im Keller ihres Hauses getötet wurde. Der Vater war gerade auf Heimaturlaub.

M 4 Nach dem Bombenangriff auf Dresden in der Nacht vom 13. auf 14. und bei Tage am 14. und 15. Februar 1945. 2600 Spreng- und Brandbomben verursachten einen Feuersturm, der mit bis zu 1000 Grad Celsius durch die Straßen raste. 35 000 Menschen wurden getötet. Zum Zeitpunkt des Angriffs war die Stadt voller Flüchtlinge aus dem Osten. Blick vom Rathausturm auf das zerstörte Dresden (1945).

Millionen verlieren ihre Heimat

M 1 Vergeltung

Ein sowjetischer Berichterstatter schrieb im Januar 1945 angesichts der brennenden ostpreußischen Stadt Insterburg:

„Brenne, Deutschland, du hast es nicht besser verdient. Ich will und werde dir nichts von dem verzeihen, was uns angetan wurde durch dich. [...] Brenne, verfluchtes Deutschland."

A 1 Gibt es Vertriebene aus der Zeit unmittelbar vor oder nach 1945 in deiner Familie oder in deinem Bekanntenkreis? Befrage sie nach ihren Erinnerungen an die damaligen Ereignisse.

A 2 Erkundige dich, ob es auch heute Flüchtlinge in deinem Ort gibt. Lass dir ihre Fluchtgeschichte erzählen und berichte kurz vor der Klasse.

In Ostpreußen Als sowjetische Truppen im Winter 1944/1945 unerwartet in Ostpreußen eindrangen, setzte eine wilde Flucht von annähernd zwei Millionen Menschen ein. Zu Fuß und auf Pferdewagen versuchten sie, auf den verschneiten Straßen in den Westen zu gelangen. Im Januar 1945 wurde Ostpreußen von der Roten Armee eingeschlossen, sodass die Rettung nur mehr mit Schiffen über die Ostsee übrig blieb. Zehntausende flüchteten über das zugefrorene Frische Haff (M 4), um zu den Häfen zu gelangen. Auf diese Weise wurden rund 1,5 Millionen Flüchtlinge gerettet. 16000 Menschen ertranken, als sowjetische U-Boote drei Rettungsschiffe versenkten.

In Schlesien Dort standen im Januar 1945 vielen Flüchtlingen noch Eisenbahnzüge zur Verfügung, andere aber mussten sich bei großer Kälte zu Fuß auf den Weg machen. Rund 1,5 Millionen kamen in den Westen, weitere rund 1,5 Millionen flohen in die Tschechoslowakei. Wer zurückblieb oder auf der Flucht eingeholt wurde, lief Gefahr, nach Russland verschleppt zu werden.

In der Tschechoslowakei Eine dritte Fluchtwelle wurde ausgelöst, als nach dem Zusammenbruch der NS-Herrschaft in den besetzten Gebieten an der deutschen Zivilbevölkerung Rache genommen wurde. Besonders heftigen Verfolgungen waren die Deutschen in der Tschechoslowakei ausgesetzt. Sie wurden in Lager gesperrt oder innerhalb kurzer Zeit aus dem Land getrieben.

M 2 Menschen auf der Flucht vor den sowjetischen Truppen

M 3 Flucht über das Eis

Eine Zeitzeugin berichtet über ihre Flucht Anfang 1945:

Brüchiges Eis ▸ Inzwischen war die eisige Kälte anhaltendem Regen gewichen. Wir erreichten den Uferrand des Frischen Haffs, verpusteten einige Minuten und traten dann den Marsch zur gegenüberliegenden Nehrung an. Das Eis war brüchig. Stellenweise mussten wir uns mühsam durch 25 Zentimeter hohes Wasser hindurchschleppen. Mit Stöcken tasteten wir ständig die Fläche vor uns ab. Zahllose Bombentrichter zwangen uns zu Umwegen. Häufig glaubte man sich bereits verloren. Die Kleider waren völlig durchnässt. Man konnte nur schwer vorankommen. Aber die Todesangst trieb uns weiter.

Grauenvolle Szenen ▸ Einige Frauen mussten Übermenschliches leisten. Als Treckführerinnen fanden sie nur mühevoll den sichersten Weg für ihre Wagen. Überall auf der Eisfläche lag verlorener Hausrat herum. Verwundete krochen mit bittenden Gebärden zu uns heran, schleppten sich an Stöcken dahin. Sechs Stunden dauerte unser Weg, dann hatten wir, zu Tode ermattet, die Nehrung erreicht. [...] Auf unserem Weg nach Danzig sahen wir grauenvolle Szenen. Mütter warfen ihre Kinder im Wahnsinn ins Meer, Menschen hängten sich auf. Andere stürzten sich auf verendende Pferde, schnitten sich Fleisch heraus, brieten die Stücke über offenem Feuer. Frauen wurden im Wagen entbunden. Jeder dachte nur an sich, niemand konnte den Kranken und Schwachen helfen.

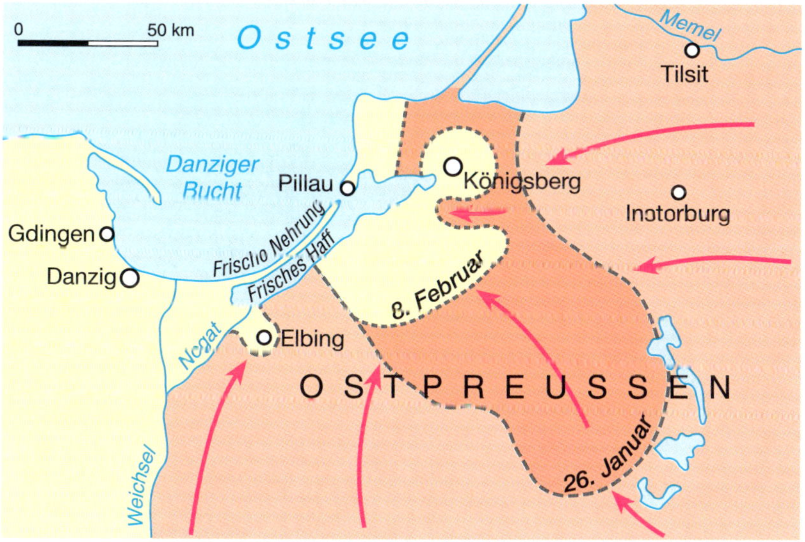

M 4 Das Vordringen der sowjetischen Armeen in Ostpreußen im Januar und Februar 1945 (M 3)

Vorschlag für ein Projekt

Herkunft meiner Familie:

▸ Jeder Schüler zeichnet auf einer Europakarte zunächst seinen Geburtsort schwarz ein, dann den seiner Eltern blau, den seiner Großeltern grün und den seiner Urgroßeltern rot. Außerhalb der Karte liegende Geburtsorte kann man an den Rand der Karte eintragen. Vergleicht eure Eintragungen. Was stellt ihr fest? Beachtet, dass sich die deutschen Staatsgrenzen in den letzten 100 Jahren des Öfteren verändert haben.

A 3 Sprecht über das Schicksal der flüchtenden Frauen auf dem zugefrorenen Haff. Bezieht die Aussage des sowjetischen Berichterstatters mit ein (M 1).

Kurz und klar

- Das 20. Jahrhundert ist das „Jahrhundert der Flüchtlinge". Noch nie zuvor mussten so viele Millionen Menschen ihre Heimat verlassen.
- Die größten Flucht-, Vertreibungs- und Umsiedlungswellen löste der von Adolf Hitler entfesselte Zweite Weltkrieg aus.
- Am schwersten getroffen wurden die Menschen, die in den deutschen Ostgebieten (Ostpreußen, Pommern, Schlesien) und in anderen Staaten des Ostens und Südostens lebten (zum Beispiel in Polen, in der Tschechoslowakei, in Jugoslawien). Vor dem Krieg zählte man dort 17,5 Millionen Deutsche, danach nur noch 2,5 Millionen. 12 Millionen erreichten den Westen, der Rest kam im Krieg, auf der Flucht und während der Vertreibung ums Leben.

Das Ende

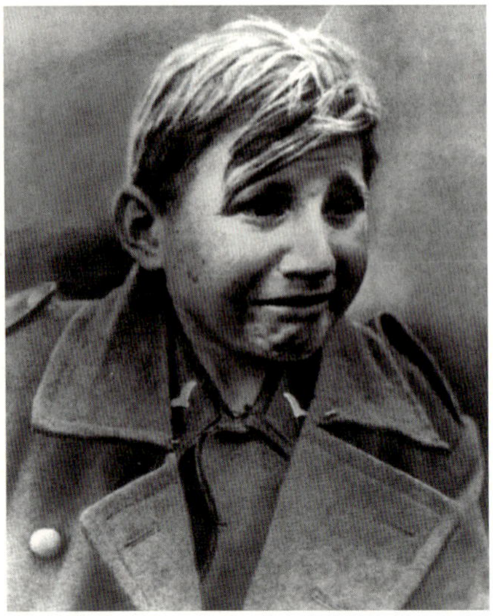

M 1 Sechzehn Jahre alter Flakhelfer im März 1945, der einzige Überlebende seiner Einheit

Sieg der Westalliierten ▸ Amerikanische und britische Truppen landeten im Juli 1943 in Sizilien. Am 6. Juni 1944 gelang ihnen die Invasion in der Normandie. Ende März 1945 überschritten sie den Rhein und schlossen die Mehrheit der noch kampffähigen deutschen Truppen im Ruhrgebiet ein. Während des Monats April eroberten die Briten den Norden Deutschlands, die Amerikaner die Mitte und zusammen mit den Franzosen den Süden.

Sieg der Sowjetunion ▸ Im Osten trat seit Sommer 1943 die Rote Armee auf breiter Front zum Gegenangriff an und zwang die deutschen Truppen, sich aus der Sowjetunion und aus Polen zurückzuziehen. Im Januar 1945 setzte ein Großangriff auf die deutschen Ostgebiete und auf Berlin ein. Am 30. April, wenige Tage vor dem Fall Berlins, nahm sich Adolf Hitler im Bunker der Reichskanzlei das Leben. Am 8. Mai 1945 musste Deutschland die Kapitulationsurkunde unterschreiben. An diesem Tage war in Europa der Krieg zu Ende. In Asien wurde noch bis zum 2. September 1945 weiter gekämpft.

A 1 Erstelle eine Zeittafel über das Vordringen einer US-Armee in der Region, in der dein Schulort liegt.

A 2 Sprecht über die unterschiedlichen Aussagen zum 8. Mai 1945 (M 4).

M 2 Die Eroberung und Besetzung Bayerns durch alliierte Truppen im Frühjahr 1945. Die rote gestrichelte Linie zeigt, wie weit sie am angegebenen Datum gekommen waren.

M 3 Häftlinge des KZ Dachau nach der Befreiung durch amerikanische Truppen am 29. April 1945. Während des Krieges wurden Häftlinge aus 31 europäischen Ländern in das KZ eingeliefert. Bei Kriegsende befanden sich über 30 000 Häftlinge in Dachau und seinen zahlreichen Außenlagern. In den letzten Kriegstagen mussten Tausende zu Fuß oder in Zügen das Lager in Richtung Süden verlassen.

M 4 Der 8. Mai 1945 aus unterschiedlicher Sicht

Ein amerikanischer Reporter:

▸ Wir sahen einen Krieg zu Ende gehen, so wie Kriege enden sollten: Amerika hatte nun die Möglichkeit, aus seinen schlimmsten Feinden, Deutschland und Japan, Freunde zu machen, demokratische und erfolgreiche Freunde. Dieser Gedanke erfüllte mich mit Hoffnung und Enthusiasmus.

Der erste Bundespräsident Theodor Heuß (1949)

▸ Im Grunde genommen bleibt dieser 8. Mai 1945 die tragischste und fragwürdigste Paradoxie [Widersprüchlichkeit] der Geschichte für jeden von uns. Warum denn? Weil wir erlöst und vernichtet in einem gewesen sind.

Der Bundespräsident Richard von Weizsäcker (1985)

▸ Der 8. Mai war ein Tag der Befreiung. Er hat uns alle befreit von dem menschenverachtenden System der nationalsozialistischen Gewaltherrschaft.

Ein Leserbriefschreiber (1995)

▸ Die Befreiung vom Nazi-Joch erfolgte schrittweise mit dem Vorrücken der westalliierten Truppen im Frühjahr 1945. Für jedes Dorf, jede Stadt in der Westhälfte des Landes gilt somit ein eigenes Befreiungsdatum. Die deutschen Gebiete jedoch, die von Osten her von der Roten Armee eingenommen wurden, erfuhren keine Befreiung, sondern den Wechsel von der nationalsozialistischen zur kommunistischen Unterdrückung.

Vorschlag für ein Projekt

Das Kriegsende in unserer Region:

- Sammelt Bild- und Textdokumente über das Jahr 1945 in der Orts- und Landkreisgeschichte, im Gemeindearchiv, im Archiv der Lokalzeitung.
- Befragt ältere Leute, wie sie das letzte Kriegsjahr erlebt haben.
- Fasst eure Ergebnisse in einer Ausstellung zusammen.

M 5 Am 6. August 1945 warfen amerikanische Piloten die erste Atombombe auf die japanische Stadt Hiroshima und zwei Tage später eine weitere auf Nagasaki ab. Die Folgen: totale Zerstörung der beiden Städte, Zehntausende Tote, Hunderttausende Verletzte und Strahlenverseuchte, japanische Kapitulation am 2. September 1945.

Das gibt zu denken!

Kennzeichen der NS-Diktatur

1. Die Grundrechte wurden abgeschafft ▸ Das ermöglichten die Notverordnungen der Weimarer Verfassung. Die Dauer der Notverordnungen war begrenzt, doch die Nazis setzten sie nicht mehr außer Kraft.

2. Die Gewaltenteilung brach zusammen ▸ Das Parlament (Reichstag) verzichtete auf sein Recht zur Gesetzgebung und überließ es einem Alleinherrscher.

3. Die Weimarer Demokratie hatte zu wenig engagierte Demokraten ▸ Auch deshalb konnte sie ohne großen Widerstand abgeschafft werden.

4. Eine undemokratische Partei konnte die Macht ergreifen ▸ Nach dem 30. Januar 1933 wurden schnell alle anderen Parteien verboten. Deutschland wurde ein Einparteienstaat, in dem nur die NSDAP das Sagen hatte.

5. Andersdenkende waren unerwünscht ▸ Sie wurden verfolgt und in Konzentrationslager gesperrt, wenn sie sich nicht gleichschalten ließen.

6. Die NS-Diktatur war totalitär ▸ Alle Bevölkerungsgruppen und Lebensbereiche sollten denken und leben, wie es die Nazis vorgaben. Werbeplakat für die HJ.

7. Der Antisemitismus war ein Markenzeichen der Nazis ▸ Juden sollten aus Deutschland verschwinden. Deshalb wurden sie schikaniert, entrechtet und – wenn sie nicht rechtzeitig fliehen konnten – ermordet.

8. Der Judenhass war Teil der NS-Rassenlehre ▸ Sie unterschied zwischen höheren und niederen Rassen. Neben den Juden wurden vor allem die Slawen in Mittel- und Osteuropa als niederrassig eingestuft.

9. Aggressivität (Gewaltbereitschaft) war ein besonderes Kennzeichen der NS-Diktatur ▸ Sie führte zur Gewaltanwendung nicht nur gegen politische Gegner im Innern des Reiches, sondern sie entfesselte auch einen Weltkrieg, der Millionen Menschen das Leben kostete.

10. So ist der Bürger den Diktatoren am liebsten!

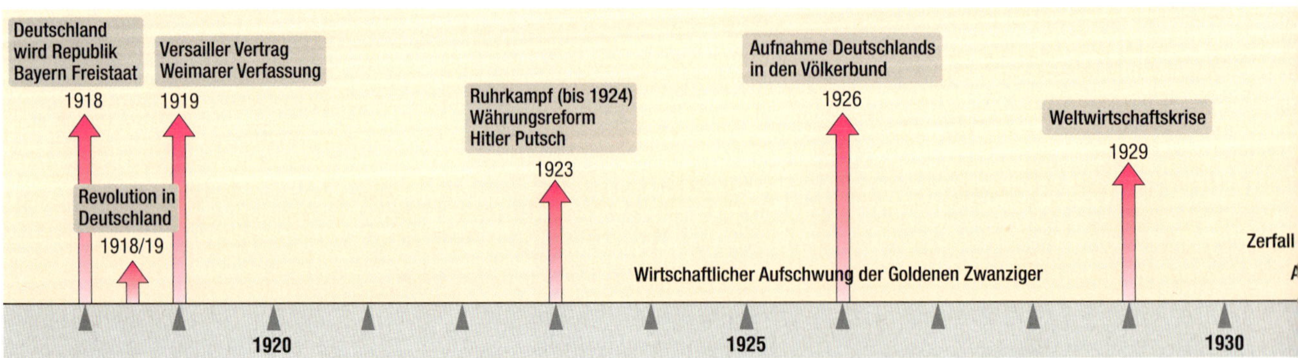

Was geht mich das an?

Zum 40. Jahrestag des Kriegsendes 1985 hielt der damalige Bundespräsident Richard von Weizsäcker vor dem Deutschen Bundestag eine weltweit beachtete Rede. Darin beantwortete er diese Frage:

▸ Der ganz überwiegende Teil unserer heutigen Bevölkerung war zur damaligen Zeit [1933 – 1945] entweder im Kindesalter oder noch gar nicht geboren. Sie können nicht eine eigene Schuld bekennen für Taten, die sie nicht getan haben. Kein fühlender Mensch erwartet von ihnen ein Büßerhemd zu tragen, nur weil sie Deutsche sind. Aber die Vorfahren haben ihnen eine schwere Erbschaft hinterlassen. Wir alle, ob schuldig oder nicht, ob alt oder jung, müssen die Vergangenheit annehmen. Wir alle sind von ihren Folgen betroffen und für sie in Haftung genommen. Jüngere und Ältere müssen und können sich gegenseitig helfen zu verstehen, warum es lebenswichtig ist, die Erinnerung wachzuhalten. Es geht nicht darum, Vergangenheit zu bewältigen. Das kann man gar nicht. Sie lässt sich ja nicht nachträglich ändern oder ungeschehen machen. Wer aber vor der Vergangenheit die Augen verschließt, wird blind für die Gegenwart. Wer sich der Unmenschlichkeit nicht erinnern will, der wird wieder anfällig für neue Ansteckungsgefahren. […]

▸ Den vielleicht größten Teil dessen, was den Menschen [im Krieg] aufgeladen war, haben die Frauen der Völker getragen. Ihr Leiden, ihre Entsagung und ihre stille Kraft vergisst die Weltgeschichte nur allzu leicht. Sie haben gebangt und gearbeitet, menschliches Leben getragen und beschützt. Sie haben getrauert um gefallene Väter und Söhne, Männer, Brüder und Freunde: […] Wenn aber die Völker an den Zerstörungen, den Verwüstungen, den Grausamkeiten nicht zerbrachen, wenn sie nach dem Krieg langsam wieder zu sich selbst kamen, dann verdanken wir es zuerst unseren Frauen.

1933 ▸ Am 30. Januar wurde der Nationalsozialist Adolf Hitler zum Kanzler des Deutschen Reiches ernannt. Die Nazis begannen sofort mit der Machtergreifung in Deutschland.

1945 ▸ Am 8. Mai war der von den Nationalsozialisten 1939 entfesselte Zweite Weltkrieg zu Ende. Die Deutschen waren endlich von der NS-Diktatur befreit.

Aufruf, den Käthe Kollwitz (Seite 167) 1924 zu einem Plakat für den Jugendtag in Leipzig gestaltet hat.

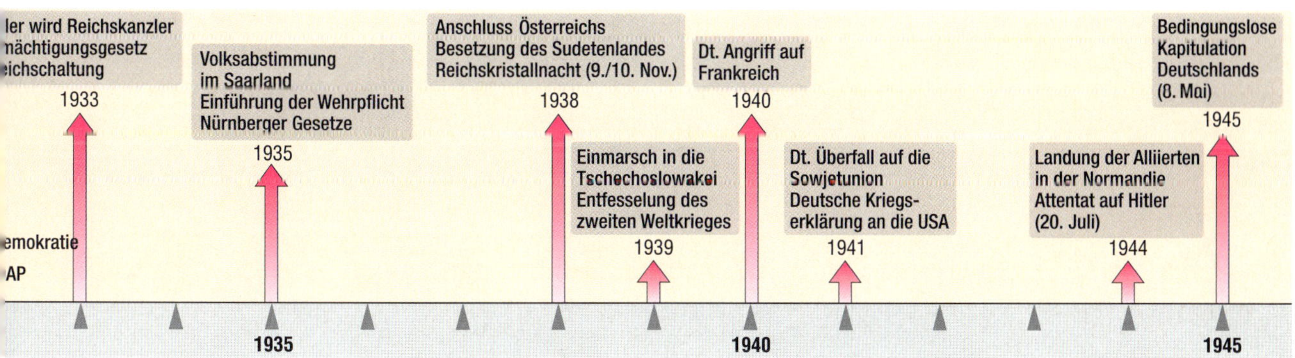

Alle Staatsgewalt geht vom Volk aus
Mehr Gerechtigkeit
Politiker?! Die können Sie doch vergessen! Die machen ja doch nur, was sie wollen!
Wir sind das Volk!
Uns reicht's!
Wir brauchen Arbeitsplätze!

Deutschland – ein demokratischer Bundesstaat

Die Bundesrepublik Deutschland ist ein demokratischer und sozialer Bundesstaat.

Grundgesetz, Artikel 20 (1)

Die Bundesrepublik Deutschland ist ein demokratischer Staat

M 1 Antworten auf die Frage „Was bedeutet Demokratie?"

Demokratie ▸ Das griechische Wort Demokratie heißt Volksherrschaft. Dies bedeutet, dass nicht eine einzige Partei oder eine einzige Person (Monarchie) herrscht. In der repräsentativen Demokratie überträgt das Volk die politische Herrschaft auf Zeit an Vertreter (Abgeordnete).

A 1 Was bedeutet für dich Demokratie?

A 2 Welche Antworten treffen am genauesten die wichtigsten Merkmale der Demokratie (M 1)?

M 2 Demokratie braucht die Unterstützung aller Bürger

Welche Voraussetzungen gehören zur Demokratie? ▸ Eine Demokratie in unserem Verständnis umfasst einen Staat, in dem die Grund- und Menschenrechte gelten und auch durchgesetzt werden.

Gewaltenteilung ▸ In einem demokratischen Staat wird die staatliche Gewalt zwischen gesetzgebender, ausführender und richterlicher Staatsgewalt geteilt. Es gilt das Prinzip der Gewaltenteilung.

Entscheidungsfreiheit ▸ Eine weitere Grundlage der Demokratie ist die Mitbestimmung der Bürger durch das Stimmrecht. Jeder Bürger hat die Wahl zwischen Vertretern zweier oder mehrerer Parteien, die unterschiedliche Interessen durchsetzen wollen.

Minderheitenschutz ▸ In der Demokratie entscheidet die Mehrheit. Minderheiten werden geschützt.

Mündiger Bürger ▸ Demokratie kann nur verwirklicht werden, wenn die Bürger erkennen, dass sie selbst der Staat sind. Es wird daher von jedem Bürger Mitarbeit, Mitverantwortung und Mitwirkung zum Wohle aller gefordert.

Die Bundesrepublik Deutschland ist eine parlamentarische Demokratie ▸ Das Volk bestimmt seine Regierung durch die Wahl seiner Vertreter (Abgeordnete, Repräsentanten) in ein Parlament (Deutscher Bundestag). Durch die Wahl übertragen die Bürger den Abgeordneten das Amt des Volksvertreters. Für eine Wahlperiode (in der Regel vier Jahre) sind diese dann für die Gesetzgebung verantwortlich.

Wählen bedeutet auswählen ▸ Um zwischen verschiedenen Personen und Ansichten wählen zu können, bieten die politischen Parteien dem Wähler geeignete Personen an und legen ihre Vorstellungen in Parteiprogrammen vor.

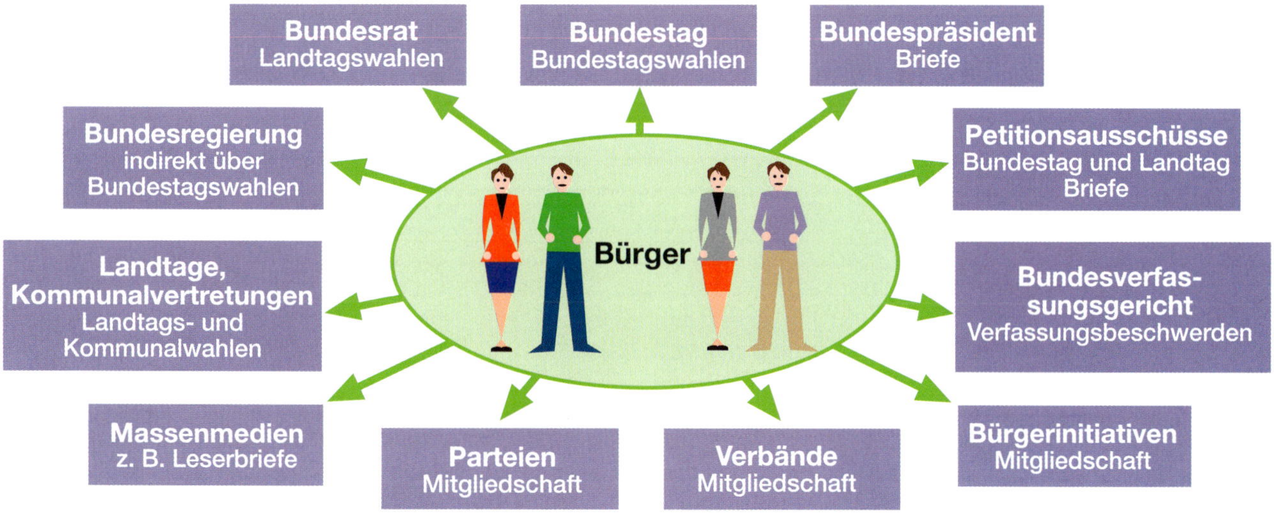

M 3 Einflussmöglichkeiten des Bürgers

Welche Möglichkeiten hat der Bürger, Einfluss auf die Politik zu nehmen? ▸ Über die Parteien kann der einzelne Bürger direkt auf die politischen Entscheidungen Einfluss nehmen. In den Parteien bilden sich die Meinungen zu politischen Problemen. Parteien stellen Kandidaten zur Wahl auf, die der Bürger je nach seiner politischen Anschauung und Meinung wählen kann. Als Parteimitglied kann er selbst kandidieren oder an der Aufstellung der Kandidaten mitwirken.

Artikel 21,1 ▸ Die Parteien wirken bei der politischen Willensbildung des Volkes mit.

M 4 Aus dem Grundgesetz

Was ist eine Partei? ▸ Parteien sind Zusammenschlüsse von Menschen, die gleiche politische Vorstellungen haben. Die Parteien wollen für ihr Parteiprogramm möglichst viele Anhänger und Parteimitglieder gewinnen. Die Parteien stellen für die Wahlen in Gemeinden, in Ländern, im Bund und in Europa Kandidaten auf. Sie setzen sich in Wahlkämpfen dafür ein, dass diese gewählt werden. Das Ziel jeder Partei ist es, die größtmögliche Anzahl von Vertretern in die Parlamente zu entsenden und dann regieren zu können.

Warum gibt es so viele Parteien? ▸ In der Demokratie ist es wichtig, dass verschiedene Parteien mit unterschiedlichen Kandidaten und vielfältigen Ansichten zur Wahl stehen. Dieser Wettbewerb führt dazu, dass die Bürger eine Auswahl haben.

A 3 Lies den Artikel 21 im Grundgesetz vollständig. Suche im Internet das Parteiengesetz. Dort findest du weitere Aufgaben einer Partei.

Weg mit den anderen

M 5 Meinungsbildung

A 4 Erläutere die Karikatur (M 5).

Parteien in Deutschland

A 1 Sammle bei anstehenden Europa-, Bundestags- oder Landtagswahlen Prospektmaterial der Parteien. Schreibe heraus, welche Ziele sie hauptsächlich verfolgen.

A 2 Der Einfluss eines Parteimitglieds ist größer als der eines normalen Wählers. Erläutere diese Aussage anhand von M 1.

A 3 Die Bürger haben manchmal andere Sorgen als die Politiker glauben (M 2). Erläutere den Satz.

A 4 Darf eine neue Partei überhaupt gegründet werden (M 2)? Welche Voraussetzungen sind dafür erforderlich? Informiere dich im Grundgesetz und im Internet.

A 5 Die Parteien sind zu ganz verschiedenen Zeiten und aus ganz verschiedenen Ursachen gegründet worden. Entnimm die Ursachen aus den Texten M 3–M 7. Du kannst aus der deutschen Geschichte erklären, warum sie jeweils zu einem bestimmten Zeitpunkt gegründet wurden. Ergänze durch Internetrecherche.

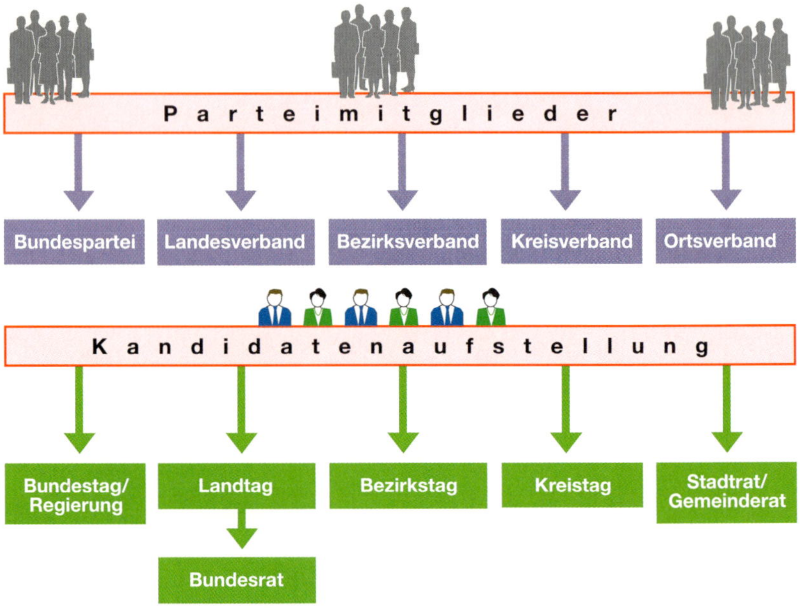

M 1 Organisation der Parteien

M 2 Wir brauchen eine neue Partei!

Kurz und klar

- Menschen mit gleichen politischen Absichten schließen sich in einer Partei zusammen.
- Parteien wirken an der politischen Willensbildung mit und entsenden Parteimitglieder in die Parlamente.

CDU: Christlich Demokratische Union ▸ Die Partei ist in allen Bundesländern außer Bayern tätig. Gegründet wurde die CDU 1950. Sie versteht sich als Volkspartei und vertritt breite Wählerschichten. Das Bekenntnis zum Christentum nimmt einen hohen Rang ein.
Mitgliederzahl (2005): 600 000; Vorsitzende: Angela Merkel
Bundeskanzler: Konrad Adenauer, Ludwig Erhard, Kurt-Georg Kiesinger, Helmut Kohl, Angela Merkel

CSU: Christlich Soziale Union (nur in Bayern) ▸ In Anschauungen und Zielen stimmt die Partei weitgehend mit der CDU überein. Sie betont die Eigenständigkeit der Länder, besonders Bayerns.
Mitgliederzahl (2005): 180 000; Vorsitzender: Edmund Stoiber
CDU und CSU bilden zusammen im Bundestag die Fraktionsgemeinschaft der Unionsparteien.

SPD: Sozialdemokratische Partei Deutschlands ▸ Die älteste Partei Deutschlands wurde 1875 als Arbeiterbewegung gegründet, 1933 verboten und 1945 wieder gegründet. Die Volkspartei bekennt sich zum demokratischen Sozialismus und hat Anhänger in allen Bevölkerungsschichten.
Mitgliederzahl (2005): 620 000; Vorsitzender: Matthias Platzeck
Bundeskanzler: Willy Brandt, Helmut Schmidt, Gerhard Schröder

Bündnis 90/Die Grünen ▸ Die Partei der Grünen entstand 1980 aus dem Zusammenschluss vieler Bürgerinitiativen. Sie setzt sich vor allem für den Erhalt der Natur und gegen deren Zerstörung ein. Sie ist gegen Kernenergie und Rüstung. Bei den Grünen ist die Hälfte aller Ämter mit Frauen besetzt. 1992 schlossen sich die Grünen mit den Bürgerbewegungen der neuen Bundesländer zu Bündnis 90/Die Grünen zusammen.
Mitgliederzahl (2005): 50 000; Vorsitzende: Claudia Roth; Reinhard Bütikofer
Regierungskoalition mit SPD 1998 – 2005

FDP: Freie Demokratische Partei Deutschlands ▸ Die FDP wurde 1948 als Nachfolgepartei der Liberalen Parteien gegründet. Im Mittelpunkt steht die größtmögliche Freiheit und die Würde des einzelnen Menschen. Bildung und privates Eigentum sind Grundlagen des staatlichen Zusammenlebens. Der Einfluss des Staates soll möglichst gering sein.
Mitgliederzahl (2005): 60 000; Vorsitzender: Guido Westerwelle
Regierungskoalitionen mit CDU/CSU: 1949 – 1955; 1961 – 1966; 1982 – 1998; mit SPD: 1969 – 1982

Die Linke.PDS ▸ Die PDS (seit 1990) ist die Nachfolgepartei der Sozialistischen Einheitspartei Deutschlands, SED, die die herrschende Partei in der DDR war. Sie grenzt sich von der SED ab, versteht sich als Linkspartei, die für Frieden und soziale Gerechtigkeit und gegen den Kapitalismus eintritt.
Die WASG (Wahlalternative Arbeit und soziale Gerechtigkeit – seit 2005) bildete mit der PDS ein Wahlbündnis der Linken Parteien. Die neue Partei nennt sich „Die Linke.PDS"
PDS: Mitgliederzahlen (2005): 75 000; Vorsitzender: Lothar Bisky

Aus den Parteiprogrammen zur Bundestagswahl 2005

Parteien und ihre Spitzenkandidaten	Außenpolitik	Steuern
CDU/CSU  	▸ Einsetzen für eine Politik der europäischen Einigung ▸ Ausgewogene Beziehungen zu Frankreich und den USA ▸ Privilegierte Partnerschaft der Türkei mit der EU	▸ Erhöhung der Mehrwertsteuer ▸ Senkung des Spitzensteuersatzes, des allgemeinen Steuersatzes und der Körperschaftsteuer ▸ Ablehnung einer Vermögenssteu
SPD  	▸ Politik der europäischen Einigung ▸ Nein zum Irak-Krieg ▸ Für eine EU-Erweiterung, einschließlich der Türkei	▸ Keine Erhöhung der Mehrwertsteuer ▸ Erhöhung des Steuersatzes für Spitzenverdiener um drei Prozen ▸ Senkung der Körperschaftssteuer um sechs Prozent
Bündnis 90/Die Grünen  	▸ Für EU-Beitritt der Türkei und der Balkanländer ▸ EU-Verfassung mit europaweiter Volksabstimmung ▸ Deutscher Sitz im UN-Sicherheitsrat	▸ Keine Mehrwertsteuererhöhung ▸ Erhöhung des Spitzensteuersatzes ▸ Einführung einer Reichensteuer
FDP  	▸ Fundamentale Bedeutung der Partnerschaft mit den USA ▸ Deutschland als Mittler zwischen Paris und Washington ▸ Europäischer Sitz im UN-Sicherheitsrat	▸ Keine Mehrwertsteuererhöhung ▸ Einkommensteuer in drei Stufen: 15, 25 und 35 Prozent ▸ Wegfall der Gewerbesteuer
Linkspartei.PDS  	▸ Volksabstimmung zur EU-Verfassung ▸ Mehr Einfluss Deutschlands in der Dritten Welt ▸ Kein Sitz im Sicherheitsrat	▸ Keine Erhöhung der Mehrwertsteuer ▸ Erhöhung des Spitzensteuersatzes ▸ Einführung einer Vermögenssteuer, neue Erbschaftssteuer

Familie/Bildung	Umwelt und Energie
▸ Förderung der Vereinbarkeit von Beruf und Familie ▸ Höherer Kinderfreibetrag ▸ Ausbau der Sprach- und Hochbegabtenförderung ▸ Studiengebühr bis zu 500 € pro Semester	▸ Rückgängigmachen des Atomausstiegs ▸ Lauflänge der Atomkräfte abhängig vom Risiko ▸ Begrenzung der Förderung des Ökostroms
▸ Ersetzen des Einkommens durch Elterngeld (ein Jahr) ▸ Gebührenfreie Kindertagesstätten ▸ Ausbau der Ganztagesschulen ▸ Gebührenfreies Erststudium	▸ Nein zur Kernkraft, ja zur Kohle ▸ Förderung der erneuerbaren Energiequellen ▸ Wirksamere Kraftwerke und sparsamer Energieverbrauch
▸ Anspruch auf Kinderbetreuung ▸ Kinderzuschlag für Geringverdiener ▸ Ausbau von Gesamtschulen ▸ Gebührenfreies Erststudium	▸ Weg vom Atomstrom, weg vom Erdöl ▸ Förderung der erneuerbaren Energiequellen ▸ Deutschland als Vorreiter im Klimaschutz
▸ Steuerliche Entlastung für Eltern ▸ Gebührenfreier Besuch von Halbtageskindergärten ▸ Ausbau der Ganztagesbetreuung der Kinder ▸ Verbindliche Sprachtests für Ausländer und Aussiedler	▸ Weniger Subventionen für Abbau von Steinkohle und erneuerbare Energien ▸ Mehr Wettbewerb am Strommarkt ▸ Kernkraft hat Zukunft
▸ Erhöhung des Kindergeldes auf 250 € ▸ Kostenlose Kindertagesstätten für Bedürftige ▸ Ganztagesbetreuung für Kinder ▸ Gemeinschaftsschule bis zur zehnten Klasse	▸ Energieversorgung vor Ort ▸ Mehr Ökostrom, ohne Kernenergie ▸ Förderung ökologischer Landwirtschaft

A 1 Lies die Auszüge aus den Parteiprogrammen durch. Welche Themen hältst du für besonders wichtig, welche für weniger wichtig? Ordne die Bereiche nach ihrer Bedeutung. Vergleiche deine Aufstellung mit der deiner Mitschüler.

A 2 Stelle Gemeinsamkeiten und Unterschiede in den Aussagen der Parteien zur Politik in Deutschland fest. Wähle dazu einen Themenbereich aus.

A 3 Stelle dir vor, morgen ist die Wahl zum Bundestag. Welche der hier vertretenen Parteien würdest du wählen?

A 4 Wie heißen die abgebildeten Spitzenkandidaten?

A 5 Vergleiche die Wahlaussagen der Parteien mit der Karikatur M 1.

M 1 Wahlluftballons

Wir untersuchen Wahlplakate

M 1–M 6 Die Parteien machen mit Plakaten auf sich aufmerksam.

Fragen zum Plakat:

Was ist abgebildet? ▸ Person, Landschaft oder Gegenstand? Foto oder Zeichnung? Sind die Personen ganz oder teilweise abgebildet?

Welche Farben werden verwendet? ▸ Kräftig oder matt? Gibt es bestimmte Farben bei bestimmten Parteien?

Wie lautet der Text? ▸ Ist es ein Satz, eine Frage oder sind es Schlagwörter?

Wen sollen die Plakate ansprechen? ▸ Kinder, Jugendliche, Erwachsene, Rentner? Männer, Frauen?

A 1 Schreibe die Plakattexte ohne Parteinamen auf Papier in Plakatformat. Kannst du die Plakattexte den Parteien zuordnen? Wo gibt es Ähnlichkeiten zwischen den Texten? Wo Unterschiede?

A 2 Vergleiche die Plakate (M 1 – M 6) mit den Wahlprogrammen von Seite 202/203.

A 3 Vergleiche die Darstellungen auf dieser Seite mit der Gestaltung der Plakate auf Seite 154/155.

Grundsätze für die Wahl zum deutschen Bundestag

Das aktive Wahlrecht ▸ Jeder Bürger besitzt das Recht, an der Wahl teilzunehmen, wenn er das 18. Lebensjahr vollendet, seinen Wohnsitz in Deutschland hat und nicht entmündigt wurde.

Das passive Wahlrecht ▸ Wählbar ist, wer am Wahltag das 18. Lebensjahr vollendet hat, die deutsche Staatsangehörigkeit besitzt und von einer Partei als Kandidat aufgestellt wurde.

Eine demokratische Wahl läuft nach bestimmten Grundsätzen ab:

Artikel 38 ▸ Die Abgeordneten des Deutschen Bundestages werden in allgemeiner, unmittelbarer, freier, gleicher und geheimer Wahl gewählt.

M 7 Aus dem Grundgesetz

Allgemein: Jeder darf wählen, gleich welchem Geschlecht, welchem Glaubensbekenntnis oder welcher Rasse er angehört.
Unmittelbar: Die Wahl der Abgeordneten erfolgt direkt durch das Volk.
Frei: Jeder Wähler ist frei, zu wählen oder nicht zu wählen; er darf bei der Wahl nicht beeinflusst werden.
Gleich: Jede einzelne Stimme hat den gleichen Wert.
Geheim: Jeder wählt für sich in einer Wahlkabine; niemand hat das Recht zu wissen, wen oder welche Partei gewählt wurde.

M 10 Antworten auf die Frage „Was soll die Wahl verändern?"

„Die Politik sind wir alle und nicht diejenigen Leute, die ernannt sind, ein Land zu führen. Wir alle sind Politik und wir alle bestimmen die Politik. Deswegen finde ich es auch sehr wichtig, wählen zu gehen."

Marusha, DJ und Musikproduzentin

M 8 Argument für das Wählen

„Das Wahlrecht steht im Zentrum des Freiheitskampfes."

Nelson Mandela, Friedensnobelpreisträger aus Südafrika

M 9 Die Bedeutung der Wahl

A 4 Marusha nennt ein Argument, warum sie zur Wahl geht (M 8). Ergänze es durch weitere Argumente.

A 5 In der Aussage Mandelas bekommt die Wahl einen hohen Stellenwert (M 9). Erkläre.

A 6 Was könnte geschehen, wenn immer weniger Bürger zur Wahl gehen?

A 7 Finde zu den fünf Wahlgrundsätzen das Gegenteil mit je einem Beispiel. Denke dabei an die Geschichte Deutschlands zwischen 1933 und 1945 und an andere Länder.

A 8 Ergänze die Antworten (M 10) durch eigene Aussagen.

Das deutsche Wahlsystem

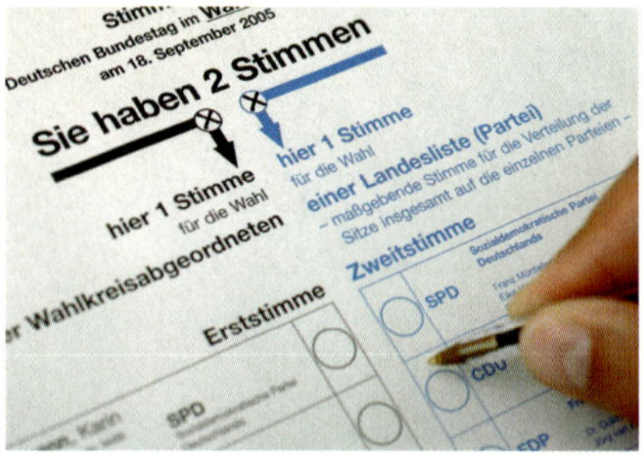

M 1 Jeder Wähler hat zwei Stimmen.

In einer parlamentarischen Demokratie gibt es verschiedene Möglichkeiten, die Abgeordneten des jeweiligen Parlaments zu wählen:

Mehrheitswahl ▸ In jedem Wahlkreis wird eine Person direkt gewählt. Wer die meisten Stimmen erzielt, wird Abgeordneter. Die Kandidaten sind den Wählern meistens persönlich bekannt, daher wird diese Form auch Persönlichkeitswahl genannt. Dass die Stimmen aller anderen Bewerber nicht berücksichtigt werden, ist der große Nachteil der Mehrheitswahl. In Frankreich, England und den USA wird nach diesem System gewählt. Dort beherrschen jeweils zwei große Parteien das politische Geschehen.

5-Prozent-Sperrklausel ▸ Bei der Verteilung der Abgeordnetensitze werden nur Parteien berücksichtigt, die mehr als fünf Prozent der Zweitstimmen oder mindestens drei Direktmandate erlangt haben. Damit soll verhindert werden, dass viele kleine Parteien in ein Parlament einziehen. Dies würde eine Regierungsbildung erschweren.

Verhältniswahl ▸ Hier wird eine Partei gewählt (Listenwahl). Durch dieses Wahlverfahren haben auch kleinere Parteien die Möglichkeit, Abgeordnete ins Parlament zu entsenden und somit ihren Einfluss geltend zu machen. Alle Parteien erhalten ihre Parlamentssitze im Verhältnis der abgegebenen Stimmen. So viele Kandidaten der Liste werden Abgeordnete, wie der Partei nach dem Stimmenanteil zustehen. Da hier auch Parteien mit einem oder zwei Abgeordneten vertreten sein können, besteht die Gefahr der Zersplitterung im Parlament, wie in der Weimarer Republik (siehe Seite 144). Eine Regierungsbildung erscheint wesentlich schwieriger. Um diese Nachteile zu vermindern, besteht in Deutschland für Parteien die 5-Prozent-Sperrklausel.

M 2 Karikatur zur Wahl

Kombiniertes Wahlsystem ▸ Um die Vorteile beider Wahlsysteme zu erhalten und gleichzeitig ihre Nachteile zu vermindern, wird bei der Bundestagswahl ein kombiniertes Wahlsystem angewandt.
Jeder Wähler hat zwei Stimmen. Die Hälfte der Abgeordneten wird in Wahlkreisen direkt gewählt, die andere Hälfte über die Liste. Die Anzahl der Abgeordneten jeder Partei wird nach dem Verhältniswahlrecht berechnet.

Überhangmandate ▸ Wenn eine Partei mehr Direktmandate erringt, als ihr nach ihrem Stimmenanteil zustünden, spricht man von Überhangmandaten. Deshalb gibt es häufig mehr als 598 Abgeordnete im Bundestag. Bei der Bundestagswahl 2005 ergaben sich 16 Überhangmandate und somit 614 Mitglieder des Bundestags (MdB).

A 1 Erläutere die Karikatur (M 2).

M 3 Stimmzettel zur Bundestagswahl am 18. September 2005

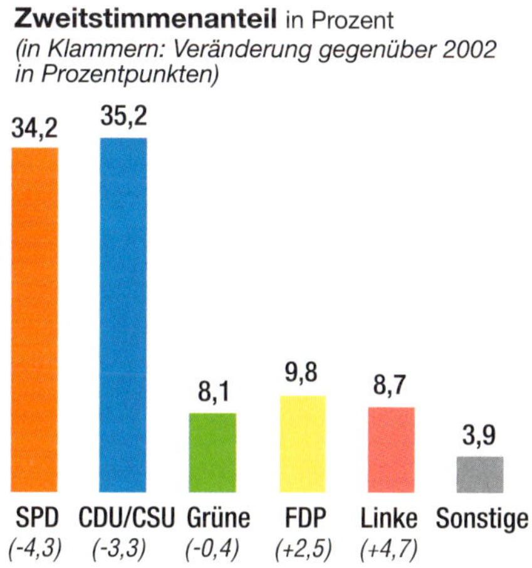

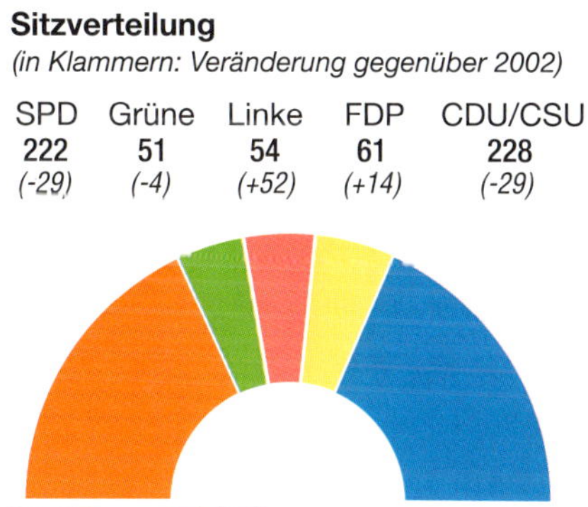

M 4 und **M 5** Ergebnis der Bundestagswahl 2005

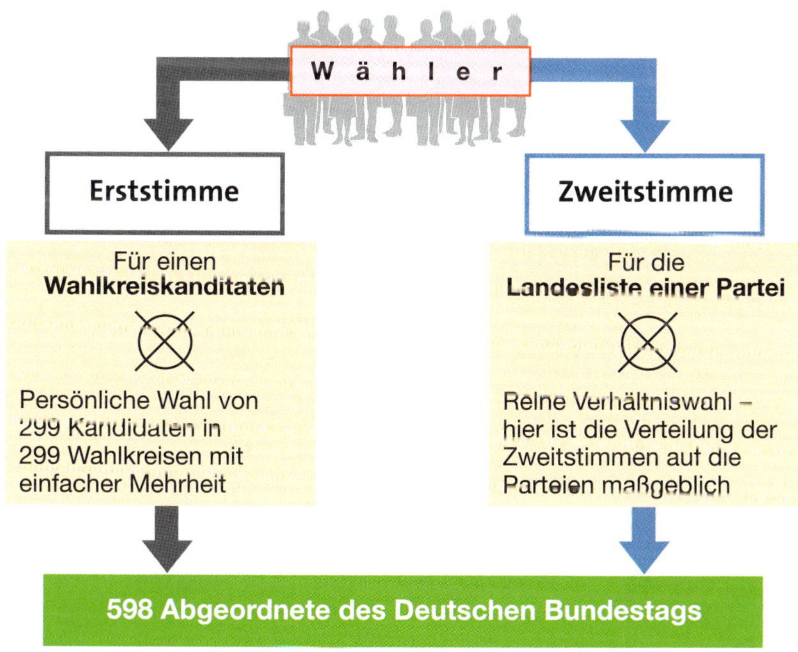

M 6 Das Wahlsystem

A 2 Der Stimmzettel für die Bundestagswahl besitzt zwei Spalten und ist zweifarbig. Erkläre (M 1, M 3, M 6).

A 3 Wann ist die Stimmabgabe gültig, wann könnte sie ungültig sein?

A 4 Bist du bei der nächsten Bundestagswahl wahlberechtigt?

A 5 Erkundige dich nach dem Wahlkreisabgeordneten deiner Gemeinde. Sammle Zeitungsberichte über seine Tätigkeit im Wahlkreis.

A 6 Erläutere die Ergebnisse der Bundestagswahl 2005 (M 4 und M 5).

Wer entscheidet in unserer Demokratie ?

In Deutschland ist die staatliche Macht nicht in einer Hand konzentriert, sie ist auf drei unabhängige Gewalten verteilt. Die Idee der Gewaltenteilung wurde erstmals in der französischen Revolution von 1789 entwickelt.

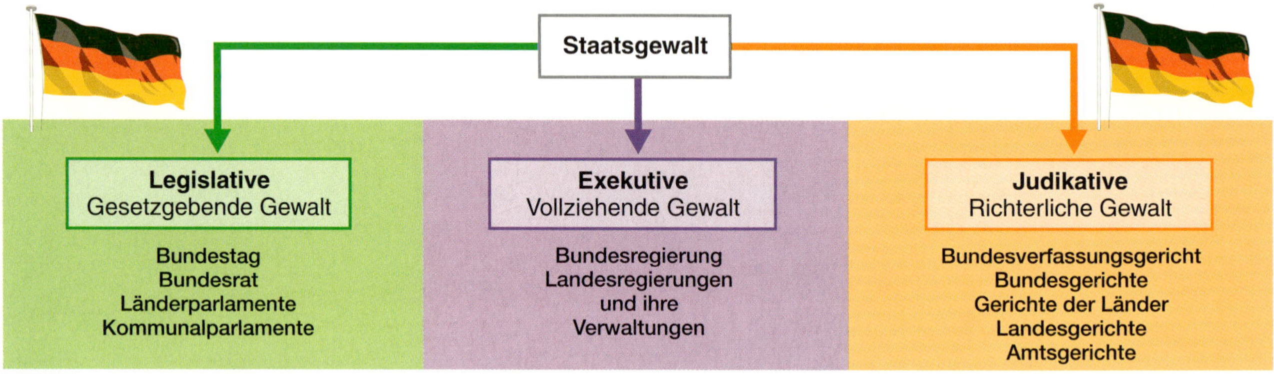

M 1 Gewaltenteilung in der Demokratie

A 1 Berichte über die Entstehungsgeschichte der staatlichen Gewaltenteilung (M 1). Schlage deine Einträge aus dem letzten Schuljahr nach und benutze das Internet.

A 2 Erläutere, warum in einer Demokratie die Staatsgewalt geteilt sein muss.

A 3 Wie wird man Bundeskanzler? Sammle Daten über den politischen Werdegang des / der aktuellen Bundeskanzlers / Bundeskanzlerin.

A 4 Der erste Bundeskanzler war Konrad Adenauer. Recherchiere im Internet oder in Lexika über Konrad Adenauer. Halte ein Kurzreferat.

Die Bundesregierung

Sie bringt die politischen Vorstellungen der parlamentarischen Mehrheit als Gesetzesvorschläge ein. Der Bundestag verabschiedet dann mit Mehrheit diese Gesetze.

Die Bundesregierung muss die beschlossenen Gesetze ausführen und durchsetzen. Dabei stehen der Regierung die Verwaltungen der einzelnen Ministerien und der Länder zur Verfügung.

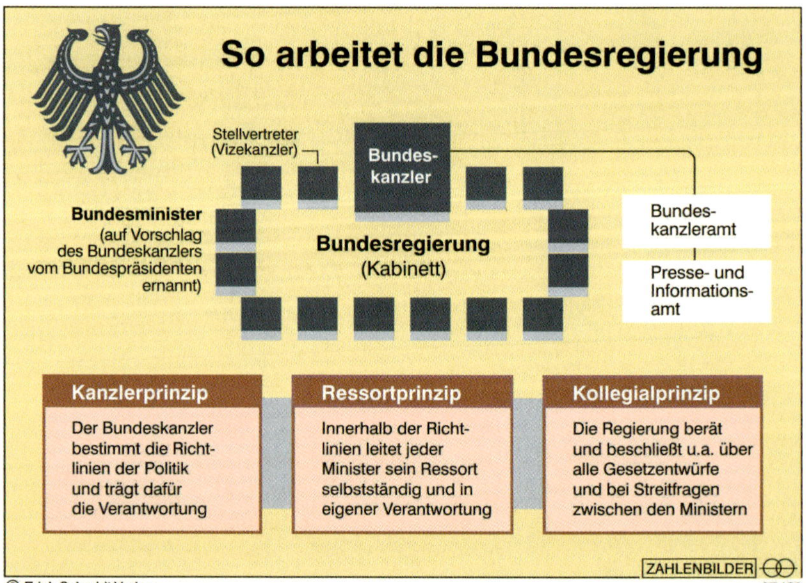

M 2 Die Aufgabenverteilung innerhalb der Regierung

‣ Bevor ein neues Bundesgesetz in Kraft treten kann, muss es einen langwierigen Prozess durchlaufen. Betrifft das Gesetz auch die Interessen der Bundesländer, so ist der Bundesrat in den Gesetzgebungsprozess einzubeziehen.

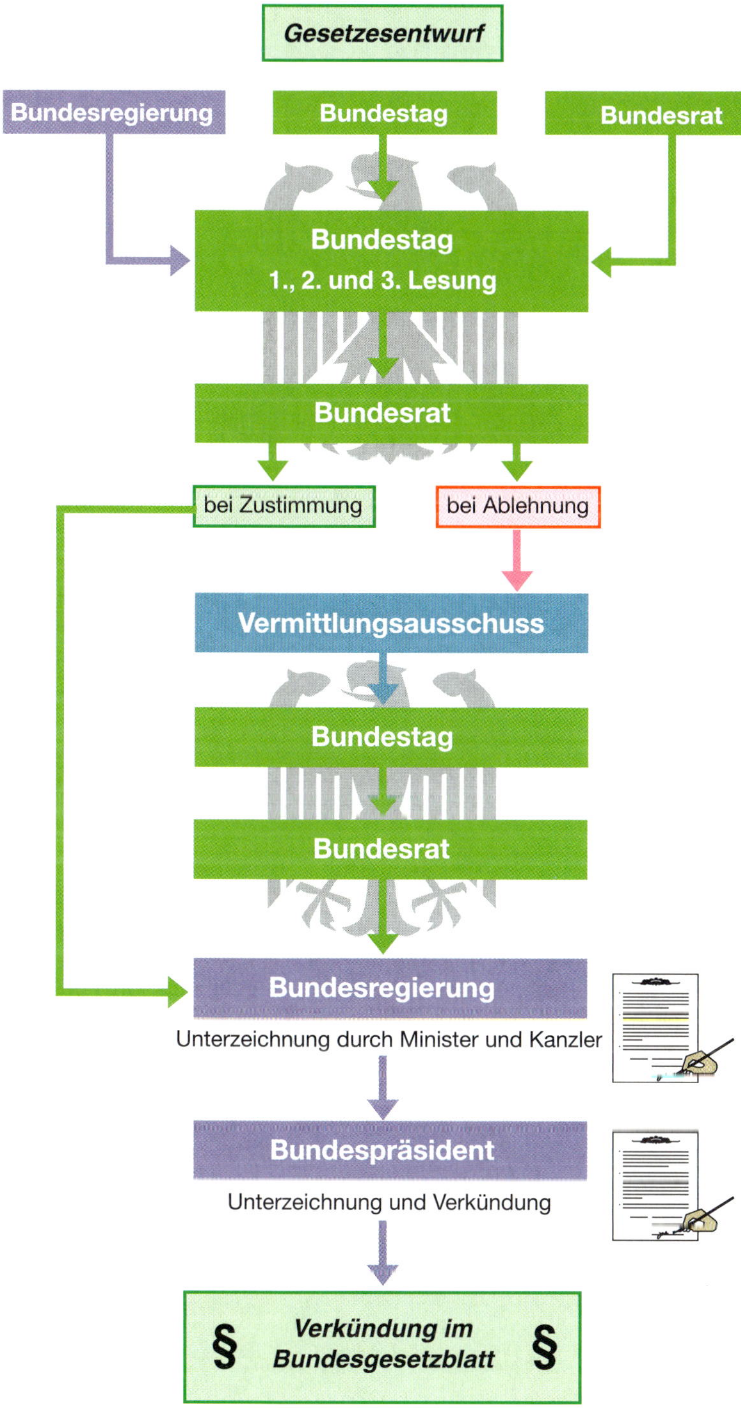

M 3 Weg der Gesetzgebung

A 5 Erkläre, warum der Weg vom Entwurf zum Gesetz so lange dauert (M 3).

A 6 Wenn ein neues Gesetz in Kraft ist, muss es von der Regierung umgesetzt werden. Nenne die Institutionen, welche die Umsetzung der Gesetze überwachen.

A 7 Wer ist zuständig für den Fall, dass sich jemand nicht an das Gesetz hält?

A 8 Die Zahl der Bundesministerien ändert sich manchmal. Suche die aktuellen Ministerien mit der genauen Bezeichnung und deren Minister heraus. Du findest diese in Tageszeitungen und im Internet unter www.bundesregierung.de

Kurz und klar

- Die Bundesregierung besteht aus Bundeskanzler und Bundesministern.
- Gesetzesvorlagen können von der Bundesregierung, dem Bundestag und dem Bundesrat eingebracht werden.
- Die Bundesministerien und andere staatliche Einrichtungen führen die Gesetze aus.
- Die gesetzgebenden Organe überwachen die Durchführung der Gesetze.
- Die Gerichte bestrafen, wenn jemand Gesetze übertritt.

Welche Aufgaben hat der Bundestag ?

M 1 Seit 1998 tagt der Deutsche Bundestag im historischen Reichstagsgebäude in Berlin.

Der Bundestagspräsident
▸ Er leitet die Sitzungen des Bundestags. Er kann den Bundestag jederzeit zu einer Sitzung einberufen.

Der Deutsche Bundestag ▸ Er ist das Parlament der Bundesrepublik Deutschland. Er setzt sich aus den Volksvertretern, den Abgeordneten, zusammen. Diese werden von den Bürgern der Bundesrepublik Deutschland in den Bundestagswahlen gewählt. Der Bundestag verhandelt grundsätzlich öffentlich, das bedeutet, jeder Bürger kann den Beratungen zuhören.

A 1 Die Aufgaben des Bundestagspräsidenten sind im Grundgesetz Artikel 40 geregelt. Berichte.

A 2 Im Bundestag werden zahlreiche Ausschüsse gebildet (M 2). Nenne Gründe dafür.

A 3 Im Grundgesetz ist die Wahl des Bundeskanzlers geregelt (Artikel 63). Erkläre den Ablauf der Wahl.

A 4 Im Grundgesetz ist auch die Abwahl eines Bundeskanzlers geregelt (GG Artikel 67). Berichte.

M 2 Die Organisation des Deutschen Bundestages

Die Hauptaufgaben des Bundestags:

Wahl des Bundeskanzlers / der Bundeskanzlerin ▸ Eine der ersten Aufgaben des neu gewählten Bundestags ist die Wahl des Bundeskanzlers bzw. der Bundeskanzlerin. Dazu schlägt der Bundespräsident eine Kandidatin oder einen Kandidaten vor. Der Bundestag wählt in geheimer Abstimmung. Der Kandidat bzw. die Kandidatin benötigt die absolute Mehrheit der Stimmen. Nach der Wahl wird der Kanzler bzw. die Kanzlerin ernannt und vereidigt. Er bzw. sie schlägt dann seine bzw. ihre Bundesminister vor.

Gesetzgebung ▸ In der Bundesrepublik Deutschland ist die Gesetzgebung die Aufgabe des Parlaments. Es beschließt – unter Beteiligung des Bundesrats – die Bundesgesetze und ist somit das wichtigste Organ der gesetzgebenden Gewalt. Bundesregierung, Fraktionen und Abgeordnete können Entwürfe für neue Gesetze einbringen.

Kontrolle der Bundesregierung ▸ Die Bundesregierung muss mit ihren Ministerien die beschlossenen Gesetze umsetzen. Der Bundestag überwacht und kontrolliert die Arbeit der Regierung.

Bundeshaushalt ▸ Der Bundestag hat die Aufgabe, den Haushalt zu beschließen. Im Haushaltsplan werden sämtliche Einnahmen und Ausgaben des Bundes offengelegt. Er zeigt, welche Aktivitäten der Staat beabsichtigt und für welche Zwecke wie viel Geld ausgegeben wird.

A 5 Das Parlament ist in der Demokratie das wichtigste Staatsorgan. Erkläre diese Aussage.

A 6 Erkundige dich, wer deinen Wahlkreis im Bundestag vertritt. Das Wahlkreisbüro und die persönliche Homepage des/der Abgeordneten helfen dir, Informationen über die Person, die Partei und die Aufgaben zu finden.

A 7 Eure/Euren Heimatabgeordnete/n könnt ihr in ihrem/seinem Büro interviewen oder sogar zu einem Schulbesuch einladen.

(1) Rednerpult
(2) Präsidium des Bundestags
(3) Regierungsbank (Bundeskanzler und Bundesminister)
(4) Bundesratsbank (Vertreter der Bundesländer)
(5) Stenografentisch
(6) Plätze der Abgeordneten
(7) Besuchertribüne
(8) Bundesflagge
(9) Bundeswappen

M 3 Sitzung des Bundestags im Plenarsaal

Die Verfassungsorgane der Bundesrepublik Deutschland

Bundestag, Bundesrat, Bundesregierung, Bundesverfassungsgericht und der Bundespräsident bilden zusammen die fünf Verfassungsorgane. Mit diesen Organen wird die Gewaltenteilung als demokratisches Gurndprinzip festgehalten.

M 1 Bundesverfassungsgericht (BVG) in Karlsruhe

M 2 Richter im Bundesverfassungsgericht

M 3 Gewaltenteilung als demokratisches Grundprinzip: die fünf Verfassungsorgane

Das Bundesverfassungsgericht Es wacht über die Einhaltung des Grundgesetzes. Zur Beachtung des Grundgesetzes sind alle staatlichen Stellen verpflichtet. Kommt es dabei zum Streit, kann das Bundesverfassungsgericht angerufen werden. Seine Entscheidung ist unanfechtbar. Die Arbeit des Bundesverfassungsgerichts hat auch politische Wirkung. Das wird besonders deutlich, wenn das Gericht ein Gesetz für verfassungswidrig erklärt. Bei seinen Entscheidungen beruft sich das Verfassungsgericht ausschließlich auf das Grundgesetz. Andere Aspekte (Meinung von Politikern, Parteien ...) dürfen keine Rolle spielen. Diese Begrenzung der staatlichen Macht ist ein Kennzeichen unseres Rechtsstaates. Seit seiner Gründung im Jahr 1951 hat das Gericht vor allem zur Durchsetzung der Grundrechte beigetragen und der freiheitlich-demokratischen Grundordnung Ansehen und Wirkung verschafft.

A 1 Die fünf Verfassungsorgane sind im Grundgesetz verankert. Schlage die entsprechenden Artikel nach (M 3).

A 2 Warum muss die Verfassung vom Verfassungsgericht „behütet" (M 3) werden?

 67 100

M 4 Aufgaben des Bundespräsidenten

A 3 Du findest bei einem Sammler Briefmarken mit den Bildern der ersten drei Bundespräsidenten. Welche Präsidenten erkennst du (M 5)?

M 5 Briefmarken

Der Bundespräsident / die Bundespräsidentin ▸ An der Spitze der Bundesrepublik Deutschland steht er / sie als Staatsoberhaupt. Er / sie wird daher als der erste Mann / die erste Frau im Staat bezeichnet.

Der Bundespräsident vertritt unseren Staat völkerrechtlich. Er repräsentiert die Bundesrepublik Deutschland im In- und Ausland. Erst wenn der Bundespräsident Gesetze unterzeichnet hat, treten sie in Kraft. Er schlägt dem Bundestag den Bundeskanzler / die Bundeskanzlerin vor. Ferner kann er das Recht auf Begnadigung ausüben und den höchsten deutschen Orden verleihen.
Zur Erfüllung all dieser Aufgaben steht ihm eine eigene Behörde, das Bundespräsidialamt, zur Verfügung.

A 4 Der Bundespräsident wird nicht direkt vom Volk gewählt. Dies hat Vor- und Nachteile. Erläutere.

A 5 Welche Aufgaben hat der Bundespräsident (M 4)?

Völkerrecht ▸ Das Völkerrecht umfasst alle rechtlichen Vorschriften, die das Zusammenleben verschiedener Völker regeln.

M 6 Bundespräsident zu Besuch in Warschau

Der deutsche Bundespräsident und der polnische Präsident loben die gute Qualität der deutsch-polnischen Beziehungen.

▸ „Für eine Menge Polen und Deutsche zählt es längst zum alltäglichen guten Miteinander, ins Nachbarland zu reisen", sagt Bundespräsident Köhler in Warschau. Folgerichtig haben sich auch der Bundespräsident und der polnische Präsident seit dem Amtsantritt des Bundespräsidenten mehrmals gesehen. Aber, „gute Beziehungen heißt nicht, dass man immer einer Meinung ist", sagt der Bundespräsident. Er plädiert gleichzeitig für einen offenen Dialog über kontroverse Fragen.

M 7 Der deutsche Bundespräsident und der polnische Präsident legen den Grundstein für die neue deutsche Botschaft in Warschau.

Ein Test für künftige Wähler

Die Lösungsbuchstaben ergeben in die richtige Reihenfolge gebracht einen wichtigen Begriff für unsere Staatsform.

Das Volk wählt:

Kanzler	a
Bundespräsident	n
Abgeordnete	k

Unser Staatsoberhaupt ist:

Bundeskanzler	G
Bundestagspräsident	S
Bundespräsident	D

Unsere Demokratieform heißt:

Repräsentative Demokratie	m
Direkte Demokratie	h
Volksdemokratie	l

Die Bundeshauptstadt ist:

Bonn	b
Berlin	t
München	s

Gründung der SPD:

1945	z
1875	i
1950	v

Er steht dem Bundestag vor:

Bundeskanzler	c
Bundespräsident	f
Bundestagspräsident	a

Unser erster Bundespräsident:

Adenauer	u
Heuß	o
Bismarck	w

Deutsche Regierung von 1998 – 2005?

CDU/FDP	f
SPD/CDU	p
SPD/Die Grünen	e

Unser Wahlsystem:

Verhältniswahl	g
Mehrheitswahl	c
Mischwahlsystem	r

Das Bundesverfassungsgericht hat seinen Sitz in:

Stuttgart	s
Frankfurt	l
Karlsruhe	e

Demokratie angewandt

Alljährlich am letzten Sonntag im April versammeln sich die stimmberechtigten Frauen und Männer von Appenzell. Sie treffen sich auf dem Landsgemeindeplatz und fassen Beschlüsse über wichtige Landesangelegenheiten. Die Landsgemeinde wählt außerdem die Regierung des Kantons, die Mitglieder der Standeskommission sowie den Präsidenten und die Mitglieder des Kantonsgerichtes.
Einmal im Jahr wird der Bürger mit den Problemen von Kanton und Bund vertraut gemacht. Gleichzeitig wird an die überlieferte Tradition erinnert, die das Volk von Appenzell seit Jahrhunderten getragen hat. Die Landsgemeinde beginnt mit einem Festgottesdienst in der Pfarrkirche. Schlag 12.00 Uhr setzt der Aufzug zum Landsgemeindeplatz ein. Dort versammeln sich die Stimmberechtigten. Als Stimmrechtsausweis gilt die Stimmkarte, für Männer auch das Seitengewehr. Abgestimmt wird durch Hochhalten der rechten Hand. Kann die Mehrheit nicht abgeschätzt werden, müssen die Stimmen einzeln ausgezählt werden.
Die Regierungsmitglieder besteigen eine Tribüne, die „Stuhl" genannt wird. Anschließend fasst der Regierungspräsident den Staatshaushalt zusammen und eröffnet die Diskussion.
Jedermann darf nun den Stuhl betreten und seine Anliegen oder Kritiken vortragen.

M 1 Demokratie in der Schweiz

M 2 Landsgemeinde in Appenzell

M 3 Grundsätze der Demokratie auf Briefmarken aus dem Jahr 1981

Bürgerferne der Politiker

Politikverdrossenheit

Politikferne der Bürger

M 4 Zeitungsüberschriften

A 1 Vergleiche unsere Demokratieform mit der im Schweizer Kanton Appenzell (M 1 und M 2).

A 2 Die drei Sondermarken (M 3) der Bundespost stellen die Grundgedanken der Demokratie kurz dar. Berichte.

A 3 Erläutere die Zeitungsüberschriften (M 4) und gib Beispiele dazu an.

A 4 Besorgt euch Stimmzettel der letzten Bundestagswahl (Wahlamt). Spielt in der Klasse einen Wahlgang durch:
- Beachtet die Wahlgrundsätze.
- Zählt die Erststimmen für den direkt gewählten Abgeordneten aus.
- Verteilt nun die Zweitstimmen auf fünf Abgeordnete. Beachtet das Wahlsystem.

A 5 „Für Politik interessiere ich mich nicht, das geht mich nichts an. Außerdem machen die da oben sowieso, was sie wollen!"
Finde Gegenargumente.

Die Bundesrepublik Deutschland

Präambel ▸ Vorrede oder Vorspruch zu einem Vertrag oder einem Gesetz. Die Präambel des Grundgesetzes erläutert die Bedeutung, Zweck und Entstehung des Gesetzes.

Im Bewusstsein seiner Verantwortung vor Gott und den Menschen, [...] hat das Deutsche Volk in den Ländern Baden, Bayern, Bremen, Hamburg, Hessen, Niedersachsen, Nordrhein-Westfalen, Rheinland-Pfalz, Schleswig-Holstein, Württemberg-Baden und Württemberg-Hohenzollern, um dem staatlichen Leben für eine Übergangszeit eine neue Ordnung zu geben, [...] dieses Grundgesetz [...] beschlossen. Es hat auch für jene Deutsche gehandelt, denen mitzuwirken versagt war.

M 1 Präambel des Grundgesetzes für die Bundesrepublik Deutschland in der Fassung von 1949

Die bundesstaatliche Ordnung (Föderalismus) beruht auf vier Prinzipien:

- Eigenstaatlichkeit der Länder,
- Bestandsgarantie von Bundesstaat und Ländern,
- Mitwirkung der Länder an der Gesetzgebung,
- finanzielle Selbstständigkeit von Bundesstaat und Bundesländern.

M 2 Bundesländer der Bundesrepublik Deutschland

A 1 Welche Länder sind noch nicht in der Präambel aufgeführt (M 1)? Vergleiche damit die Präambel in der Fassung von 1990. Was hat sich bis heute verändert?

A 2 Erkläre die Bedeutung der Städte in der Deutschlandkarte (M 2).

A 3 Ordne die Länder nach Fläche und Bevölkerungszahl.

A 4 Berechne die Bevölkerungsdichte. Erstelle ein Schaubild und vergleiche.

A 5 Den aktuellen Stand der Einwohnerzahlen erfährst du beim Statistischen Bundesamt unter www.destatis.de

Baden-Württemberg

Landeshauptstadt	Stuttgart
Einwohnerzahl	10,72 Mio.
Fläche	35.752 km^2

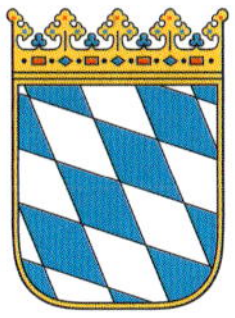

Bayern

Landeshauptstadt	München
Einwohnerzahl	12,44 Mio.
Fläche	70.548 km^2

Berlin

Landeshauptstadt	Berlin
Einwohnerzahl	3,39 Mio.
Fläche	890 km^2

Brandenburg

Landeshauptstadt	Potsdam
Einwohnerzahl	2,58 Mio.
Fläche	29.475 km^2

Bremen

Landeshauptstadt	Bremen
Einwohnerzahl	0,66 Mio.
Fläche	405 km^2

Hamburg

Landeshauptstadt	Hamburg
Einwohnerzahl	1,78 Mio.
Fläche	756 km^2

Hessen

Landeshauptstadt	Wiesbaden
Einwohnerzahl	6,09 Mio.
Fläche	21.115 km^2

Mecklenburg-Vorpommern

Landeshauptstadt	Schwerin
Einwohnerzahl	1,72 Mio.
Fläche	28.170 km^2

Niedersachsen

Landeshauptstadt	Hannover
Einwohnerzahl	7,98 Mio.
Fläche	47.613 km^2

Nordrhein-Westfalen

Landeshauptstadt	Düsseldorf
Einwohnerzahl	18,07 Mio.
Fläche	34.087 km^2

Rheinland-Pfalz

Landeshauptstadt	Mainz
Einwohnerzahl	4,06 Mio.
Fläche	19.847 km^2

Saarland

Landeshauptstadt	Saarbrücken
Einwohnerzahl	1,06 Mio.
Fläche	2.571 km^2

Sachsen

Landeshauptstadt	Dresden
Einwohnerzahl	4,35 Mio.
Fläche	18.412 km^2

Sachsen-Anhalt

Landeshauptstadt	Magdeburg
Einwohnerzahl	2,55 Mio.
Fläche	20.446 km^2

Schleswig-Holstein

Landeshauptstadt	Kiel
Einwohnerzahl	2,82 Mio.
Fläche	15.771 km^2

Thüringen

Landeshauptstadt	Erfurt
Einwohnerzahl	2,39 Mio.
Fläche	16.171 km^2

Bund und Länder haben unterschiedliche Aufgaben

M 1 Bildung

M 2 Verteidigung

M 3 Polizei

M 4 Luftverkehr

M 5 Passwesen

M 6 Währungswesen

M 7 Rechtswesen

M 8 Kunst und Wissenschaft

M 9 Außenpolitik

Donauausbau umstritten

Während der Freistaat einen Vollausbau der Donau mit einer weiteren Staustufe plant, möchte der Bund einen naturverträglichen Ausbau unter Beibehaltung der Flusslandschaft erreichen. Gegen die drohende Veränderung der Donau haben auch 17 000 Bürger Einwände geltend gemacht. Im Gegensatz zur Einstellung des Freistaates und des Bundes der Binnenschiffer hat der Bund als Finanzier des Projekts den Verzicht auf Staustufen beschlossen. Der Ausbau mit Staustufen kostet etwa 780 Millionen Euro, der Vorschlag des Bundes ohne Staustufen hingegen nur etwa 420 Millionen Euro.

M 10 Aus einem Zeitungsartikel

Der Bund besitzt in einigen Bereichen (M 11) das Recht, alleine und ausschließlich Gesetze zu erlassen.

Bund und Länder müssen sich auf vielen Gebieten jeweils einigen, welche Gesetze erlassen werden. Hier konkurrieren Bund und Länder miteinander. Im Zweifelsfall gilt „Bundesrecht bricht Landesrecht“ (Artikel 31, GG).

Die Länder haben ebenfalls in bestimmten Bereichen das ausschließliche Recht, Gesetze zu erlassen. Deshalb gibt es in den Bundesländern teilweise unterschiedliche Gesetze (zum Beispiel Schulsystem, Polizei).

A 1 M 11 zeigt die Aufteilung der Gesetzgebung. Ordne M 1 – M 9 zu: Aufgaben vom

Bund	Bund/Land	Land

A 2 In M 11 sind Bereiche angesprochen, bei denen Bund und Länder zusammenarbeiten müssen. Wähle zwei Bereiche aus und berichte.

A 3 Schlage im Grundgesetz nach. Dort findest du in den Artikeln 70 bis 74 noch weitere Bereiche der Aufgabenverteilung.

A 4 Diskutiert, wie ihr im Falle des Donauausbaus entscheiden würdet (M 10). Informiert euch über den neuesten Stand beim Donauausbau.

BUND	BUND/LAND	LAND
Ausschließliche Gesetzgebung	**Konkurrierende Gesetzgebung**	**Ausschließliche Gesetzgebung**
• Außenpolitik	• Strafrecht und Strafvollzug	• Kultur, Kunst
• Verteidigung und Zivilschutz	• Personenstandswesen, zum Beispiel Meldebehörden	• Polizei
• Staatsangehörigkeit	• Vereinsrecht	• Schulen, Wissenschaft
• Passwesen	• Versammlungsrecht	• Gesundheitswesen
• Währungswesen	• Aufenthaltsrecht	• Hörfunk
• Geldwesen	• Kernenergie (Standorte)	• Fernsehen
• Zölle, Außenhandel	• Straßenverkehr	• Kommunalwesen, zum Beispiel Gemeindegliederung
• Luftverkehr	• Binnenschifffahrt	
• Fernmeldewesen	• Umweltprobleme	
• Bundespolizei		

M 11 Die Aufteilung der Gesetzgebung nach dem Grundgesetz

Die Vielfalt im Bundesstaat

A 1 Betrachte ausgewählte Landeswappen auf Seite 217. Berichte über die Bedeutung der Wappen. Nutze dazu das Internet.

A 2 Die Zeitungsberichte in M 1 sprechen ganz verschiedene Probleme der einzelnen Bundesländer an. Erläutere, warum diese Probleme landestypisch sind.

A 3 In dem Zeitungsbericht (M 2) werden unterschiedliche Überzeugungen formuliert. Suche weitere Argumente, mit denen du die beiden Minister unterstützen könntest.

A 4 Nenne die Vor- und Nachteile eines Bundesstaates.

A 5 Es gibt außer Deutschland noch andere Bundesstaaten. Suche im Internet.

Tipp: Erklärungen für schwierige Begriffe aus der Politik findest du hier:
- Jugendlexikon Politik, Taschenbuch
- Nachgefragt: Politik, Taschenbuch
- www.bund.de

Legislative ▸ gesetzgebende Gewalt (Parlamente)
Exekutive ▸ ausführende Gewalt (Ministerien, Behörden)
Judikative ▸ richterliche Gewalt (Amtsgericht, Staatsanwalt)

Trotz vieler einheitlicher Regelungen im Bundesstaat gibt es in Deutschland landestypische Unterschiede und Probleme.

Kiel – Der Südschleswigsche Wählerverband (SSW) will eine Regierung aus SPD und Bündnis90/Die Grünen unter einem SPD-Ministerpräsidenten tolerieren.

München – Der bayerische Wirtschaftsminister zeigt sich entsetzt über den Tanktourismus nach Österreich. Zahlreiche bayerische Tankstellen kämpfen deshalb bereits ums Überleben, da bei ihnen der Sprit um 10 bis 15 Cent je Liter teurer als im Nachbarland ist.

Schwerin – Hunderte junger Mecklenburger verlassen jährlich das Land und ziehen zu den Arbeitsplätzen im Westen und Süden der Republik. Die Landesregierung möchte deshalb zur Schaffung von Arbeitsplätzen ein Sofortprogramm für Firmenansiedlungen auflegen.

M 1 Aus Zeitungsberichten

Doppelte Gewaltenteilung ▸ Man unterteilt die staatliche Gewalt in Legislative, Exekutive und Judikative, auch „horizontale Gewaltenteilung“ genannt. Daneben gibt es eine weitere Aufteilung staatlicher Macht zwischen Bund und Ländern. Beide müssen zusammenwirken und kontrollieren sich dabei gegenseitig. Dies wird als „vertikale Gewaltenteilung“ bezeichnet (siehe Seite 208/209).
Mit dieser doppelten Gewaltenteilung wird einem Machtmissbrauch wirksam vorgebeugt.

Debatte zum Thema Umwelt

Berlin – Eine lebhafte Diskussion entwickelte sich gestern im Rahmen einer Bundestagsdebatte zwischen dem Bundesverkehrsminister und dem zuständigen Landesminister.

Landesminister: Wir wollen den vollständigen Ausbau der Donau, um auch künftig auf dieser Binnenwasserstraße große Schiffe rentabel verkehren zu lassen. Die Landesregierung möchte deshalb Staustufen bauen lassen. Die Bundesregierung bremst uns bei dieser zukunftsweisenden Maßnahme.

Bundesminister: Die Bundesregierung ist der Meinung, dass ein maßvoller Ausbau ohne Staustufen die bessere Lösung ist, da er umweltverträglicher ist, die Bürger wollen dies ebenfalls und außerdem kostet dieser Ausbau wesentlich weniger. Da das Geld vom Bund kommt, sehen wir keine Möglichkeit, den großen Ausbau zu finanzieren.

M 2 Aus einem Zeitungsbericht

Gleichwertige Lebensbedingungen ▸ Für die Herstellung gleichwertiger Lebensbedingungen innerhalb Deutschlands ist der Bund zuständig.

Artikel 72,2 ▸ Der Bund hat in diesem Bereich [*der konkurrierenden Gesetzgebung, Anm.*] das Gesetzgebungsrecht, wenn und soweit die Herstellung gleichwertiger Lebensverhältnisse im Bundesgebiet oder die Wahrung der Rechts- und Wirtschaftseinheit im gesamtstaatlichen Interesse eine bundesgesetzliche Regelung erforderlich macht.

M 3 Aus dem Grundgesetz

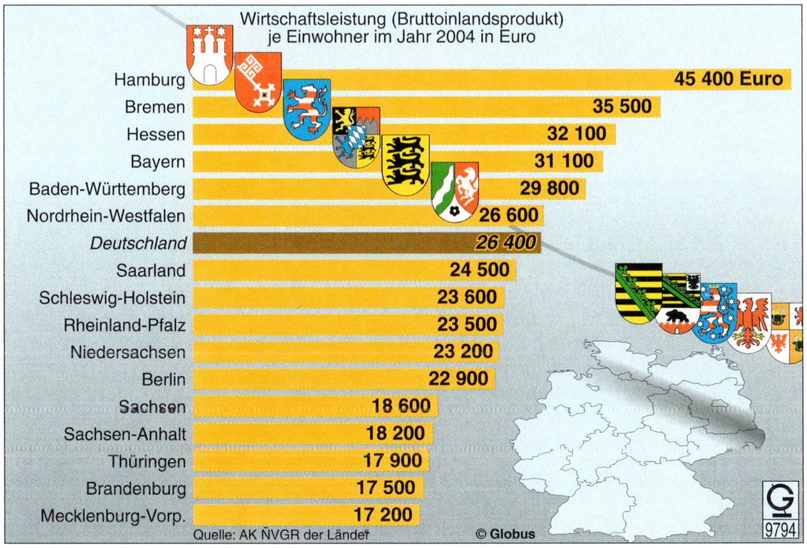

M 5 Das Wohlstandsgefälle in Deutschland

Der Länderfinanzierungsausgleich ist ein Mittel des Bundes, um die Finanzkraft zwischen armen und reichen Bundesländern auszugleichen und somit gleichwertige Lebensverhältnisse zu schaffen.

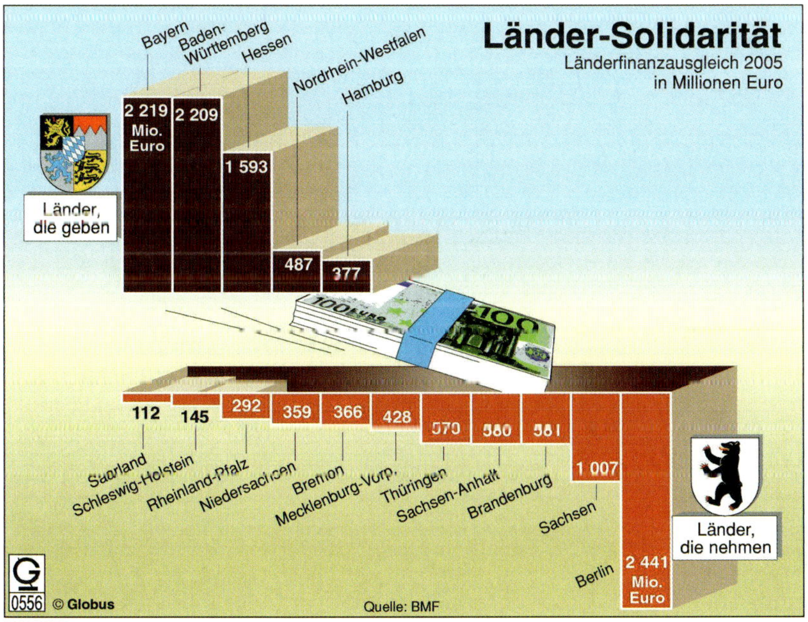

M 7 Bundesländer: Geben und Nehmen

„Und ich bin mehr denn je davon überzeugt, dass wir in den nächsten drei bis vier Jahren in den neuen Bundesländern blühende Landschaften gestalten werden…"

M 4 Helmut Kohl 1990 im Bundestag

Aufbau Ost

Berlin – Der zuständige Minister erinnerte daran, dass im Rahmen des Solidarpakts II bis Ende 2019 mehr als 150 Milliarden Euro für den Osten zur Verfügung stünden. Der Aufbau Ost sei also auf 30 Jahre – 1989 bis 2019 – angelegt. Die Bundeswissenschaftsministerin sagte, dass es nach 15 Jahren eine Reihe von Erfolgen gebe. Der Raum Dresden sei mit seiner Mikrochipindustrie zu einem europäischen Schwerpunkt für technische Neuerungen geworden, Jena habe sich in ein international wettbewerbsfähiges Zentrum für Medizin, Biotechnik und Elektronik verwandelt und in Berlin-Brandenburg sei eine leistungsfähige Bioregion entstanden.

M 6 Aus einem Zeitungsbericht

A 6 Erkläre mithilfe von M 6, ob der Auftrag des Grundgesetzes zur Herstellung gleichwertiger Lebensverhältnisse erfüllt worden ist.

A 7 Erläutere die Grafik M 5. Versuche für ein Bundesland mögliche Ursachen für die Stärke oder Schwäche zu finden (Geschichte, Industrialisierung, Verkehrserschließung usw.).

A 8 Suche weitere Beispiele für unterschiedliche Bedingungen in den einzelnen Bundesländern. Tageszeitungen helfen dir dabei.

A 1 Lies auf Seite 218/219 nach, welche Aufgaben Bund und Länder gemeinsam zu erfüllen haben. Wähle ein Beispiel aus und berichte.

A 2 Suche aus Zeitungsberichten aktuelle Probleme, die sich aus den verschiedenen Interessen von Bund und Ländern ergeben.

A 3 Begründe mit dem Grundgesetz Artikel 51, warum die einzelnen Bundesländer mit dieser Stimmenanzahl im Bundesrat vertreten sind (M 2).

Kurz und klar

- Die Bundesrepublik Deutschland besteht aus 16 Bundesländern.
- Diese Staatsform nennt man auch föderalistisch.
- Die Eigenarten der einzelnen Länder können so besser gewahrt werden.
- Die Zuständigkeiten und Kompetenzen von Bund und Ländern sind im Grundgesetz geregelt.

Der Bundesrat

M 1 Seit dem Jahr 2000 hat der Bundesrat in Berlin seinen Sitz in diesem historischen Gebäude, das 1904 für den Preußischen Landtag errichtet worden ist.

Der Bundesrat ist ein Verfassungsorgan der Bundesrepublik Deutschland ▸ Er besteht ausschließlich aus Vertretern der Länder. Über den Bundesrat können die Länder in vielen Fällen bei der Gesetzgebung des Bundes mitwirken.

Der Bundesrat
Die 69 Stimmen der Bundesländer im Bundesrat

Land	Stimmen	Land	Stimmen
Nordrhein-Westfalen	6	Sachsen-Anhalt	4
Bayern	6	Thüringen	4
Baden-Württemberg	6	Brandenburg	4
Niedersachsen	6	Schleswig-Holstein	4
Hessen	5	Mecklenburg-Vorpommern	3
Sachsen	4	Hamburg	3
Rheinland-Pfalz	4	Saarland	3
Berlin	4	Bremen	3

M 2 Zusammensetzung des Bundesrates

Bundesrat – Bundestag

M 1 Sitzung im Bundesrat

A 1 Wer ist für die Regelung des Abgasproblems bei Autos zuständig (M 3)? Die Antwort findest du im Artikel 74 des Grundgesetzes.

A 2 Die Gesetzgebung durch Bundestag und Bundesrat erscheint langwierig. Könnte dies auch Vorteile haben?

A 3 Informiere dich, wer zurzeit Bundesratspräsident ist.

A 4 Die Ländervertretungen sind auch an der Wahl des Bundespräsidenten beteiligt. Berichte.

A 5 Erläutere die Karikatur (M 4).

Der Bundesratspräsident ▸ Bundesratspräsident ist jeweils einer der 16 Ministerpräsidenten. Nach einem Jahr im Amt wechseln sie sich ab. Zu den Aufgaben des Bundesratspräsidenten gehören die Einberufung und Leitung der Plenarsitzungen. Der Bundesratspräsident vertritt den Bundespräsidenten, wenn dieser verhindert ist.

Artikel 50 ▸ Durch den Bundesrat wirken die Länder bei der Gesetzgebung und Verwaltung des Bundes und in Angelegenheiten der Europäischen Union mit.

M 2 Aus dem Grundgesetz

Der Bundesrat ▸ Die Mitwirkung des Bundesrats ist dann notwendig, wenn Gesetze sich finanziell und verwaltungsmäßig auf die Bundesländer auswirken (M 2). Dann muss neben dem Bundestag auch der Bundesrat zustimmen. Deshalb werden diese Gesetze häufig lange beraten und können oft erst im Vermittlungsausschuss endgültig verfasst werden.

Berlin – Mit steuerlichen Anreizen will nun der Bund die Autobesitzer belohnen, die sich für einen Diesel-Pkw mit Partikelfilter entscheiden. Hier liegt nun ein typisch deutsches Föderalismusproblem: Die Bundesregierung in Berlin will etwas – die Länder sollen es umsetzen. Die Länder stellen sich quer, denn sie bekommen das Geld aus der Kfz-Steuer und diese Förderung würde sie bis zu 1,5 Milliarden Euro kosten.

M 3 Aus einem Zeitungsbericht

Vermittlungsausschuss
▸ Kommt es wegen eines Gesetzesvorschlags zu Meinungsverschiedenheiten zwischen Bundestag und Bundesrat, so kann der Vermittlungsausschuss angerufen werden. Dieser muss einen Kompromiss finden. Der Vermittlungsausschuss besteht je zur Hälfte aus Mitgliedern beider Häuser.

M 4 Die Vermittlung

Freistaat Bayern – Bundesland mit Tradition

M 1 Der Maibaum in der Dorfmitte

Bayern ist voller Alpen, die Alpen sind voller Almen, die Almen sind voller Sennerinnen.

Neuschwanstein, Herrenchiemsee, das ist Bayern pur!

Die Alpen erglühen

Oktoberfest und Blasmusik

München – heimliche Hauptstadt Deutschlands

Die Bayern laufen in Lederhosen herum und jodeln ständig!

Tag und Nacht: weißblau

Im Sommer am See, im Winter im Schnee

M 2 Schiefes Bayernbild

A 1 Das Aufstellen des Maibaums: Vielleicht kennst du diesen oder einen ähnlichen Brauch aus deiner Heimatgemeinde? Berichte.

A 2 Die Schlagzeilen (M 2) zeigen viele Vorurteile. Nimm Stellung dazu.

A 3 Vergleiche die Schlagzeilen aus M 2 mit der Landesbeschreibung M 3.

A 4 Dem Staat Bayern und der bayerischen Bevölkerung wird oft vorgeworfen, sie seien zu eigenständig. Erläutere die Aussage.

Bayern ist doch ganz anders

Bayern ist das größte und älteste Land der Bundesrepublik Deutschland. Sein Selbstverständnis und seine Eigenstaatlichkeit sind aus einer mehr als 1000-jährigen Geschichte erwachsen.

Bayern hat sein unverwechselbares Gesicht und gilt als das Land der Lebensqualität und der Lebenskunst. Seine Landschaften machen es zum Magneten des Tourismus, die überall lebendige Tradition prägt die Kultur seiner Bürger.

Stets öffnete sich Bayern den Einflüssen der Kultur des Mittelmeerraums – und hier liegen auch wichtige Wurzeln für die bayerische Lebensart, für den Grundsatz von leben und leben lassen und für einen aufgeschlossenen Umgang der Menschen miteinander. Durch diese gemeinsamen süddeutschen Elemente sind die drei Stämme der Altbayern, Franken und Schwaben eng miteinander verbunden.

Die Landwirtschaft hat Bayern mit seiner Kulturlandschaft, aber auch mit Traditionen, Sitten und Gebräuchen entscheidend geprägt. Das Agrarland wandelte sich in den vergangenen Jahrzehnten zum modernen Technologieland, mit leistungsfähiger Wirtschaft und moderner Industrie. Trotz gravierender Veränderungen wurde das Moderne behutsam mit dem Althergebrachten verknüpft.

M 3 Aus einer Landesbeschreibung

M 4 Das Maximilianeum ist seit 1949 der Sitz des Bayerischen Landtags.

Die Verfassungsgeschichte Bayerns beginnt mit der ersten Verfassung aus dem Jahre 1818 ▸ Die damalige Neuordnung Bayerns geht auf König Maximilian I. Joseph und seinen Minister Graf von Montgelas zurück. Er modernisierte den bayerischen Staat, führte Steuer- und Rechtsgleichheit ein, nahm dem Adel einige Vorrechte und zentralisierte die Staatsverwaltung.

Die erste republikanische Verfassung bekam Bayern im Jahr 1919 ▸ Mit dem Untergang des deutschen Kaiserreichs endete auch die Zeit des Königreichs Bayern. Der Freistaat Bayern wurde ein Land im Deutschen Reich (Seite 141).

Die heute gültige Verfassung trat am 8. Dezember 1946 in Kraft ▸ Auf dem Gebiet der amerikanischen Besatzungszone wurden kurz nach dem Ende des Zweiten Weltkriegs die ehemaligen Länder wieder hergestellt. Die von der Besatzungsmacht eingesetzte verfassunggebende Versammlung legte der bayerischen Bevölkerung in einem Volksentscheid die neue Verfassung vor. Der Beitritt zu einem späteren deutschen Bundesstaat, welcher 1949 gegründet wurde, ist darin bereits festgelegt worden.

Angesichts des Trümmerfeldes, zu dem eine Staats- und Gesellschaftsordnung ohne Gott, ohne Gewissen und ohne Achtung vor der Würde des Menschen die Überlebenden des Zweiten Weltkriegs geführt hat, in dem festen Entschluss, den kommenden deutschen Geschlechtern die Segnungen des Friedens, der Menschlichkeit und des Rechtes dauerhaft zu sichern, gibt sich das Bayerische Volk, eingedenk seiner mehr als tausendjährigen Geschichte, nachstehende demokratische Verfassung.

M 7 Präambel der Bayerischen Verfassung aus dem Jahr 1946

Bayernhymne

Gott mit dir,
du Land der Bayern,
deutsche Erde, Vaterland!
Über deinen weiten Gauen
ruhe seine Segenshand!
Er behüte deine Fluren,
schirme deiner Städte Bau
und erhalte dir die Farben
seines Himmels,
weiß und blau!

Gott mit dir,
dem Bayernvolke,
dass wir, uns'rer Väter wert,
fest in Eintracht und in Frieden
bauen uns'res Glückes Herd!
Dass mit Deutschlands Bruderstämmen
einig uns ein jeder schau
und den alten Ruhm
bewähre unser Banner
weiß und blau!

M 5 Bayernhymne

M 6 Staatswappen des Freistaats Bayern (Seite 141)

A 5 Die Präambel der Bayerischen Verfassung weist deutlich auf die Geschichte Bayerns zwischen 1933 und 1945 hin. Suche die entsprechenden Stellen und erkläre die Bedeutung für die Verfassung (M 7).

A 6 Welche Bedeutung haben die einzelnen Teile im bayerischen Staatswappen (M 6)?

Alle Staatsgewalt geht vom Volke aus

Artikel 4 ▸ „Die Staatsgewalt wird ausgeübt durch die stimmberechtigten Staatsbürger selbst, durch die von ihnen gewählte Volksvertretung …"

M 1 Aus der bayerischen Verfassung

A 1 Welcher Abgeordnete vertritt deine Gemeinde im Landtag?

A 2 Vielleicht kannst du deinen Landtagsabgeordneten direkt oder per Telefon befragen. Hier sind einige Vorschläge für Fragen:
- Welcher Partei gehören Sie an?
- Seit wann sind Sie Mitglied dieser Partei?
- Warum sind Sie Mitglied einer / dieser Partei?
- Wie sind Sie Kandidat für einen Sitz im bayerischen Landtag geworden?
- Welches sind Ihre wichtigsten Aufgaben als Abgeordneter?
- Welche Verpflichtungen nehmen Sie in einer normalen Arbeitswoche wahr?

A 3 Erläutere die Sitzverteilung im Landtag (M 4).

M 2 Sitzung des Bayerischen Landtags im Maximilianeum

Der Bayerische Landtag ▸ Alle fünf Jahre sind Bayerns Bürger aufgerufen, 180 Abgeordnete zu wählen. Dieses System wird als repräsentative Demokratie bezeichnet. Die Abgeordneten erlassen Gesetze und kontrollieren die Ministerien und Verwaltungen, die sie ausführen müssen.

Die Staatsregierung ▸ Sie besteht aus dem Ministerpräsidenten und den Staatsministern und Staatssekretären. Der Ministerpräsident wird von der Mehrheitspartei vorgeschlagen und vom Landtag gewählt. Dann kann er mit Zustimmung des Landtags die Staatsregierung bilden.

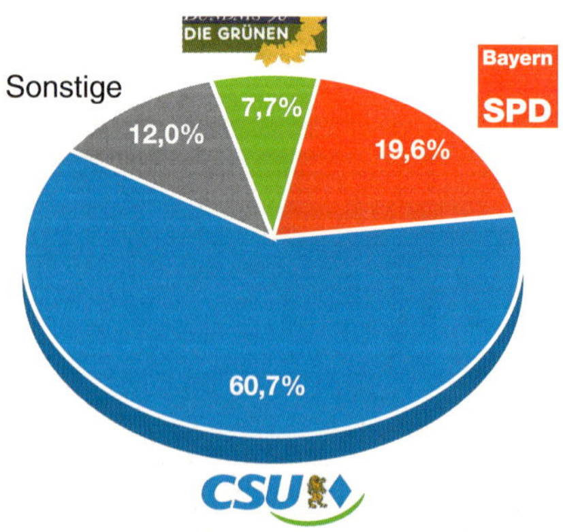

M 3 Stimmenanteil 2003 in Bayern

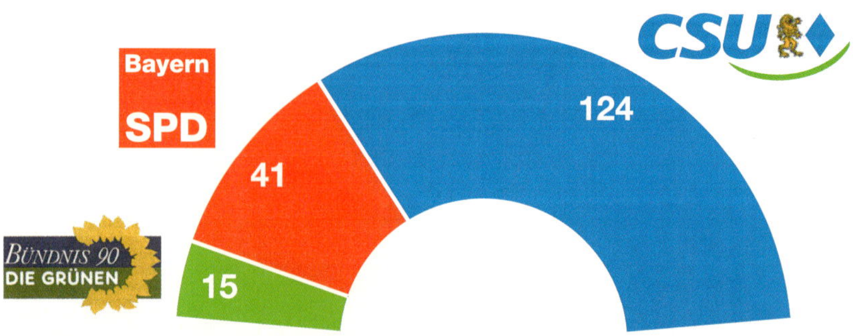

M 4 Sitzverteilung im Bayerischen Landtag nach der Wahl 2003

Die Landtagswahlen ▸ Sie folgen den bekannten demokratischen Wahlgrundsätzen (siehe Seite 205).
Ebenso wie bei Bundestagswahlen wird nach einem kombinierten Wahlsystem gewählt. Dieses besteht aus Elementen des Mehrheitswahlrechts und des Verhältniswahlrechts. Jeder Wähler hat daher zwei Stimmen. Mit der ersten Stimme wird in jedem der 92 Stimmkreise ein Abgeordneter durch Mehrheitswahl gewählt. Mit der zweiten Stimme werden die übrigen 88 Abgeordneten aus den Wahlkreislisten gewählt. Dadurch sind auch Parteien in den Parlamenten vertreten, die zwar keine Direktkandidaten entsenden konnten, aber mehr als 5 % der Stimmen erhielten (Sperrklausel).

A 4 Warum sind die Parteien unter „Sonstige" nicht im Landtag vertreten (M 3)?

A 5 Berechne, wie viele Abgeordnete (von 180) jede Partei erhalten würde (M 3). Vergleiche dein Ergebnis mit der wirklichen Sitzverteilung (M 4). Erkläre den Unterschied.

A 6 Erkläre Erststimme und Zweitstimme.

A 7 Bist du bei der nächsten Landtagswahl wahlberechtigt?

Stimmzettel

A. Erststimme für die Wahl eines Stimmkreisbewerbers

Ernst Maier **Partei A**	◯	Helga Klamm **Partei B**	◯	Kurt Ganz **Partei C**	◯	Ute Baum **Partei D**	◯	Emil Land **Partei E**	◯

M 5 Muster eines Stimmzettels für die Erststimme

Stimmzettel

B. Zweitstimme

Partei A		Partei B		Partei C		Partei D		Partei E	
Hans Glück	◯	Hubert Glück	◯	Achim Probst	◯	Wilhelm Abel	◯	Walter Hauser	◯
Hilde Meier	◯	Torsten Falzer	◯	Ulrich Maier	◯	Manfred Vogel	◯	Hans Schulz	◯
Peter Rauch	◯	Inge Schneider	◯	Thomas Mengel	◯	Heribert Sommer	◯	Renate Hartung	◯
Sibylle Haim	◯	Helmine Schröter	◯	Ulrike Gärtner	◯	Doris Graf	◯	Maria Bergen	◯
Lisa Hofer	◯	Elisabeth Arndt	◯	Susanne Meckel	◯	Marion Decker	◯	Franz Seeberg	◯
Herbert Krager	◯	Jürgen Post	◯	Matthias Löber	◯	Paul Brauer	◯	Brigitte Molzor	◯

M 6 Muster eines Stimmzettels für die Zweitstimme

Sperrklausel ▸ Eine Partei muss mindestens 5 % der Stimmen erhalten haben, um im Landtag vertreten zu sein. Diese Klausel soll eine Zersplitterung Abgeordneten in viele kleine Parteien verhindern und die Bildung von regierungsfähigen Mehrheiten erleichtern.

Souverän ▸ So nannte man früher den Herrscher oder Landesherrn. In der Demokratie ist damit die Gesamtheit der Wähler gemeint.

Kurz und klar

- In der repräsentativen Demokratie wählt das Volk als Souverän Vertreter (Repräsentanten) in den Gemeinderat oder in ein Parlament.
- Direkte Demokratie bedeutet, dass das Volk selbst über Gesetze und Vorhaben entscheidet. Dies geschieht bei Volksentscheiden und Bürgerentscheiden (Seite 228 und 229).

Direkte Demokratie – Volksbegehren

Artikel 74,1 ▸ Ein Volksentscheid ist herbeizuführen, wenn ein Zehntel der stimmberechtigten Staatsbürger das Begehren nach Schaffung eines Gesetzes stellt.

Artikel 74,2 ▸ Dem Volksbegehren muss ein ausgearbeiteter und mit Gründen versehener Gesetzentwurf zugrunde liegen.

M 1 Aus der bayerischen Verfassung

M 2 Aufruf zur Eintragung zum Volksbegehren

Mobilfunk-Gegner gescheitert

München – Genau 400 286 Stimmberechtigte unterstützten die Initiative, eine Genehmigungspflicht für neue Sendemasten einzuführen. Das entspricht einer Zustimmung von 4,4 Prozent. Für einen Volksentscheid wären jedoch mindestens 10 Prozent nötig gewesen, also etwa 920 000 Stimmen.

M 3 Aus einem Zeitungsbericht

M 4 Volksbegehren in Bayern 1990–2005

Volksbegehren ▸ Sie sind ein wichtiges demokratisches Mittel, um die Bürger direkt am Gesetzgebungsverfahren teilhaben zu lassen.
Bevor der Wille aus dem Volk zum Gesetz werden kann, sind hohe Hürden zu überwinden (M 5).
Neue Gesetze ziehen immer weit reichende Folgen nach sich. Es ist daher notwendig, alle Gesichtspunkte abzuwägen, damit keine unüberlegten schnellen Entscheidungen zu Stande kommen.
Aus diesem Grund steht meistens nur ein Gesetzesvorschlag zur Abstimmung.

Einem Volksentscheid geht stets ein erfolgreiches Volksbegehren voran, damit eine breite Unterstützung gewährleistet ist ▸ Macht der Landtag diesen Gesetzesentwurf zu einem eigenen Gesetz, muss kein Volksentscheid mehr folgen. Selbst die Bayerische Verfassung wurde 1946 durch Volksentscheid in Kraft gesetzt.

M 5 Ein neues Gesetz entsteht.

A 1 Suche im Internet unter www.mehr-demokratie.de/volksbegehren, in welchen Bundesländern zurzeit Volksbegehren laufen. Sammle die Themen und vergleiche.

A 2 Kann es generell auf der Bundesebene einen Volksentscheid geben? Schlage im Grundgesetz nach.

A 3 Warum werden insgesamt nur wenige Volksbegehren und Volksentscheide durchgeführt (M 3)?

A 4 Demokratische Ordnung bedeutet auch, sich in örtliche und staatliche Angelegenheiten einzumischen. Volksbegehren bieten Chancen und Probleme. Diskutiert darüber in der Klasse.

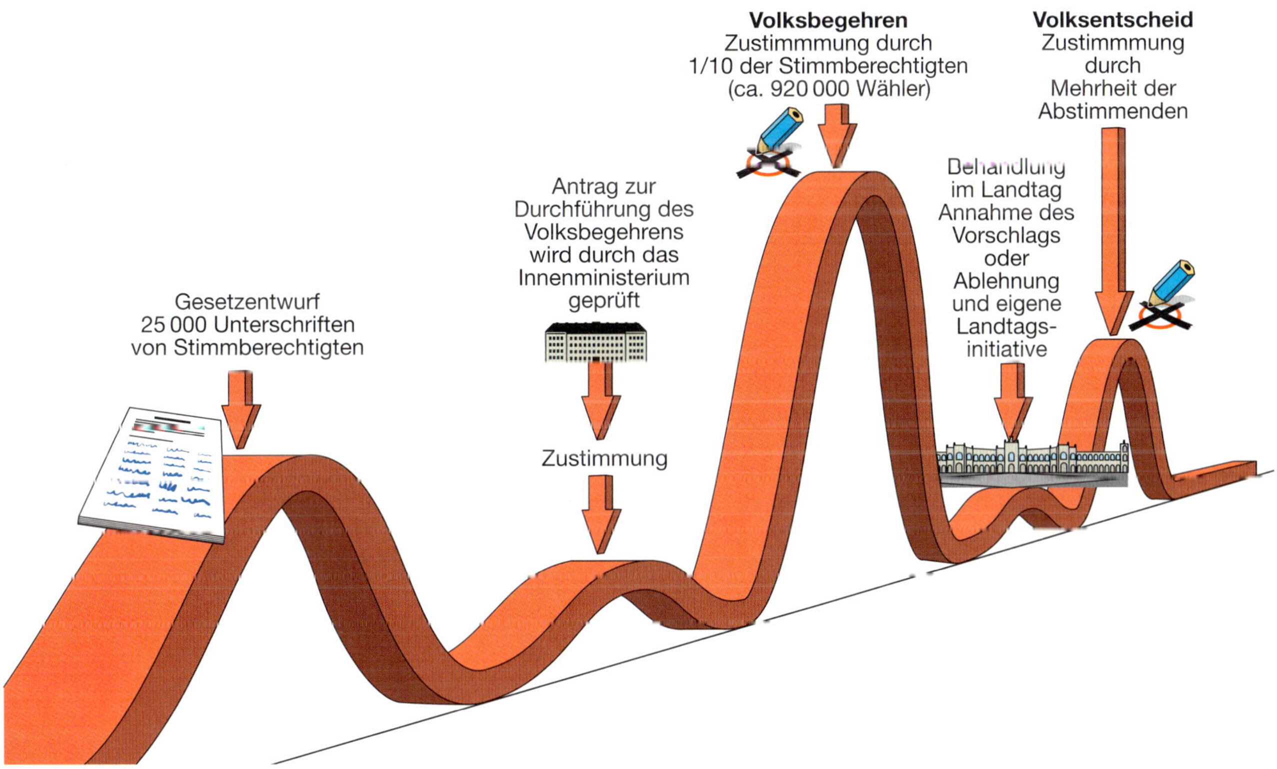

M 6 Auf dem Weg zum Volksentscheid

Wir werten Zeitungsberichte aus

▸ Nachrichten, Berichte und Kommentare sind neben Bildern und Grafiken die wichtigsten Arbeitsmittel zum Verständnis politischer Sachverhalte. Sie geben Informationen und Meinungen weiter, sind um Objektivität bemüht oder absichtlich parteiisch.

Um solche Texte auszuwerten, stellen wir die **W**-Fragen: **W**er sagt **w**as, **w**ie, zu **w**em, **w**arum und mit **w**elcher Wirkung?

1. Schritt ▸ Stelle fest, wer den Text verfasst hat.
2. Schritt ▸ Untersuche den Text daraufhin, was der Autor offen ausspricht oder was er möglicherweise verschweigt.
3. Schritt ▸ Prüfe, wie der Text aufgebaut ist, wo die Hauptaussage steht.
4. Schritt ▸ Überlege, welchen Leserkreis der Autor oder die Autorin ansprechen will.
5. Schritt ▸ Überlege, was der Autor / die Autorin mit diesem Text erreichen will.
6. Schritt ▸ Beurteile, welche Wirkung der Text auf dich hat oder auf andere Leser haben könnte.
7. Schritt ▸ Bilde dir deine eigene Meinung!

M 1 Karikatur

Feinstaub ▸ Es ist ein Gemisch aus verschiedenen kleinen Teilchen. Hauptbestandteil des Staubes in Städten sind Rußteilchen aus Dieselfahrzeugen. Dazu kommen Gase aus der Industrie sowie aufgewirbelter Straßenstaub, der auch den Abrieb von Reifen enthält. Je kleiner die Teilchen, desto gefährlicher: Grobe Teile werden ausgehustet, kleine dringen tief in die Lunge ein, die winzigsten gelangen sogar ins Blut.
Seit Jahresbeginn 2005 gelten strengere EU-Vorschriften zur Reinhaltung der Luft. Für die Lösung des Feinstaubproblems gibt es seither verschiedene Vorstellungen.

M 2 Polizei wäre mit Fahrverboten überfordert

Verkehrsexperte spricht der Maßnahme den gewünschten Erfolg ab – Angst vor langen Staus

München – Eine klare Absage erteilte der Experte der Sperrung der kompletten Innenstadt für Laster: „Die Versorgung würde zusammenbrechen." Auch örtlich begrenzte Fahrverbote führen nach Ansicht der Polizei kaum zum gewünschten Erfolg. Lastwagen- und Pkw-Fahrer würden kurzerhand auf kleinere Parallelstraßen ausweichen. Eine Überwachung würde die personelle Kapazität der Polizei sprengen. Es müsse vielmehr ein Gesamtkonzept erarbeitet werden.

M 3 Grün gegen Rot gegen Schwarz

Der Streit darüber, wie der Feinstaub in München aus der Welt zu schaffen sei, hat im rot-grünen Rathaus-Bündnis zu Verstimmungen geführt. Nun besann man sich doch, den Schwarzen Peter mit vereinten Kräften der Regierung von Oberbayern zuzuschieben. SPD und Grüne forderten diese zum sofortigen Handeln auf. Außerdem legten sie der Bundesregierung nahe, städtische Ringstraßen in das Lkw-Maut-Gebiet aufzunehmen, um so die Schwerlaster aus der Stadt zu drängen. Die Münchner CSU beschränkte sich darauf, den Umweltminister zu bitten, einige Maßnahmen zu überprüfen.
Die Industrie- und Handelskammer mahnte eine gemeinsame Suche nach dauerhaften Lösungen an.

M 4 Der Druck der Kunden

Was die Politik nicht schafft, das erzwingen nun die Kunden. Kein vernünftiger Mensch kauft sich jetzt noch ein Diesel-Auto ohne Partikelfilter. Spätestens ab 2010 ist der Grenzwert nur mit dem Partikelfilter einzuhalten. Wer will schon ein Risiko eingehen? Der Kunde möchte daher ein Fahrzeug mit Filter erwerben, notfalls eben einen Wagen ausländischer Herkunft. Deshalb sputen sich die deutschen Autobauer nun, den Vorsprung der französischen Konkurrenz wettzumachen. Dass sich Bund und Länder nicht auf eine steuerliche Förderung einigen können, bleibt ein Trauerspiel.

M 2–M 4 Aus Zeitungsberichten

Wir lesen Gesetzesartikel und werten sie aus

Die Ausübung der staatlichen Befugnisse und die Erfüllung der staatlichen Aufgaben ist Sache der Länder, soweit das Grundgesetz keine anderen Regelungen trifft oder zulässt.

M 1 Befugnisse der Länder, Grundgesetz Artikel 30

1. Im Bereich der konkurrierenden Gesetzgebung haben die Länder die Befugnis zur Gesetzgebung, solange und soweit der Bund von seiner Gesetzgebungszuständigkeit nicht Gebrauch gemacht hat.

2. Der Bund hat in diesem Bereich das Gesetzgebungsrecht, wenn und soweit die Herstellung gleichwertiger Lebensverhältnisse im Bundesgebiet oder die Wahrung der Rechts- und Wirtschaftseinheit im gesamtstaatlichen Interesse eine bundesgesetzliche Regelung erforderlich macht.

3. Durch Bundesgesetz kann bestimmt werden, dass eine bundesgesetzliche Regelung, für die eine Erforderlichkeit im Sinne des Absatzes 2 nicht mehr besteht, durch Landesrecht ersetzt werden kann.

M 2 Konkurrierende Gesetzgebung, Grundgesetz Artikel 72

1. Die konkurrierende Gesetzgebung erstreckt sich auf folgende Gebiete: ...
[1. – 26.]

M 3 Katalog zur konkurrierenden Gesetzgebung, Grundgesetz Artikel 74

1. Ein Volksentscheid ist herbeizuführen, wenn ein Zehntel der stimmberechtigten Staatsbürger das Begehren nach Schaffung eines Gesetzes stellt.

2. Dem Volksbegehren muss ein ausgearbeiteter und mit Gründen versehener Gesetzentwurf zugrunde liegen.

[3. – 7.]

M 4 Volksentscheid und Volksbegehren, Bayerische Verfassung Artikel 74

Tipp: Artikel 188, BV: Jeder Schüler erhält vor Beendigung der Schulpflicht einen Abdruck dieser Verfassung.

A 1 Wer hat das Grundgesetz für die Bundesrepublik Deutschland (GG) verabschiedet und seit wann gilt es?

A 2 Wer hat die Verfassung des Freistaates Bayern (BV) verabschiedet und seit wann gilt sie? Lies in den jeweiligen Einführungen nach.

A 3 Die Artikel in M 3 und M 4 sind hier nicht vollständig abgedruckt. Beschaffe die vollständige Ausgabe dieser Artikel (Taschenbuchausgabe oder Internet).

A 4 Gib Artikel 30 (M 1) und Artikel 72 (M 2) mit eigenen Worten wieder. Vergleiche mit Seite 219.

A 5 Erkläre die Begriffe Befugnisse und konkurrierende Gesetzgebung (M 1 und M 2).

A 6 Die Artikel 30, 72 und 74 befassen sich mit dem gleichen Inhalt. Artikel 74 ist umfangreicher als Artikel 72, welcher wiederum länger als Artikel 30 ist. Überlege dir einen Grund dafür.

Wer ist zuständig: Bund oder Land?

M 1 Bayerns Polizei bekommt neue Fahrzeuge.

A 1 Zusätzlich zur Landespolizei gibt es auch eine Bundespolizei (früher Bundesgrenzschutz). Informiere dich über deren Aufgaben im Internet.

A 2 Lies die Zeitungsberichte M 2, M 3 und M 5 und berichte über die Zuständigkeiten. Das Grundgesetz und die Übersicht auf Seite 219 können dir helfen.

M 4 Föderalismus in Deutschland

A 3 Zwei Wappentiere stellen das Verhältnis von Bund und Ländern dar (M 4). Erläutere.

M 2 Milliardengrab ICE-Strecke Nürnberg-Erfurt

▸ Die Hochgeschwindigkeitstrasse Erfurt-Nürnberg endet zurzeit im Thüringer Wald, nachdem bereits 500 Millionen Euro verbaut sind. Die Prognosen für die Eröffnung reichen mittlerweile bis ins Jahr 2030.

Nach einer neuen Studie könnten bestehende Bahnstrecken ausgebaut und an den Gleis-Torso angeschlossen werden. Anders als mit einer reinen ICE-Strecke könnte auch die ganze Region davon profitieren. Doch bei der thüringischen Landesregierung stößt die Alternative auf Ablehnung. Sie hält an der ICE-Trasse fest und verweist auf das Planungsrecht. Zurzeit wird nur auf Sparflamme gearbeitet. Der Bund zahlt 35 Millionen Euro im Jahr, nur um das Baurecht nicht verfallen zu lassen.

„Wir drängen darauf, dass dieses Projekt umgehend realisiert wird", sagt der Wirtschaftsminister. Zumindest für das dritte und vierte Gleis zwischen Nürnberg und Fürth hat die Bundesregierung 120 Millionen Euro bereitgestellt. Die Finanzierungsvereinbarung zwischen der Bahn und dem Bund steht laut der Industrie- und Handelskammern „kurz vor dem Abschluss".

M 3 Dritte Startbahn für Münchner Flughafen?

- Die drei Eigentümer der Flughafen GmbH – der Freistaat, die Bundesrepublik und die Stadt München – sind sich in ihrer Beurteilung einig. Der Münchner Stadtrat stimmte mit großer Mehrheit dem Ausbau zu.
- Eine Beförderungszahl von einer Million Passagieren schaffe nach einer Berechnung etwa tausend Arbeitsplätze; ein dauerhafter Arbeitsplatz am Flughafen lasse im Airport-Umland bis zu 1,8 weitere Arbeitsplätze entstehen.
- Die dritte Startbahn soll aller Voraussicht nach nördlich der beiden bestehenden gebaut werden. Dies würde für die knapp 400 Einwohner der Ortschaften Eittinger Moos und Schwaiger Moos den Verlust ihrer Heimat bedeuten. Im Süden von Freising müssten zukünftig mehrere tausend Menschen in der Lärmzone des Flughafens leben. Flächenverbrauch und Zerstörung erhaltenswerter Reste des Erdinger Moos sind weitere Nachteile des Projekts.

M 5 Schock in Brannenburg am Inn

▸ Der Brannenburger Bürgermeister sagte, eine Schließung des oberbayerischen Bundeswehrstandortes sei ein sehr schwerer Schlag für Brannenburg und die gesamte Region. Die Bundeswehr sei ein wichtiger Wirtschaftsfaktor.

Sind Länderparlamente noch von Bedeutung?

Ein Landesparlament gibt es in Bayern seit 1819 ▸ Von dem damaligen Parlament der Berufsstände bis hin zur demokratischen Volksvertretung von 1919 war ein langer Weg. Der Beitritt Bayerns zum deutschen Kaiserreich 1871 beschnitt in starkem Maße die Souveränitätsrechte und damit die Zuständigkeiten des Landtags. Dennoch hatte Bayern in der Reichsverfassung von 1871 noch sogenannte Reservatrechte zugesprochen bekommen, wie eine eigene Verwaltung der königlichen Post und der königlichen Staatseisenbahnen.

Die Weimarer Republik 1919 und die Bundesrepublik 1949 ▸ Das bestehende Recht des Bundes, Rahmenvorschriften zu erlassen, bedeutet für die Länder eine Einengung ihrer Gesetzgebungszuständigkeit.
Die Praxis der Bundesgesetzgebung und die zahlreichen Regelungen der Europäischen Union haben zu einer Reduzierung der gesetzgeberischen Spielräume der Landesparlamente geführt. Nach Auskunft des Bundesjustizministeriums sind 80 Prozent der beschlossenen Gesetze solche der Europäischen Union. Als ureigene Bereiche verbleiben den Ländern lediglich die Aufgaben von Polizei und Bildung. Doch auch hier wird der eigene Gestaltungsrahmen wegen der notwendigen Angleichung in Deutschland und Europa immer enger.

M 2 Gespräch zwischen Maximilian (Ingolstadt) und Sven (Bremen)

Maximilian ▸ Die Eigenarten und Eigenheiten eines Landes wie Bayern müssen erhalten und gegenüber fremden Einflüssen gestärkt werden. Dafür brauchen wir eine starke Regierung, eigene Befugnisse, eigene Bildung und Kultur.

Sven ▸ Wenn dann die Kinder aus Bremen nach Bayern in die Schule wechseln, gelten völlig andere Bücher, Inhalte, Prüfungen. So gibt es in Deutschland für jedes Bundesland verschiedene Lehrpläne. Das ist ein großer Aufwand.

Maximilian ▸ Dafür kennen wir unsere Minister, unseren Ministerpräsidenten noch persönlich. Wer trifft schon einen Minister aus Berlin oder gar aus Brüssel. Die sind zu weit weg vom Bürger!

Sven ▸ Die Länder sind doch überflüssig. Bis die sich einmal auf etwas Gemeinsames einigen können, vergeht viel Zeit. Und kaum einer weiß dann, wer eigentlich zuständig ist: Bund oder Land oder EU.

Maximilian ▸ Bei Landtags- und Kommunalwahlen können wir durch unsere Wählerstimme unsere Meinung ausdrücken. Fallen diese Wahlen weg, dann sind die Bundes- und Europapolitiker noch mächtiger.

Sven ▸ Dafür sparen wir aber auch eine Menge Geld für Wahlen, Abgeordnete und Minister. Außerdem wird die Wahlbeteiligung sowieso immer geringer.

Europäische Union	
Europaparlament	732 Abgeordnete
Bundesrepublik Deutschland	
Bundestag	598 Abgeordnete
Freistaat Bayern	
Landtag	180 Abgeordnete
Bezirk Mittelfranken	
Bezirkstag	25 Bezirksräte
Landkreis Ansbach	
Kreistag	70 Kreisräte
Große Kreisstadt Dinkelsbühl	
Stadtrat	24 Stadträte

M 1 Für sechs staatliche Ebenen werden Repräsentanten gewählt.

A 1 Stelle die Argumente von Maximilian und Sven in einer Tabelle gegenüber (M 2). Welche Argumente zählen nach deiner Meinung mehr, welche weniger?

A 2 Sammle weitere Argumente für und gegen die Länderparlamente (Föderalismus). Führt dann in eurer Klasse ein ähnliches Gespräch wie Maximilian und Sven (M 2).

A 3 Sind sechs staatliche Ebenen sinnvoll (M 1)? Sammle Argumente für und gegen diese staatlichen Ebenen. Führt eine Diskussion.

A 4 „Wir brauchen zwar keinen König, aber schön wäre es doch, wenn wir einen hätten.“
Nimm Stellung zu dieser Aussage.

M 3 Karikatur

Das Deutschland-Quiz

Hinter jeder Lösungsmöglichkeit steht ein Buchstabe. Die richtigen Buchstaben ergeben in jeder Spalte einen Wortteil, zusammen zwei Lösungswörter.

Wie viele Stimmen hat Bayern im Bundesrat?

- **S** 6
- **P** 8
- **B** 12
- **D** 10

Wer entscheidet beim Volksentscheid?

- **A** Das Parlament
- **F** Volksvertretung
- **H** Das Volk
- **D** Volksaufstand

Welche Aufgabe ist Bundessache?

- **A** Schulwesen
- **G** Polizei
- **T** Verteidigung
- **Z** Kunstmuseum

Wer vertritt den Bundespräsidenten?

- **M** Bundeskanzler
- **E** Bundestagspräsident
- **O** Bundesbürger
- **A** Bundesratspräsident

Wer wählt den Ministerpräsidenten?

- **C** Das Volk
- **S** Stärkste Partei
- **A** Landtag
- **D** Stadtrat

Wie viele Bundesländer gibt es?

- **U** 16
- **A** 15
- **C** 17
- **X** 11

Wer wählt den Bundespräsidenten?

- **M** Bundestag
- **B** Bundesbürger
- **D** Bundesversammlung
- **R** Bundesrat

Wie heißt der Sitz des bayerischen Landtags?

- **A** Maximum
- **P** Maximilianeum
- **D** Max Joseph
- **U** Maximieren

Wie heißt die Hauptstadt von Sachsen?

- **A** Magdeburg
- **T** Dresden
- **C** Leipzig
- **B** Saxonia

Wo ist der Sitz des Bundestags?

- **D** Bonn
- **W** Brandenburg
- **V** Bad Godesberg
- **T** Berlin

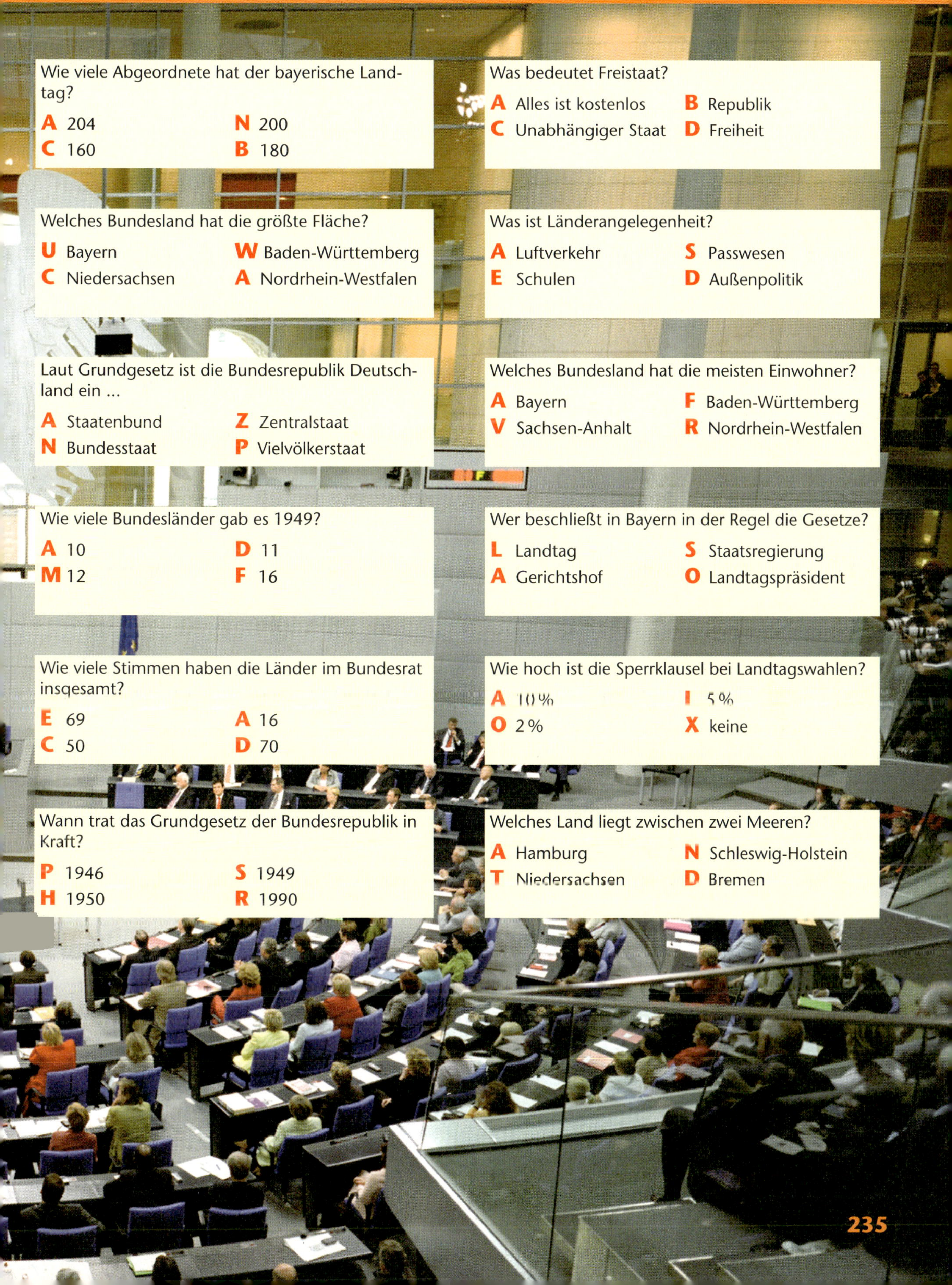

Wie viele Abgeordnete hat der bayerische Landtag?

A 204 **N** 200
C 160 **B** 180

Was bedeutet Freistaat?

A Alles ist kostenlos **B** Republik
C Unabhängiger Staat **D** Freiheit

Welches Bundesland hat die größte Fläche?

U Bayern **W** Baden-Württemberg
C Niedersachsen **A** Nordrhein-Westfalen

Was ist Länderangelegenheit?

A Luftverkehr **S** Passwesen
E Schulen **D** Außenpolitik

Laut Grundgesetz ist die Bundesrepublik Deutschland ein ...

A Staatenbund **Z** Zentralstaat
N Bundesstaat **P** Vielvölkerstaat

Welches Bundesland hat die meisten Einwohner?

A Bayern **F** Baden-Württemberg
V Sachsen-Anhalt **R** Nordrhein-Westfalen

Wie viele Bundesländer gab es 1949?

A 10 **D** 11
M 12 **F** 16

Wer beschließt in Bayern in der Regel die Gesetze?

L Landtag **S** Staatsregierung
A Gerichtshof **O** Landtagspräsident

Wie viele Stimmen haben die Länder im Bundesrat insgesamt?

E 69 **A** 16
C 50 **D** 70

Wie hoch ist die Sperrklausel bei Landtagswahlen?

A 10 % **I** 5 %
O 2 % **X** keine

Wann trat das Grundgesetz der Bundesrepublik in Kraft?

P 1946 **S** 1949
H 1950 **R** 1990

Welches Land liegt zwischen zwei Meeren?

A Hamburg **N** Schleswig-Holstein
T Niedersachsen **D** Bremen

Stichwortverzeichnis

Textquellenverzeichnis

S. 19, M 9: Fischer Weltalmanach, Frankfurt am Main (S. Fischer) 2005, Seite 401 – S. 38, M 1: Begegnungen 7, alt, München (OSV), Seite 154 – S. 38, M 2: Bd. V.: Das bürgerliche Zeitalter 1815 bis 1914, München (bsv) 1980, Nr. 109, Seite 132 (gekürzt und sprachlich etwas vereinfacht) – S. 44, M 1: Begegnungen 7, alt, München (OSV), Seite 159 – S. 47, M 2: Schilderung von Pfarrer Karl Klein, Fröschweiler/Elsass aus: Deutsche und Franzosen 1870/1871. Durch Krieg gewinnt man keinen Frieden. Päd. Handreichung, Volksbund deutscher Kriegsgräberfürsorge, hrsg. von Christoph Beitz 1998, S. 15 (Landesverband Bayern) – S. 54, M 1: Aufbruch ins Industriezeitalter Band 3 Quellen, München/Wien (R. Oldenbourg) 1985, Seite 207 – S. 56, M 2: Geschichte kennen und verstehen B 9, München (OSV), Seite 76 – S. 57, M 4: Begegnungen 7, alt, München (OSV), Seite 174 – S. 58, M 1: Nikolaus Osterroth, Vom Beter zum Kämpfer, Berlin/Bonn (Dietz): 1980, 2. Auflage, Seite 42, 43 und 45 – S. 64, M 1: www.bundestag.de/interakt/glossar/181713a – S. 65, M 6: www.wdr.de/tv/hartaberfair05/wahlcheck05/index_050831.phtml (WDR-Fernsehen-Wahlcheck 05 Zuschrift von Kai Niedrgeall vom 14. Sept. 2005) – S. 68, M 1: Kinderarmut in Deutschland: Kinderarmut in reichen Ländern, Zusammenfassung der Unicef-Studie, Köln 2005. Publiziert in: www.unicef.de/fileadmin/content_media/presse/fotomatrial/Kinderarmut/Info_Kinderarmut.pdf – S. 69, M 4: Mitteilung des Bundesministerium für Familie, Senioren, Frauen und Jugend vom 27.01.06: www.bmfsfj.de/Politikbereiche/kinder-und jugend,did=67062.html – S. 69, M 5: www.lv-westfalen-lippe.drk.de/ideeundtat/2005/august.pdf – S. 72, M 2: Auszug aus Stefan Willeke: Wie man in Deutschland arbeitslos ist", in: Die Zeit Nr. 7, 05.02.2004, www.zeit.de/2004/07/Serie_-_arbeitslos?page=1 – S. 72, M 3: nach: „Keine Panik bei Arbeitslosigkeit", in: Arbeitsgemeinschaft Jugend und Bildung (Hrsg.), Sozialpolitik, Ausgabe 2003/2004, S.10 – S. 72, M 4: Leipziger Volkszeitung 05.11.2005 www.lvz-online.de – S. 80, M 1: Geheimnisvolles China (= PM Perspektive Nr. 37), Seite 4 ff. – S. 81, M 7 nach: Thomas Fischermann, Zu arm zum Ausruhen, in: Die Zeit, www.zeit.de/archiv – S. 82, M 1: Augsburger Allgemeine 25.01.2006, Seite 3 – S. 82, M 2: frei nach Wolf von Fabeck, Arbeitsplätze und Soziale Gerechtigkeit – Aber wie? Wie Arbeitslosigkeit entsteht und wie sie beseitigt werden kann. www.sfv.de/lokal/Mails/wvf/arbeitun.htm – S. 83, M 5: Augsburger Allgemeine, 03.03.2006, Seite 1 (dpa) – S. 83, M 7: Augsburger Allgemeine, 18./19. Febr. 2006, Seite 1 (Andreas Frey) – S. 96, M 1: Text nach Bayerischer Agrarbericht 2004, S. 16. Bayerisches Staatsministerium für Landwirtschaft und Forsten München – S. 112, M 1: The Last Will and Testament of Cecil Rhodes, hrsg. von William T. Stead, London 1902, S. 58 f. und 98 f. – S. 112, M 2: GiQ V., a.a.O., Seite 592 Nummer 504 (Expansion bis zur Weltherrschaft) – S. 112, M 3: GiQ V., a.a.O., Seite 581 Nummer 495 (Traum vom franz. Mittelmeerreich) – S. 113, M 4: aus Reden Wilhelms II. 1896-1900. zit. nach: Das Zeitalter des Imperialismus (= Geschichtliche Quellenhefte mit Überblick „Die Welt im Wandel", Heft 10 von Walter Wulf), Frankfurt am Main (Diesterweg) 8 1974, S. 32 und Penzler, Johann: Die Reden Kaiser Wilhelms II., Teil II, Leipzig 1897–1913 – S. 117, M 2: Tibor M. Ridegh, Kaisers Enkel, in: Merian. Namibia 11. November 1997, Seite 73, Hamburg (Hoffmann und Campe) (Originalüberschrift: Die Vorfahren; Entscheidung am Waterberg) – S. 118, M 1: Horst Gründer (Hrsg.), „... da und dort ein junges Deutschland gründen". Rassismus, Kolonien und kolonialer Gedanke vom 16. bis zum 20. Jahrhundert, München (Deutscher Taschenbuch Verlag) 1999, Seite 120 Nr. 34 b (Hendrik Witbooi an Theodor Leutwein 17. August 1984) – S. 118, M 2: Horst Gründer (Hrsg.) „... da und dort ein junges Deutschland gründen". Rassismus, Kolonien und kolonialer Gedanke vom 16. bis zum 20. Jahrhundert, München (Deutscher Taschenbuch Verlag) 1999, Seite 142 f. Nr. 43 (Die deutsche Musterkolonie?) – S. 119, M 4: Horst Gründer (Hrsg.) „... da und dort ein junges Deutschland gründen". Rassismus, Kolonien und kolonialer Gedanke vom 16. bis zum 20. Jahrhundert, München (Deutscher Taschenbuch Verlag) 1999, Seite 271 f. Nummer 97 (Erziehung des Negers zur Arbeit ...) – S. 128, M 1: Volker Berghahn, Europa im Zeitalter der Weltkriege. Die Entfesselung und Entgrenzung der Gewalt, Frankfurt am Main (Fischer Taschenbuch) 2002, Seite 64 f. – S. 128, M 3: zit. nach Werner Abelshauser, Anselm Faust, Dieter Petzina (Hrsg.), Deutsche Sozialgeschichte 1914-1945, Ein historisches Lesebuch, München (C. H. Beck) 1985, Seite 217 – S. 132, M 2: aus Christof Beitz, Lebenszeichen. Feldpostbriefe erzählen ... Pädagogische Handreichung, hrsg. vom Volksbund Deutsche Kriegsgräberfürsorge, München 2003, Seite 11 – S. 133, M 5: aus Philipp Witkop, Kriegsbriefe gefallener Studenten, Leipzig/Berlin (Teubner) 1918, Seite 108–110 (gekürzt) – S. 134, M 1: Chronik des 20. Jahrhunderts, Dortmund (Chronik Verlag) 1995, 14. erg. u. aktual. Auflage, S.209 (Kohlrüben). 211 (Ersatzstoffe), 224 (Altmaterial) – S. 136, M 2: Imanuel Geiss (Hg.): Juli 1914. Die europäische Krise und der Ausbruch des Ersten Weltkriegs. München (Deutscher Taschenbuch Verlag), 2. Auflage 1980, S. 375 ff. zit. in bsv Geschichte 3 GN, Seite 235 – S. 136, M 5: Ulrich Graf von Brockdorff-Rantzau, in Günter Schönbrunn, Geschichte in Quellen. Band VI.: Weltkriege und Revolutionen1914-1945, München (bsv) 1970, Seite 127 – S. 146, M 1: Viscount d'Abersetzung 1929, übersetzt von Antonia Vallentin, Leipzig (List) 1929, Seite 279–280 – S. 152, M 1: Franz Xaver Winter, Eine Predigt des Pfarrers Stephan Rugel aus dem Jahre 1933, in: Jahrbuch des Historischen Vereins Dillingen, Dillingen 1983 S. 243-251 (stark gekürzt) – S. 156, M 3: aus Begegnungen 8, alt, München (OSV), Seite 176, Q 1 – S. 158, M 1: aus Begegnungen 8, alt, München (OSV), Seite 178 – S. 158, M 3: GiQ VI., a.a.O., S. 283; Das III. Reich Nr.2/1974, Seite 89 (Verlag für geschichtliche Dokumentation) – S. 161, M 3: Wolfgang Michalka (Hrsg.): Das Dritte Reich, Bd. 1 (= dtv-Dokumente, Nummer 2925), München (Deutscher Taschenbuch Verlag) 1985, Seite 148 – S. 162, M 1: Guido Knopp: Hitler. Eine Bilanz, Berlin (Siedler) 1995, Seite 281 – S. 164, M 1: Adolf Hitler, mein Kampf, München 1938, Seite 197, 198, 200, 201, 202, 536 – S. 165, M 4: Anthony Rhodes, Propaganda. Illustrierte Geschichte der Propaganda im 2. Weltkrieg, Stuttgart (Parkland) 1993, Seite 16 f. gekürzt – S. 166, M 1: nach Martin Broszat und Elke Fröhlich (Hrsg.), Bayern in der NS-Zeit II, München/Wien (R. Oldenbourg) 1979, Seite 301 – S. 166, M 3: Internettext (Georg Elser) – S. 167, M 4: Martin Broszat, Elke Fröhlich, Falk Wiesemann (Hrsg.), Bayern i der NS-Zeit, München/Wien (R. Oldenbourg) 1977, Seite 66 – S. 167, M 6: Martin Broszat, Elke Fröhlich, Falk Wiesemann (Hrsg.) Bayern in der NS-Zeit, München/Wien (R. Oldenbourg) 1977, Seite 351 – S. 167, M 8: Martin Broszat, Elke Fröhlich, Falk Wiesemann (Hrsg.) Bayern in der NS-Zeit, München/Wien (R. Oldenbourg) 1977, Seite 262 – S. 178, M 2: GiQ VI.: a.a.O., Seite 507 – S. 180, M 1: Gerhard Schoenberger. Der gelbe Stern. Die Judenverfolgung in Europa 1933–1945. München: Bertelsmann, 1978 – S. 182, M 1: Ausschwitz-Häftling Nr. 107, 907. In: Die Zeit, Nr. 4 vom 20. Januar 1995, Seite 12 – S. 185, M 3: Peter Hoffmann: Widerstand gegen Hitler und das Attentat vom 20. Juli 1944, Konstanz (Universitätsverlag Konstanz) 1994, Seite 140 f. – S. 188, M 1: Fiona Reynoldson, The Blitz, London (Wayland) 1990, Seite 20 – S. 188, M 2: Hans Adolf Jacobsen und Hans Dollinger (Hrsg.): Der Zweite Weltkrieg in Bildern und Dokumenten, Bd. III, München (Desch) 1962, S. 344 – S. 190, M 1: aus Begegnungen 8, alt, München (OSV), Seite 216 – S. 191, M 3: Christoph Beitz: Schicksale. Heft Nr. 4: 1945 – Ende und Anfang. Eine pädagogische Handreichung des Volksbundes Deutsche Kriegsgräberfürsorge, München, 1995, S. 13 – S. 193, M 4: Howard K. Smith. in: Guido Knopp (Hrsg.): Damals 1945. Das Jahr Null, Stuttgart (Deutsche Verlags-Anstalt) 1994, S. 79; zit. nach: Ludwig Bernlochner und Siegfried Ziegler: Der 8. Mai: Gedenktage, die Wunden aufreißen. In: Gymnasium für Bayern, Heft 4/1995, S. 22; Augsburger Allgemeine 29. April 1995, S. 36. – S. 195: SZ Nummer 107 vom 9. Mai 1985, Seite 11f. – S. 213, M 6: Tischrede vom 30.0.2005 in Warschau, in: www.bundespraesident.de/reden und interviews – S. 223, M 3: „Streit über Rußfilter-Rabatte" (dpa), in Süddeutsche Zeitung vom 4.4.2005 – S. 224, M 3: nach Johannes Willms „Bayern", in: www.magazine-deutschland.de – S. 225, M 5: Bayernhymne – S. 228, M 3: Süddeutsche Zeitung vom 20.7.2005 – S. 230, M 2 – M 4: Christian Rost: „Polizei wäre mit Fahrverboten überfordert", in: Süddeutsche Zeitung vom 31.3.2005; Berthold Neff: „Grün gegen Rot gegen Schwarz", in: Süddeutsche Zeitung vom 31.3.2005; Kommentar (wor): „Der Druck der Kunden", in: Süddeutsche Zeitung vom 29.3.2005 – S. 232, M 2: nach: ARD-Mittagsmagazin: „Milliardengrab ICE Nürnberg-Erfurt", in: www.br-online.de/Mittagsmagazin vom 20.10.2004 – S. 232, M 3: nach: „München hebt ab", in: www.sueddeutsche.de/muenchen/artikel/514/57487 vom 27.7.2005 – S. 232, M 5: nach: „Brannenburg vor dem Aus", in: www.ovb-online.de/news/landkreis_rosenheim/art4107, 386531.html vom 2.11.2004

Bildquellenverzeichnis

Agentur Focus, Hamburg: S. 21.5 (Beubow), 80.3 (Hoepker); Agrar Service, Schmalfeld: S. 87.1; akg-images, Berlin: S. 36/37, 40.2, 41.3, 43.3, 46.1, 49.3, 54.2.1, 66.1, 123.1, 125.3, 129.5, 140.1, 146.3, 147.4/5, 149.4, 154.2, 155.6, 158.2, 167.7, 169.4, 172.1, 181.2, 185.4, 195; Alpine Action, Pöcking: S. 91.4; Anthony Verlag, Beuerberg: S. 184.2; Archiv Gerstenberg: S. 154.3, 155.7, 164.2; Archiv für Philatelie der Museumsstiftung Post und Telekommunikation, Bonn: S. 213.5.1/3; argum, München: S. 77.7 (Christian Lehsten); argus, Hamburg: S. 23.4 (Schwarzbach), 218.3 (Scholz); Artothek, Peissenberg: S. 113.7; Astrofoto, Sörth: S. 4/5; Atelier Erich Paulmichl, Augsburg: S. 203.1; Baaske Cartoon, Müllheim: S. 5 (Mester), 70.2 (Mester), 79.7 Mester), 83.8 (Mester), 199.5 (Fritz Behrendt), 200.2 (Dieter Hanitzsch), 223 (Mohr); Basler Mission, Evangelische Missionsgesellschaft, Basel: S. 119.5 (Johannes Leimestoll); Bayerisches Armeemuseum, Ingolstadt: S. 129.6 (Christian Stoye), 132.1; Bayerisches Hauptstaatsarchiv, München: S. 155 (Plakatsammlung 8585); Bayerisches Rotes Kreuz/ Bezirksverband Schwaben/Jugendrotkreuz, Augsburg: S. 68.2 (J. M. Ipfelkofer); Bayerische Staatsbibliothek, München: S. 165 unten links (Archiv Hoffmann); Bibliographisches Institut & F. A. Brockhaus AG, Mannheim: S. 18.1; Bibliothèque National de France, Paris: S. 112.4; Bildarchiv Preußischer Kulturbesitz, Berlin: S. 45.3, 55.3, 56.1, 57.3 (Jürgen Liepe), 117.4, 119.3, 120.1, 138, 139.5, 162.2, 169.5 (Kunstbibliothek, SMB/Knud Petersen), 173.3; BilderBox, Thening: S. 25.2, 214, 218.1/4; Bridgeman Art Library, London: S. 111; Brucker Dr., A., Gräfelfing: S. 87.2, 98.1, 102.1, 103.6, 109.3, 141.2, 224.1; 2005 Bündnis 90/Die Grünen: S. 202.6; Bundesarchiv Koblenz: S. 161.2.3 (PLAK 003-011-042); Caro, Berlin: S. 218.8 (Goettlicher); www.cdu.de: S. 202.1/2; CMA, Bonn: S. 89.6, 108.2; CMA, Centrale Marketing-Gesellschaft der deutschen Agrarwirtschaft mbH, Referat Qualitätssicherung, Bonn: S. 101.3; Corbis, Düsseldorf: S. 92.1 (Stefan Matzke/NewSport); Das Fotoarchiv, Essen: S. 93.4 (Markus Dlouhy); Das neue China, Berlin: S. 80.4; dhm, Berlin: S. 177.2, 179.4, 194.1; Die Linke/PDS: S. 202.9/10; dpa, Frankfurt/M.: S. 19.7 (ZB-Fotoreport), 53.4/5 (Bildarchiv), 202.3 (Report), 202.4, 202.5 (Fotoreport), 202.7, 202.8 (Report), 206.1, 210.1, 211.3 (ZB-Fotoreport), 212.1 (Report), 212.2 (Fotoreport), 226.2 (Fotoreport); Eckel, Berlin: S. 27.6; EFEU: S. 233; Egbert, Martin, Ibbenbeuren: S. 81.8; Eichler, R., Ettlingen: S. 94.1; Europäische Zentralbank: S. 218.6; Filser Prof. Dr., K., Augsburg: S. 42.1, 66.2, 129.4, 133.4, 141.3, 170.1, 171.3, 175.2, 183.4, 189.3, 190.2; Flath Prof. Dr., Martina, Vechta: S. 100.1; Fristedt, H., Saltsjö-Boo, Schweden: S. 9.1; Germanisches Nationalmuseum, Nürnberg: S. 38.3; Gerster Dr., Georg, Zumikon-Zürich: S. 107.2; Globus Infografik, Hamburg: S. 65.4, 73.5, 75.2/3, 76.1/4, 77.6, 78.3, 79.6, 80.2, 82.3/4, 84/85, 89.4, 221.5/7; Hanel/CCC,www.c5.net: S. 65.5; Hessisches Landesmuseum, Darmstadt: S. 154.4; Historisches Archiv der MAN AG, Augsburg: S. 135.3; Historisches Museum, Berlin: S. 163.3; IFA Bilderteam, Ottobrunn: S. 29.4 (TPC); IMA, Hannover: S. 86.2, 88.1, 90.1, 108.1, 109.2; Image Point: S. 77.8; imago, Berlin: S. 19.8 (K-P Wolf), 28.1 (Kai Horstmann), 81.6 (Müller-Stauffenberg), 99.3 (suedraumfoto), 222.1 (Günter Schneider), 223.1 (Rainer Unkel), 225.4 (HRSchulz); Imperial War Museum, London: S. 132.3; Interfoto, München: S. 189.4 (Archiv Friedrich); Ipon, Berlin: S. 234/235 (Stefan Boness); JAT Photo International, München: S. 186.1/187.2 (Jürgen Olczyk); Joker, Bonn: S. 63.1 (Cynthia Ruehmekorf); Keystone, Hamburg: S. 25.1 (Stefan Oelsner), 182.2, 192.1; Klohn Prof. Dr., Werner, Vechta: S. 95.2.2; Kreutzer, Bernhard: S. 86.3; F. Krupp AG, Hoesch-Krupp, HA, Essen: S. 52.1/2; Landeszentrale für politische Bildung, Baden-Württemberg (LpB): S. 198.2; Liebermann, Erich: S. 91.3, 206.2; mauritius-images, Mittenwald: S. 8.1 (Mehlig), 12.2 (Mehlig), 13.2 (Thonig), 19.6 (Pinn), 23.6 (AGE), 86/87 unten (Rosenfeld), 89.5 (Mette, V., Bielefeld), 104.2 (Westlight), 196/197 (Kuchlbauer); Mette, Til: S. 230.1; MEV-Verlag, Augsburg: S. 12.1, 24.2, 77.5, 218.9; Okapia, Frankfurt/M.: S. 8.2 (Reinhard), 9.3 (H. Lade), 13.1 (H. Lade), 86.1 (Horst Helbing/Naturbild); Paul A. Weber-Museum, Ratzeburg: S. 156.2 (Hans-Jürgen, Wohlfahrt); Photo Press, Stockdorf: S. 8.3 (Schimmelpfennig), 9.2 (Dr. Rauh), 13.3 (Dr. Rauh), 107.4 (A. Brucker), 108.3 (Aska), 109.1 (Wolf); photothek.net: S. 218.2; Polizeipräsidium München: S. 232.1 (Bennie Baumann); Prisma: S. 215.2 (Prisma); Prusko Dr., Helmut, Regensburg: S. 95.2.1; Punch Cartoon Library, London: S. 114.1; Pütz, Robert (2004): S. 29.2/3 Landwirtschaft in Polen. Probleme und Perspektiven im erweiterten Europa. Praxis Geographie 34 (2004), S. 10-13; R.M.N:, Paris: S. 40.1, RIA Nowosti, Berlin: S. 127.1/5, Schapowalow, Hamburg: S. 19.5 (Huber); Schmid, Uwe, Duisburg: S. 63.2; Erich Schmidt Verlag, Berlin: S. 67.3, 70.1, 208.2, 210.2, 213.4; Siemens Forum, München: S. 54.2.2; Skott: S. 76.3, 83.6; Stadtarchiv Augsburg: S. 155.5; Stadtarchiv Leipzig: S. 148.2; Stadtmuseum, München: S. 51.3 (Inv. Nr: MII/310), 151.4; Stoppel, Gottfried, Waiblingen: S. 218.7; SV Bilderdienst, München: S. 128.1 (Scherl), 136.3, 150.2, 165.4 (Scherl), 193.3; ullstein bild, Berlin: S. 52.3, 116.1, 121.4, 126.1 (akg), 129.7, 134.2 (Archiv Gerstenberg), 139, 144.1, 148.1, 169.7, 176.1, 177.3, 184.1, 193.5 (ddp), 213.5.2 (Schöning), 218.5 (Schöning); Universitätsbibliothek TU, Berlin: S. 51.4; Wanka Dr., Reinhard, Mühldorf: S. 228.2; Westend61, Fürstenfeldbruck: S. 62/63 (Petrol); Wildlife, Hamburg: S. 86/87 oben (D. Harms); Wirtz, Peter, Dormagen: S. 58.2, 59.3; Yad Vashem, Jerusalem: S. 183.3; Seite 39.4 aus: Fliegende Blätter Nr. 140, Band 6, 1848, S. 157.

Seite 137.6 aus: Henning Wellbroch, Gartenlaube und Pickelhaube. Das wilhelminische Kaiserreich in Motiven alter Postkarten. Uwe Schwerer Verlag, Freiburg 1987.

Seite 170.2 aus: Katalog der Gedenkstätte Dachau: Konzentrationslager Dachau 1933 bis 1945. Seite 116 zwei Zeichnungen von Karel Finta. Seite 119 Zeichnungen von Kupac.

Umschlagfotos: akg-images, Berlin; X Verleih/Cinetext; VG Bild-Kunst, Bonn 2005: S. 160.1; VG Bild-Kunst, Bonn 2006: S. 149.3, 149.4, 156.2, 167.7, 195;

Trotz entsprechender Bemühungen ist es nicht in allen Fällen gelungen, den Rechteinhaber ausfindig zu machen. Gegen Nachweis der Rechte zahlt der Verlag für die Abdruckerlaubnis die gesetzlich geschuldete Vergütung.

Das Papier ist aus chlorfrei gebleichtem Zellstoff hergestellt,
ist säurefrei und recyclingfähig.

1. Auflage 2006 R06

Druck 10 09 08 07
Die letzte Zahl bezeichnet das Jahr des Drucks.
Alle Drucke dieser Auflage sind untereinander unverändert und im Unterricht nebeneinander verwendbar.

Umschlagkonzept: Mendell & Oberer, München
Umschlag: Lutz Siebert-Wendt, München
Lektorat: Uschi Pein-Schmidt, Sickte; Margret Bartoli (Assistenz)
Herstellung und Layout: Doris Haßiepen
Illustration: Lob&Partner, Kleindingharting; Klaus M. Puth, Mühlheim;
Jörg Mair, Herrsching; Detlef Seidensticker, München
Kartographie: Achim Norweg, München
Satz und Reproduktion: artesmedia GmbH, München
Druck: J. P. Himmer & Co. KG, Augsburg

ISBN 978-3-486-**83618**-9
ISBN 978-3-637-**83618**-1 (ab 1.1.2009)